실무에서 바로 통하는

프로젝트 해결을 위한

유현배 지음

YD Edition 연두에디션

실무에서 바로 통하는

프로젝트 해결을 위한

발행일 2018년 3월 31일 초판 1쇄
지은이 유현배
펴낸이 심규남
기 획 염의섭·이정선
펴낸곳 연두에디션
주 소 경기도 고양시 일산동구 동국로 32 동국대학교 산학협력관 608호
등 록 2015년 12월 15일 (제2015-000242호)
전 화 031-932-9896
팩 스 070-8220-5528
ISBN 979-11-88831-04-3 (93000)
정 가 18,000원

이 책에 대한 의견이나 잘못된 내용에 대한 수정 정보는 연두에디션 홈페이지나 이메일로 알려주십시오.
독자님의 의견을 충분히 반영하도록 늘 노력하겠습니다.

홈페이지 www.yundu.co.kr

※ 잘못된 도서는 구입처에서 바꾸어 드립니다.

본 교재는 2018년도 나사렛대학교 교내 연구비 지원으로 이루어졌음.

PREFACE

사무실에서 가장 많이 사용하는 프로그램을 꼽을 때, 엑셀은 늘 가장 높은 순위에 위치할 것입니다.

따라서, 관련된 많은 자격증과 수험서, 학원 교습, 대학교 과목 등 전방위적으로 교육이 이루어지고 있습니다.

그만큼 사용자 입장에서도 실무 문서를 작성하고 의외로 어려운 서식을 숙지하는데 적지 않은 시간과 노력을 투자해야 되는 것이 사실입니다.

여기에서 엑셀의 위력과 어려움을 동시에 알 수 있습니다.

엑셀은 문서를 작성하는데 쓰는 프로그램이 아니라, 강력한 계산 기능을 탑재한 최고의 스프레드시트 프로그램으로 차트를 작성하거나, 복잡한 서식을 간단명료하게 정리해서 쉽게 결과물을 도출하고, 방대한 데이터를 비교, 분석하는데 탁월한 프로그램입니다.

이 책은 수많은 엑셀의 놀라운 기능 중 학교와 기업에서 가장 많이 쓰이는 서식과 함수 위주로 구성하였습니다.

특히, 기초부터 중급 수준의 내용을 추려서 쉬운 예제를 중심으로 해설하여 사용자가 엑셀의 활용 방법을 자연스럽게 익힐 수 있게 구성하였습니다.

아마도, 이 책을 접하는 분들은 엑셀을 처음 시작할 것입니다.

그렇다면, 엑셀이 단순한 워드프로세서가 아님을 숙지하시고, 수록된 다양한 서식과 응용 예제를 같이 풀어보면서, 엑셀의 활용법을 알아가는 과정이 되기를 희망합니다.

본 교재에 집필에 다양한 자료 제공으로 도움을 주신 아소미디어 이준호 대표에게도 진심으로 감사를 드립니다. 아울러 교재를 위해 많은 도움을 주신 연두에디션 출판사 관계자 여러분께 감사드립니다.

2018 겨울

유현배

CONTENTS

CHAPTER 4 엑셀 문서 꾸미기

CHAPTER 5 엑셀 함수

CHAPTER 8 날짜 및 시간 함수의 결합

CHAPTER 9 차트 만들기

CHAPTER 10 데이터 분석과 관리

CHAPTER 1

엑셀 2010 쉽게 다루기

1. 엑셀2010 화면 구성 알아보기

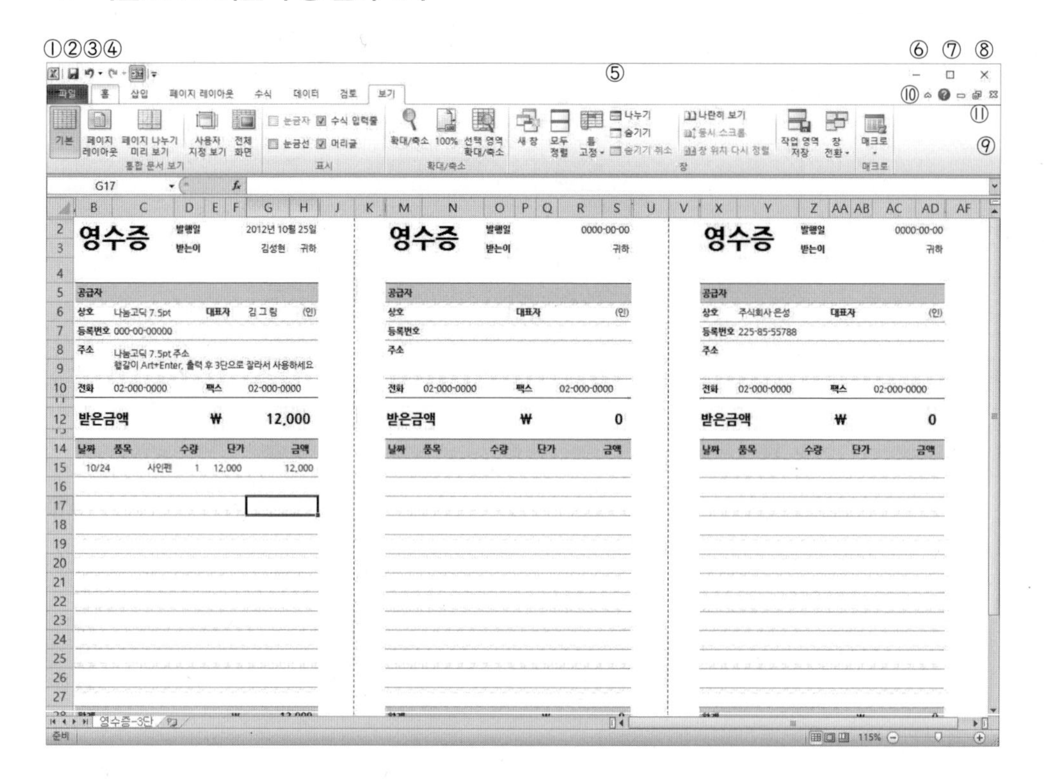

① [창 조절 메뉴] : 클릭시 창 조절 메뉴가 나타나고 더블클릭 시 엑셀이 종료됩니다.

② [저장] : 엑셀 문서를 저장합니다.

③ [실행 취소] : 작업 중 이전 상태로 한 단계씩 되돌릴 수 있으며, 실행 취소 목록에서 원하는 단계로 되돌릴 수 있습니다. 단, 저장시에는 되돌릴 수 없습니다.

④ [다시 실행] : 실행 취소 후 다시 원래 작업으로 돌아가며, 한 단계 혹은 실행 목록을 통해 여러 단계를 한 번에 되돌릴 수 있습니다.

⑤ [제목 표시줄] : 현재 작업 중인 문서의 이름이 표시되며, 엑셀 실행시 "통합 문서1"로 표시됩니다.

⑥ [최소화] : 창의 크기를 최소화하여 작업 표시줄에 표시합니다.

⑦ [최대화/창 복원] : 엑셀 창을 최대화하거나 이전 상태로 표시합니다.

⑧ [닫기] : 엑셀을 종료합니다.

⑨ [리본 메뉴] : 메뉴에 따라 몇 개의 그룹으로 나누어져 있으며, 해당 메뉴의 명령어를 표시합니다.

⑩ [리본 메뉴 최소/확대] : 리본 메뉴를 최소화하거나 확대합니다.

⑪ [엑셀 통합 문서 창 조절] : [최소화], [최대화/창 복원], [엑셀 문서 닫기]가 있습니다.

2. 데이터 입력 창 알아보기

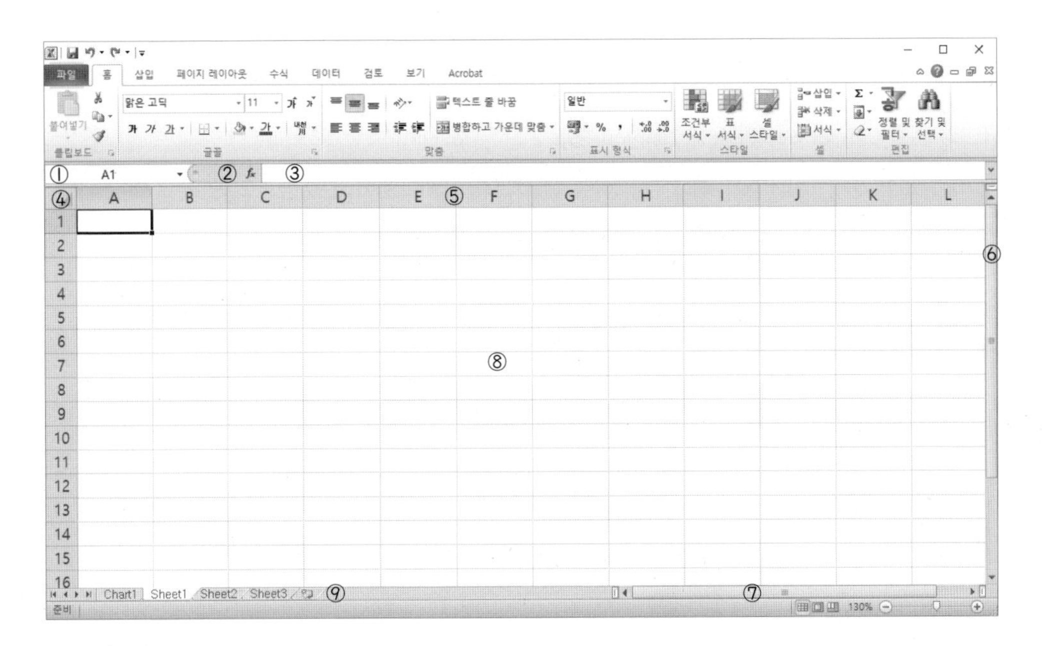

① [이름 상자] : 셀 주소, 셀 이름, 함수나 함수 목록이 표시됩니다.

② [함수 삽입] : 함수 마법사 대화상자를 표시합니다.

③ [수식 입력줄] : 셀의 데이터나 수식이 표시됩니다.

④ [행 머리글] : 행 번호 1~1,048,576행까지 있습니다.

⑤ [열 머리글] : 열 번호 A~XFD열까지 총 16,384개의 열이 있습니다.

⑥ [수직 스크롤바] : 화면을 위/아래로 이동하는 수직 이동줄입니다.

⑦ [수평 스크롤바] : 화면을 좌/우로 이동하는 수평 이동줄입니다.

⑧ [워크시트] : 행과 열로 이루어져 있으며, 데이터가 입력되는 곳입니다.

⑨ [워크시트 삽입] : 새 워크시트를 삽입할 수 있습니다.

3. 상태 표시줄

① [셀 모드] : 현재의 작업 상태를 표시합니다.(준비, 입력, 참조, 편집)

② [보기 바로 가기] : 기본 보기, 페이지 레이아웃, 페이지 나누어 미리 보기 워크시트의 레이아웃을 확인합니다.

③ [화면의 확대/축소] : +, −를 클릭하면 엑셀 문서를 10%씩 확대/축소할 수 있습니다.

4. 상태 표시줄 사용자 지정

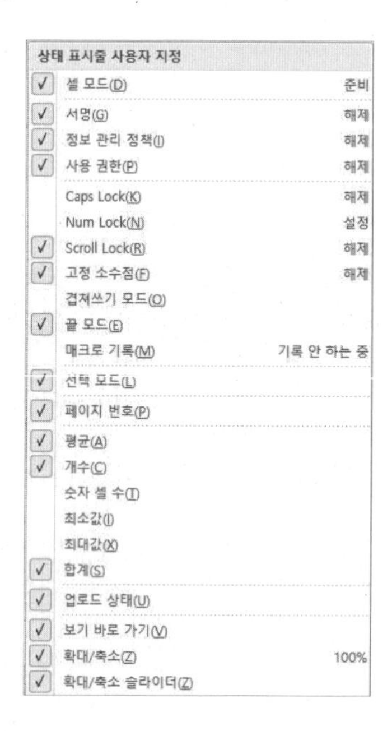

상태 표시줄에서 마우스 오른쪽 버튼을 클릭하여 나오는 바로가기 메뉴에서 상태표시줄에 표시할 목록을 선택/해제 할 수 있습니다.

5. 〔파일〕 메뉴 살펴보기

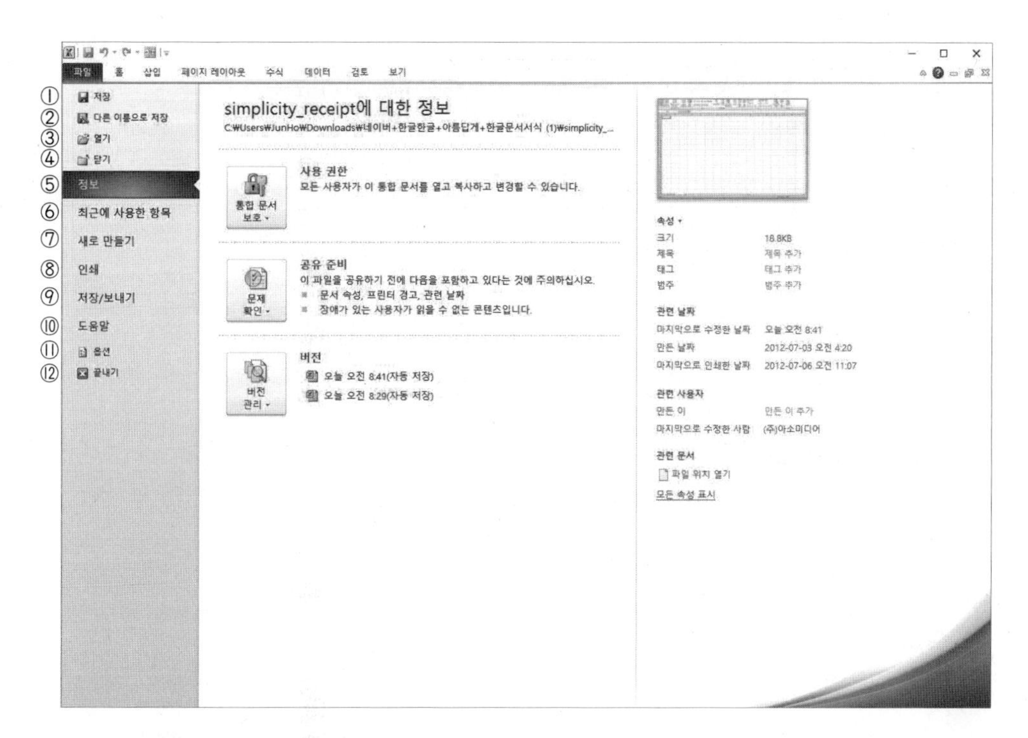

① [저장] : 엑셀 문서를 저장합니다.

② [다른 이름으로 저장] : 현재 문서의 이름을 다른 이름으로 저장합니다.

③ [열기] : 저장되어 있는 엑셀, 텍스트, 웹 문서 파일 등을 가져올 수 있습니다.

④ [닫기] : 엑셀을 종료합니다.

⑤ [정보] : 문서 보호를 위해 암호 설정, 현재 워크시트 보호 등을 할 수 있으며, 문서의 속성, 검사 및 버전을 관리합니다.

⑥ [최근에 사용한 항목] : 최근에 사용한 문서의 목록과 위치가 표시됩니다.

⑦ [새로 만들기] : 새 통합 문서를 만들거나 제공되는 서식 파일을 불러옵니다.

⑧ [인쇄] : 작성한 문서를 인쇄합니다.

⑨ [저장/보내기] : 엑셀 문서를 다양한 형태로 저장 및 전달할 수 있습니다.

⑩ [도움말] : 도움말을 표시합니다.

⑪ [옵션] : Excel 옵션 대화상자를 표시합니다.

⑫ [끝내기] : 엑셀을 종료합니다.

6. 홈 메뉴

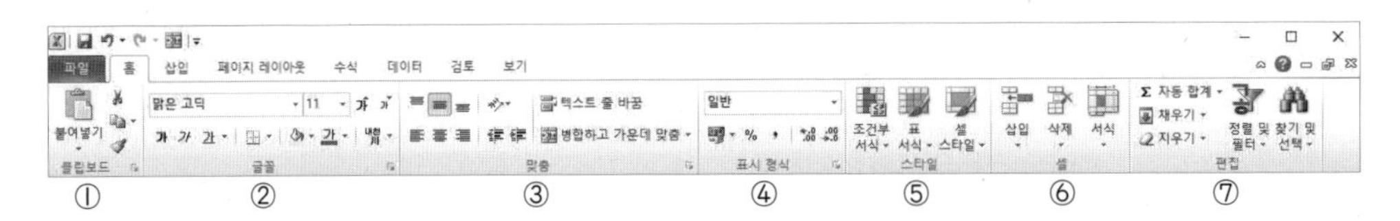

① [클립보드] 그룹 : 복사, 잘라내기, 붙여넣기, 서식복사 등을 할 수 있습니다.

② [글꼴] 그룹 : 글꼴, 글꼴 색, 글꼴 크기, 글꼴 굵기 등 텍스트 관련 서식을 지정합니다.

③ [맞춤] 그룹 : 텍스트 및 수식에 대한 정렬을 지정합니다.

④ [표시형식] 그룹 : 셀 데이터에 대해 백분율, 회계, 자릿수 등의 서식을 지정합니다.

⑤ [스타일] 그룹 : 표나 셀에 대한 스타일을 지정합니다.

⑥ [셀] 그룹 : 셀이나 행, 열을 삽입, 삭제할 수 있습니다.

⑦ [편집] 그룹 : 자동 합계, 정렬 및 찾기 등을 할 수 있습니다.

7. 삽입 메뉴

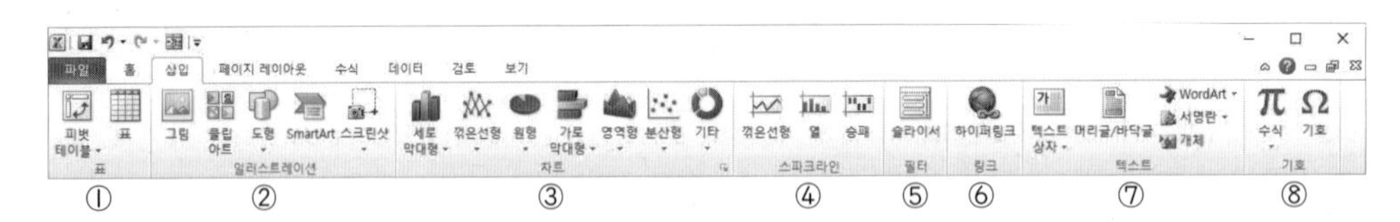

① [표] 그룹 : 피벗 테이블, 피벗 차트, 표를 삽입합니다.

② [일러스트레이션] 그룹 : 그림, 클립아트, 도형, SmartArt를 삽입하며, 화면을 캡처할 수 있습니다.

③ [차트] 그룹 : 셀 데이터를 이용해 다양한 차트를 만들 수 있습니다.

④ [스파크라인] 그룹 : 데이터의 추세를 차트와 같이 꺾은선, 막대형으로 만들 수 있습니다.

⑤ [필터] 그룹 : 슬라이서를 사용해 피벗 테이블, 큐브 함수를 더 빠르고 쉽게 필터링할 수 있습니다.

⑥ [링크] 그룹 : 링크, 책갈피를 설정할 수 있습니다.

⑦ [텍스트] 그룹 : 텍스트 상자, 머리글/바닥글, 워드아트, 개체 등을 삽입할 수 있습니다.

⑧ [기호] 그룹 : 키보드에 없는 수식이나 기호를 삽입합니다.

8. 페이지 레이아웃 메뉴

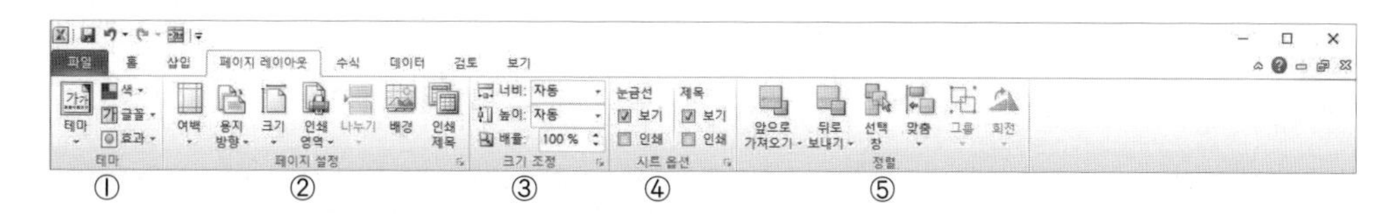

① [테마] 그룹 : 테마의 색상, 글꼴, 효과를 지정하여 디자인을 변경할 수 있습니다.

② [페이지 설정] 그룹 : 여백, 용지, 크기, 인쇄 등을 설정할 수 있습니다.

③ [크기 조정] 그룹 : 페이지에 맞게 너비와 높이를 조절합니다.

④ [시트 옵션] 그룹 : 워크시트의 눈금선, 행/열 머리글, 인쇄 표시 등을 설정할 수 있습니다.

⑤ [정렬] 그룹 : 도형 및 개체의 순서 및 맞춤을 설정할 수 있습니다.

9. 수식 메뉴

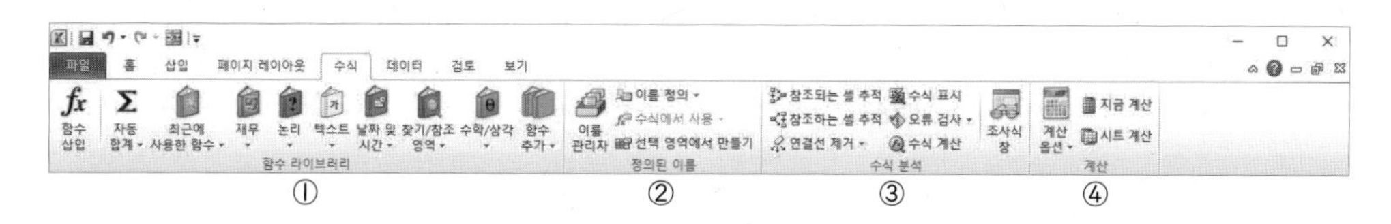

① [함수 라이브러리] 그룹 : 엑셀 함수를 카테고리 별로 선택할 수 있습니다.

② [정의된 이름] 그룹 : 문서에 사용된 이름 작성, 편집, 삭제, 이름 정의를 할 수 있습니다.

③ [수식 분석] 그룹 : 참조 셀, 추적, 오류 확인, 셀 결과 값 대신 수식을 표시할 수 있습니다.

④ [계산] 그룹 : 통합 문서의 모든 워크시트를 계산하거나 현재 워크시트를 계산합니다.

10. 데이터 메뉴

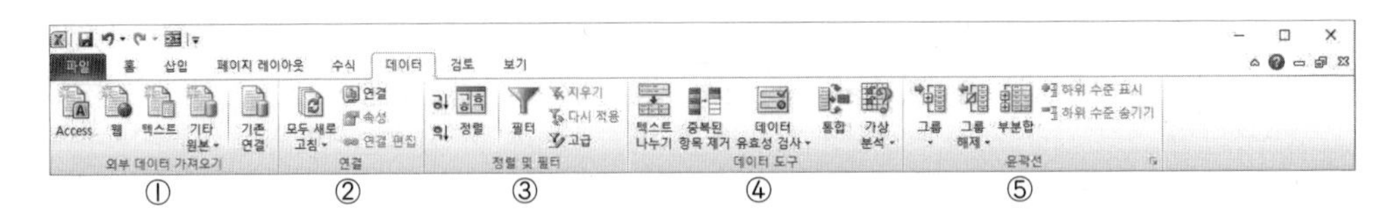

① ② ③ ④ ⑤

① [외부 데이터 가져오기] 그룹 : 액세스, 웹, 텍스트 등의 외부 데이터를 불러옵니다.

② [연결] 그룹 : 외부 데이터를 업데이트하거나 연결합니다.

③ [정렬 및 필터] : 데이터를 정렬(오름차순, 내림차순)하거나 필터링을 사용할 수 있습니다.

④ [데이터 도구] 그룹 : 텍스트 나누기, 중복 항목 제거, 유효성 검사, 가상분석(목표값찾기, 시나리오) 등의 작업을 할 수 있습니다.

⑤ [윤곽선] 그룹 : 셀 범위를 그룹화하거나 해제할 수 있으며, 부분합을 할 수 있습니다.

11. 검토 메뉴

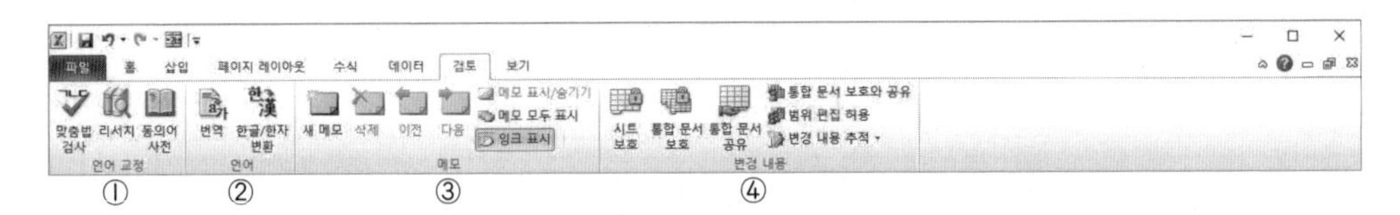

① ② ③ ④

① [언어 교정] 그룹 : 맞춤법 검사, 참조 자료 검색, 비슷한 단어를 제시합니다.

② [언어] 그룹 : 한글, 한자 변환을 할 수 있습니다.

③ [메모] 그룹 : 메모 작성, 숨기기, 편집, 삭제 등을 할 수 있습니다.

④ [변경 내용 저장] 그룹 : 워크시트 보호, 통합 문서 보호, 공유, 암호 설정 등을 할 수 있습니다.

12. 보기 메뉴

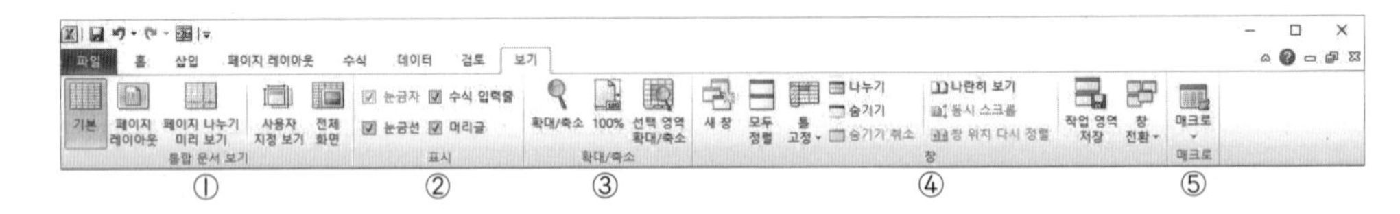

① ② ③ ④ ⑤

① [통합 문서 보기] 그룹 : 인쇄전 문서의 상태를 확인하고 조절할 수 있습니다.

② [표시] 그룹 : 눈금자, 눈금선, 수식 입력줄, 머리글을 워크시트에 표시하거나 숨깁니다.

③ [확대/축소] 그룹 : 워크시트를 확대/축소 합니다.

④ [창] 그룹 : 새 문서, 창 정렬, 틀 고정, 워크시트 나누기, 숨기기 등을 할 수 있습니다.

⑤ [매크로] 그룹 : 매크로 목록 보기, 저장, 다른 매크로 옵션을 지정합니다.

SECTION 1 엑셀2010 시작과 종료

1.1 엑셀2010 화면 구성 알아보기

[시작] - [Microsoft office] - [Microsoft Excel2010]을 클릭하여 엑셀2010을 시작합니다.

1.2 종료하기

[파일] - [끝내기]를 클릭하거나 〈창 조절〉 메뉴에서 종료를 클릭합니다.

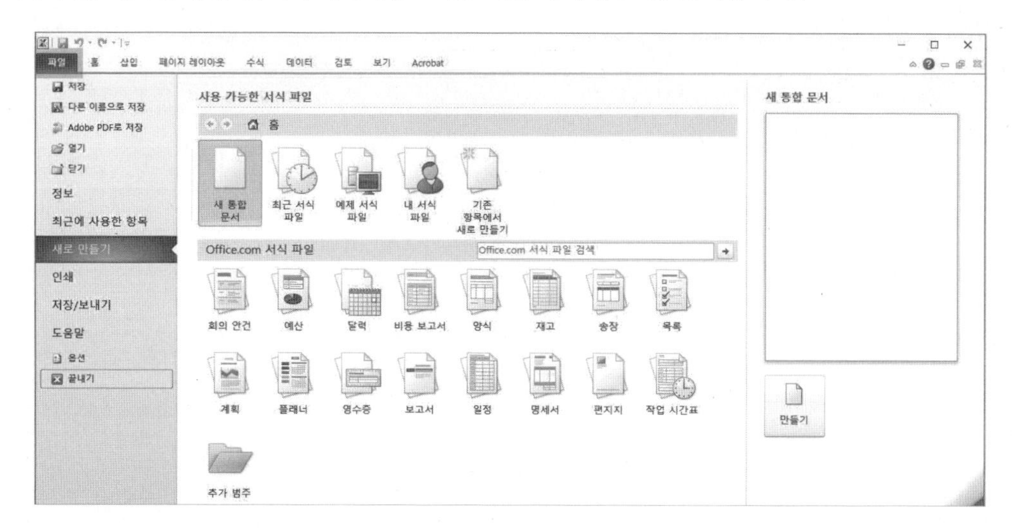

SECTION 2 통합문서 열기와 저장하기

2.1 파일 불러오기

01 [파일] - [열기]를 클릭하여 편집할 파일을 불러옵니다.

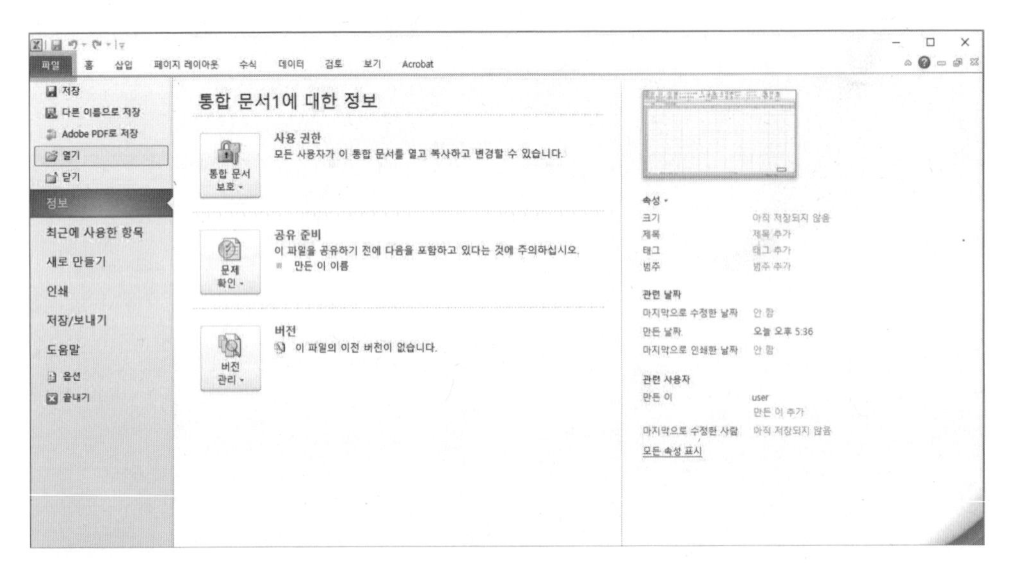

02 [제한된 보기] 상태로 문서를 열리면 메뉴가 활성화되지 않습니다. [편집사용]을 클릭하면 편집이 가능합니다.

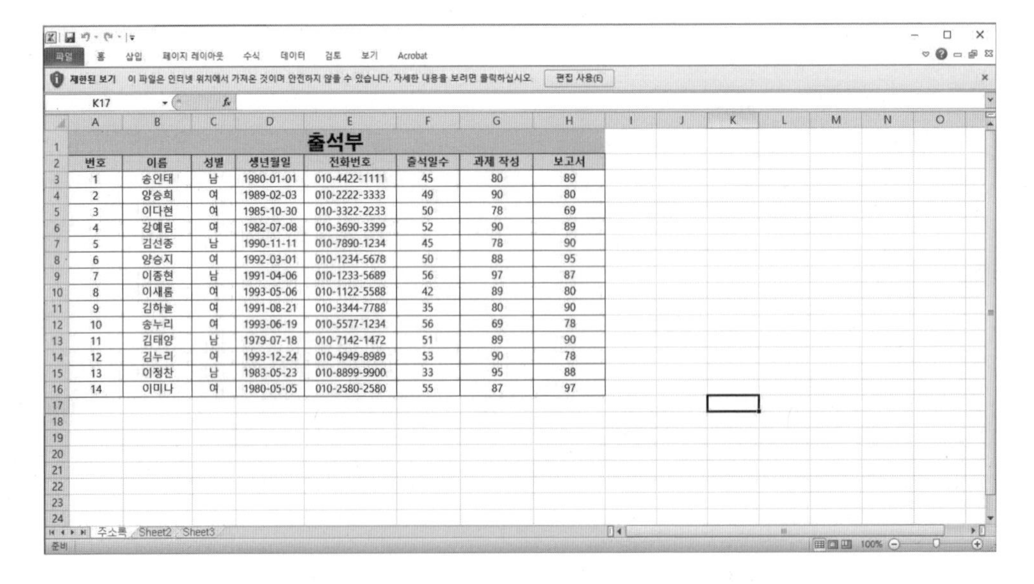

출석부

번호	이름	성별	생년월일	전화번호	출석일수	과제 작성	보고서
1	송인태	남	1980-01-01	010-4422-1111	45	80	89
2	양승희	여	1989-02-03	010-2222-3333	49	90	80
3	이다현	여	1985-10-30	010-3322-2233	50	78	69
4	강예림	여	1982-07-08	010-3690-3399	52	90	89
5	김선종	남	1990-11-11	010-7890-1234	45	78	90
6	양승지	여	1992-03-01	010-1234-5678	50	88	95
7	이종현	남	1991-04-06	010-1233-5689	56	97	87
8	이새롬	여	1993-05-06	010-1122-5588	42	89	80
9	김하늘	여	1991-08-21	010-3344-7788	35	80	90
10	송누리	여	1993-06-19	010-5577-1234	56	69	78
11	김태양	남	1979-07-18	010-7142-1472	51	89	90
12	김누리	여	1993-12-24	010-4949-8989	53	90	78
13	이정찬	남	1983-05-23	010-8899-9900	33	95	88
14	이미나	여	1980-05-05	010-2580-2580	55	87	97

2.2 통합문서로 저장하고 파일형식 변경하기

01 [파일]-[다른 이름으로 저장]을 클릭한 후 [다른 이름으로 저장] 대화상자에서 [파일 형식] 내림 단추를 클릭합니다.

02 [Excel 97-2003 통합문서(*.xsl)로 선택해 [저장]을 클릭하면 2003 이전 버전의 프로그램과 호환되는 문서로 저장됩니다.

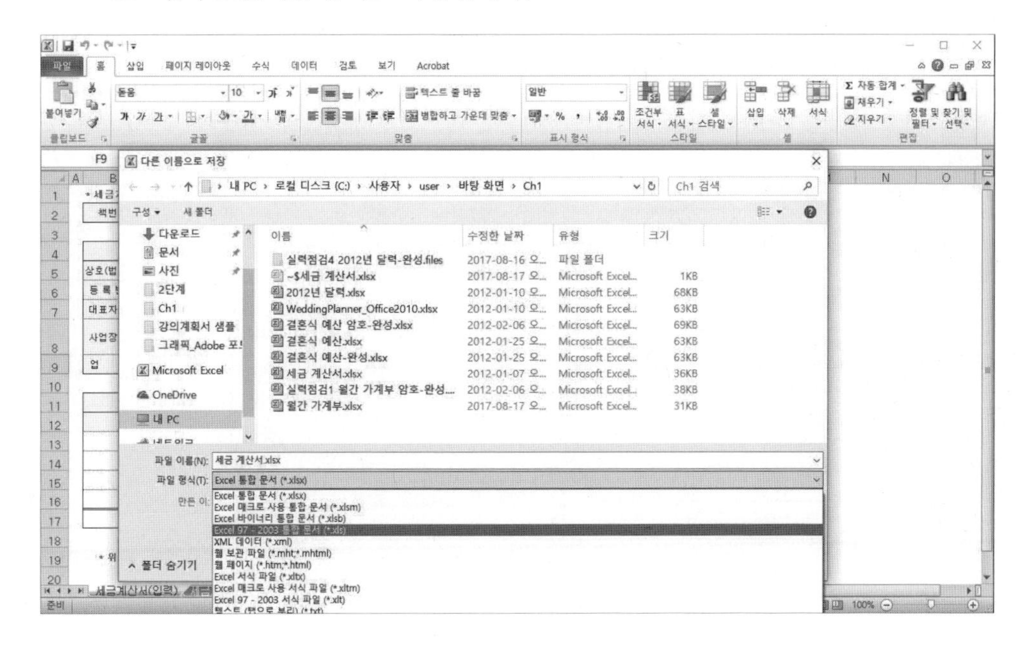

2.3 통합문서에 암호 설정하기

01 [다른 이름으로 저장] 대화 상자에서 [도구]의 내림 단추를 클릭합니다.

02 [일반 옵션] 대화 상자에서 [열기 암호]에 암호를 입력하고 [확인]을 클릭하면 문서에 암호가 저장됩니다.

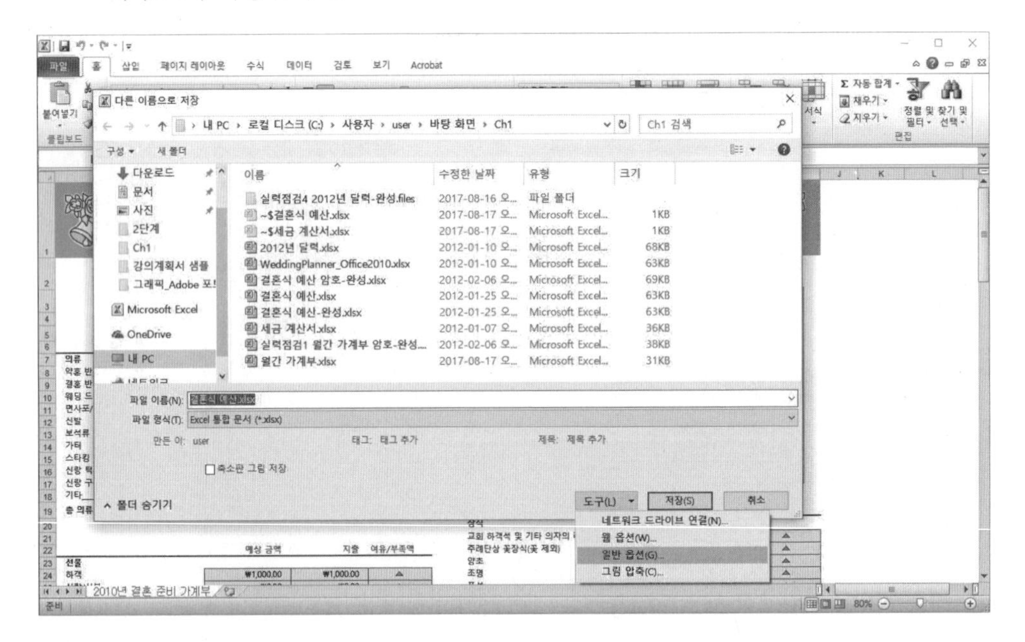

일반 옵션 ? ×
□ 백업 파일 항상 만들기(B)
파일 공유
열기 암호(O): *****
쓰기 암호(M):
□ 읽기 전용 권장(R)
확인 취소

CHAPTER 2

데이터 입력 및 수정

1. 셀 서식의 데이터 표시 형식

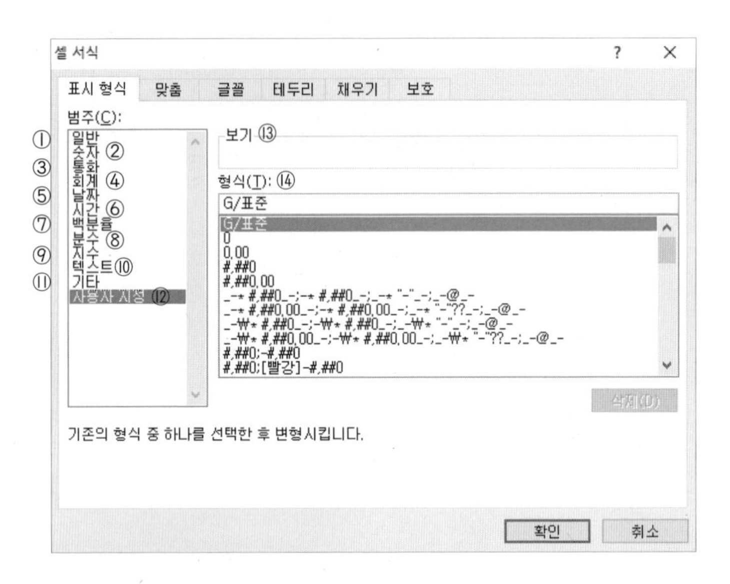

① [일반] : 셀에 아무런 표시 형식을 지정하지 않습니다.

② [숫자] : 셀에 숫자형식(음수, 양수)을 표현하고 소수 자릿수와 천 단위 구분을 표시할 수 있습니다.

③ [통화] : 통화기호인 원(₩), 달러($) 등을 표시할 수 있습니다.

④ [회계] : 회계형식을 사용할 수 있고, 통화와 같은 형태로 사용할 수 있습니다.

⑤ [날짜] : 날짜와 시간의 형식을 표현할 수 있으며, 별표(*)가 있는 형식은 운영체제의 날짜와 시간설정에 영향을 받습니다.

⑥ [시간] : 시간의 형식을 표현할 수 있으며, 별표(*)가 있는 형식은 운영체제의 날짜와 시간설정에 영향을 받습니다.

⑦ [백분율] : 셀 값에 '100'을 곱한 값을 백분율 기호(%)와 함께 표현합니다.

⑧ [분수] : 공백(띄어쓰기)과 함께 숫자를 입력해 분수 형식으로 표현합니다.

⑨ [지수] : 지수 형식('1900-04-09'→'1.E+02')으로 표현합니다.

⑩ [텍스트] : 숫자 등 모든 데이터를 문자로 인식합니다.

⑪ [기타] : 목록 및 데이터베이스 값을 찾을 때 사용합니다.

⑫ [사용자 지정] : 기존에 없는 형식을 만들거나 변형시켜 쓸 수 있는 표시 형식입니다.

⑬ [보기] : 선택한 데이터의 표시 형식의 결과를 미리 볼 수 있습니다.

⑭ [형식 및 옵션목록] : 범주에 있는 표시 형식의 종류에 따라 다르게 표시되어 옵션목록을 선택할 수 있습니다.

2. 데이터 표시 형식

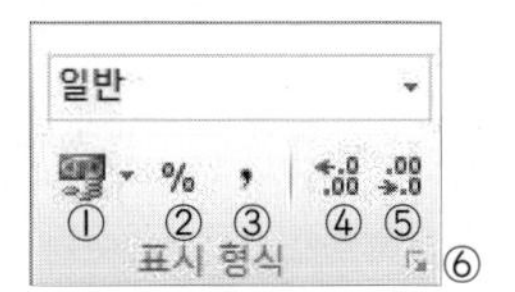

① [회계 표시 형식] : 선택한 셀에 다른 통화 형식을 지정합니다.

② [백분율 스타일] : 셀 값에 '100'을 곱하고 %를 입력합니다.

③ [쉼표 스타일] : 숫자 등에 천 단위 구분 기호가 표시됩니다.

④ [자릿수 늘림] : 소수점의 자릿수를 클릭할 때마다 한 자리씩 늘어납니다.

⑤ [자릿수 줄임] : 소수점의 자릿수를 클릭할 때마다 한 자리씩 줄어듭니다.

⑥ [표시 형식] : [일반] 내림단추를 클릭하면 여러 가지 표시 형식을 지정할 수 있습니다.

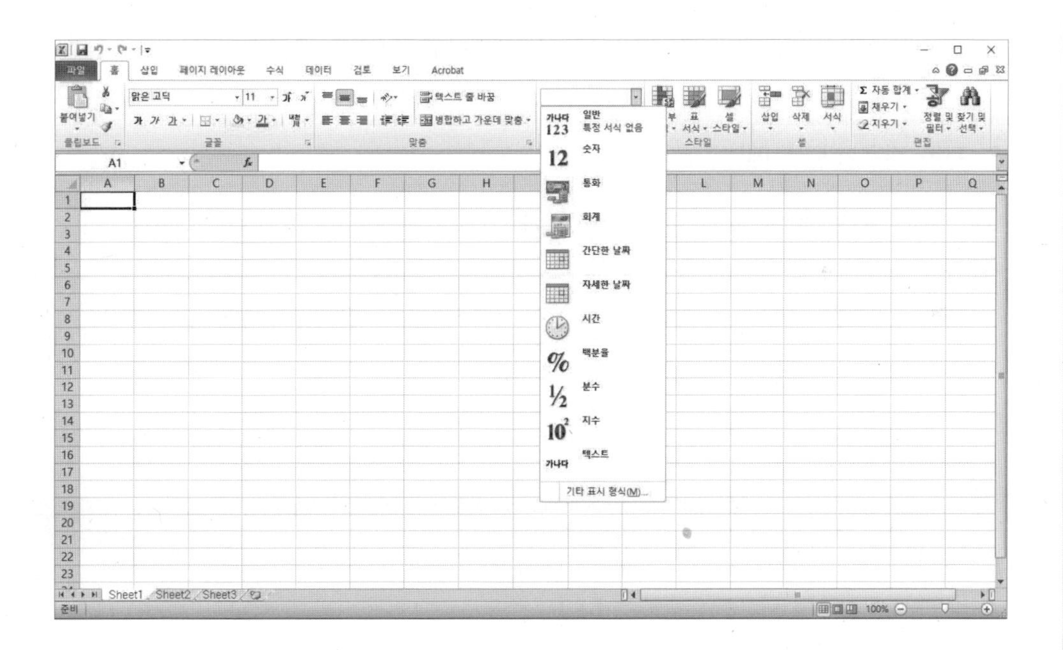

3. 자동 채우기 옵션

자동 채우기 옵션은 자동 채우기를 하고 나면 셀의 마지막에 나타납니다.

① 셀 복사(C)
② 연속 데이터 채우기(S)
③ 서식만 채우기(F)
④ 서식 없이 채우기(O)

① [셀 복사] : 셀의 데이터와 서식 모두를 복사합니다.

② [연속 데이터 채우기] : 숫자 데이터일 때 숫자를 연속적으로 채우고 서식도 복사합니다.

③ [서식만 채우기] : 글꼴크기, 색상, 표 등 서식만을 복사합니다.

④ [서식 없이 채우기] : 데이터만 가져와 복사합니다.

4. 자동 채우기 단축 메뉴

자동 채우기를 할 때 마우스 오른쪽 단추로 채우기 핸들을 드래그하면 나타납니다.

① [셀 복사] : 값을 복사합니다.

② [연속 데이터 채우기] : 데이터 값을 순차적으로 증가하여 셀 채우기를 합니다.

③ [서식만 채우기] : 서식만 복사합니다.

④ [서식 없이 채우기] : 데이터만 복사합니다.

⑤ [일 단위 채우기] : 날짜 데이터의 일 단위만 증가하여 셀 채우기를 합니다.

⑥ [평일 단위 채우기] : 날짜 데이터의 일 단위에서 토요일, 일요일은 제외한 월요일에서 금요일까지 해당하는 날짜로만 셀 채우기를 합니다.

⑦ [월 단위 채우기] : 날짜 데이터의 월만 증가하여 셀 채우기를 합니다.

⑧ [연 단위 채우기] : 날짜 데이터의 연도만 증가하여 셀 채우기를 합니다.

⑨ [선형 추세 반영] : 첫째 값과 다음 값의 차가 시작 값에 추가된 다음 이후의 각 값에 덧셈되어 추가됩니다.

⑩ [급수 추세 반영] : 첫째 값과 다음 값의 차가 다음 단계 값과 곱하여 계열의 다음 값을 구하고 결과로 표시합니다.

⑪ [연속 데이터] : 대화상자가 나타나 선형, 급수, 날짜, 자동 채우기 등을 할 수 있습니다.

5. 연속 데이터

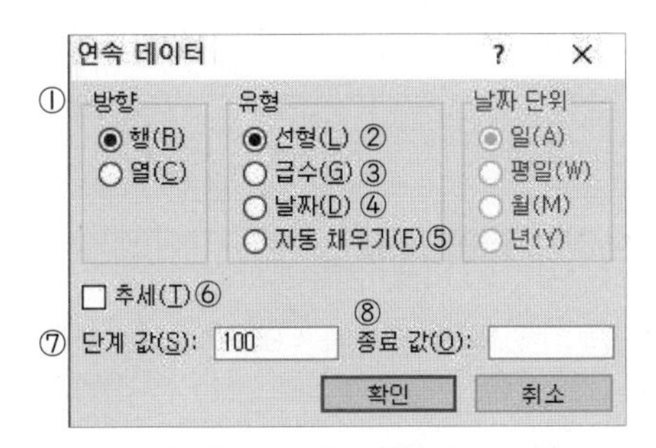

① [방향] : 자동 채우기 방향으로 행, 열에 대한 방향을 나타냅니다.

② [선형] : 입력된 데이터 값과 단계 값을 덧셈합니다.

③ [급수] : 입력된 데이터 값과 단계 값을 곱셈합니다.

④ [날짜] : 날짜를 선택하면 평일, 월, 년 단위의 자동 채우기를 합니다.

⑤ [자동 채우기] : 셀을 복사합니다.

⑥ [추세] : '1'씩 증가하여 자동 채우기를 합니다.

⑦ [단계 값] : 덧셈을 하거나 곱셈의 값을 의미합니다.

⑧ [종료 값] : 덧셈이나 곱셈을 하면서 종료 값에 이르면 더 이상 계산되지 않고 자동 채우기를 종료합니다.

CHECK 알아두기

6. 특수 문자

한글 자음을 입력하고 검은색으로 깜빡일 때 [한자]를 누르면 특수문자 목록이 나타나고, 하단의 보기변경(»)을 클릭하면 전체를 볼 수 있습니다.

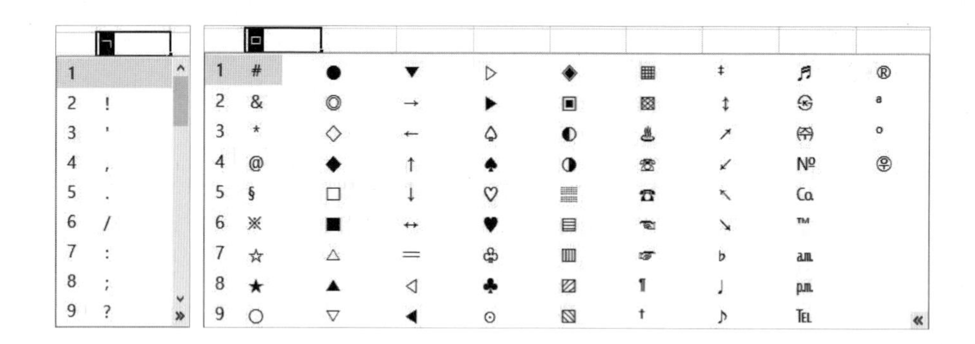

7. 기호에서 가장 많이 쓰이는 글꼴 목록

[삽입] 탭 [기호]를 클릭하면 기호 대화상자가 나타납니다. 글꼴을 클릭하면 글꼴에 해당하는 기호가 나타납니다.

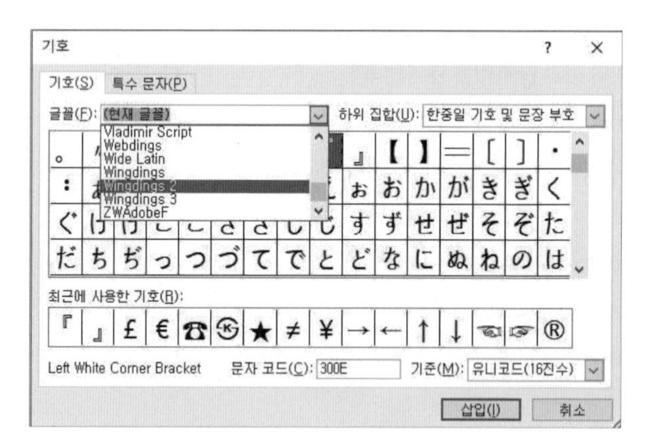

8. 한글/한자 변환

한자로 변환하는 한글을 입력하고 〈한자〉키를 누르면 〈한글/한자 변환〉 대화상자가 나타납니다.

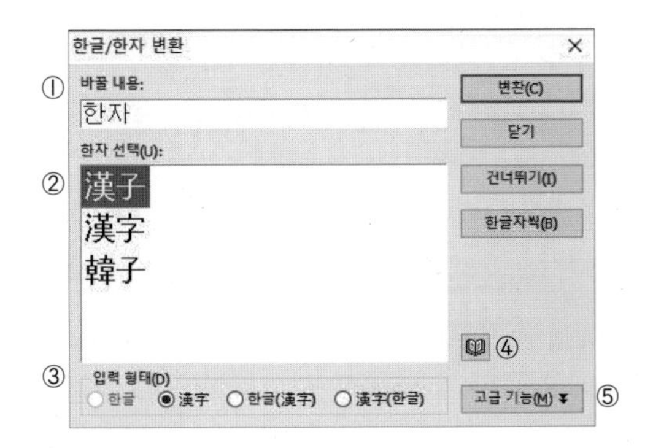

① [바꿀 내용] : 바꿀 한글이 표시됩니다.

② [한자 선택] : 한자 목록 중 변환할 한자를 선택합니다.

③ [입력 형태] : 한글, 한자, 한글(한자), 한자(한글) 형태 중 원하는 입력 형태를 선택합니다.

④ [한자 사전] : 한자의 음과 뜻을 자세히 알고 싶을 때 클릭합니다.

⑤ [고급 기능] : 새 단어 등록, 등록된 단어 삭제, 옵션이 표시됩니다.

SECTION 1 데이터 입력과 수정

1.1 셀 데이터 수정

01 [B3] 셀에 "데이터 수정"을 입력하고, 수식입력줄에 커서를 위치시킵니다.

02 마우스 왼쪽 단추를 이용해 수정하고자 하는 부분을 더블 클릭하여 수정합니다.

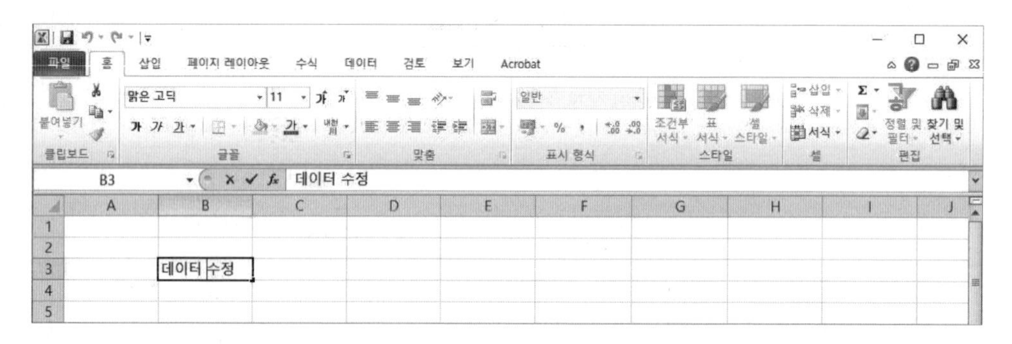

03 셀을 클릭하고 단축키 F2를 누르면 셀 데이터의 맨 끝에 커서가 위치하여 수정할 수 있습니다.

1.2 셀 데이터 삭제

01 데이터를 입력하고 삭제하고자하는 데이터 셀을 클릭 또는 드래그하여 범위를 지정하고 Delete를 눌러 삭제합니다.

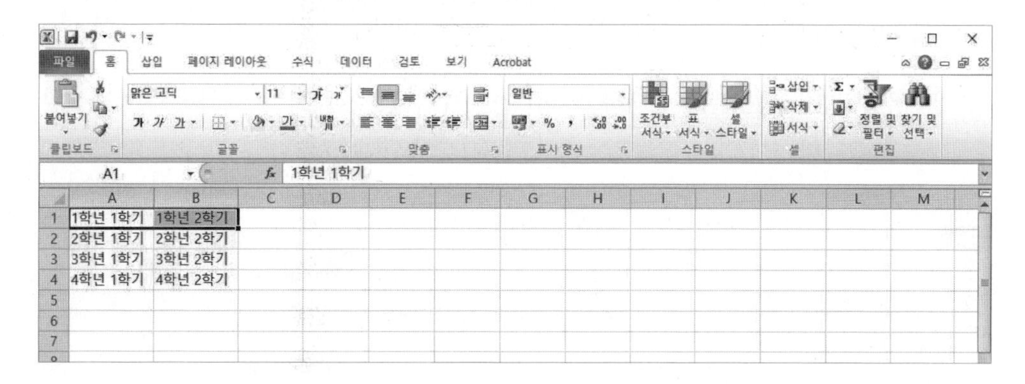

02 삭제하려는 셀을 클릭하고 Back Space를 눌러 삭제합니다.

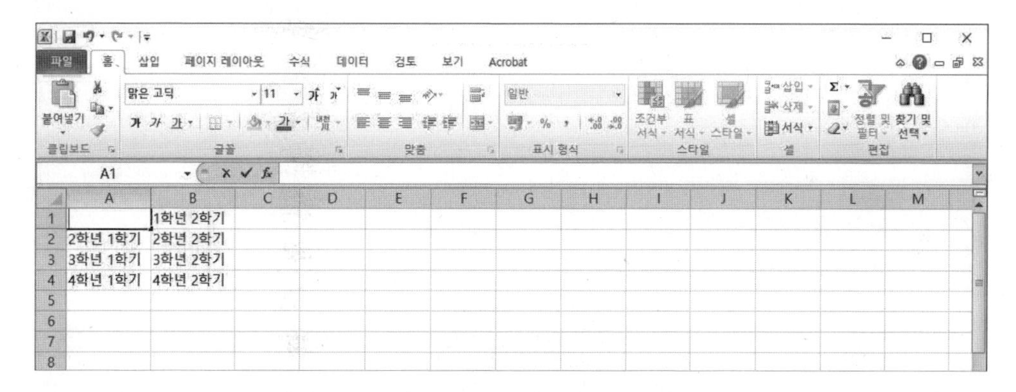

03 삭제하려는 셀을 클릭한 후 직접 데이터를 입력합니다.

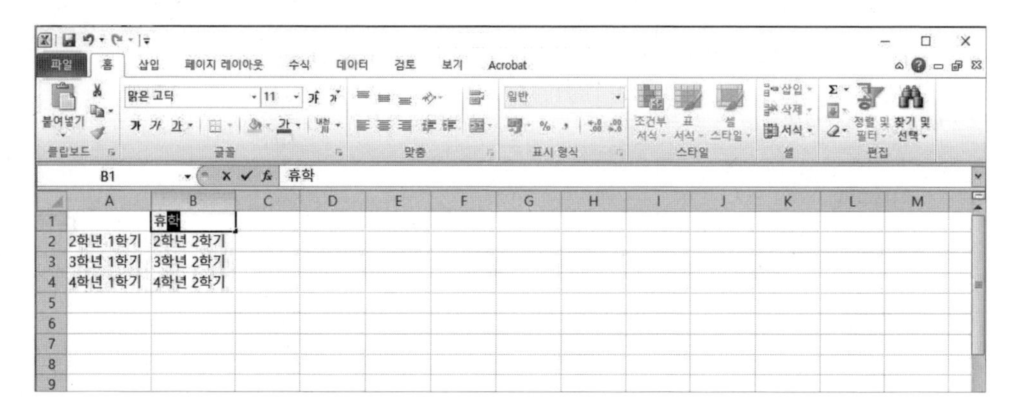

1.3 데이터 표시 형식 변경

01 데이터를 입력합니다.

02 마우스 오른쪽 버튼을 눌러 [셀 서식] 대화상자에서 셀의 형식을 확인하고 변경할 수 있습니다.

03 변경하고자 하는 셀을 선택하고 Ctrl+1을 클릭하면 [셀 서식] 대화상자를 표시할 수 있습니다.

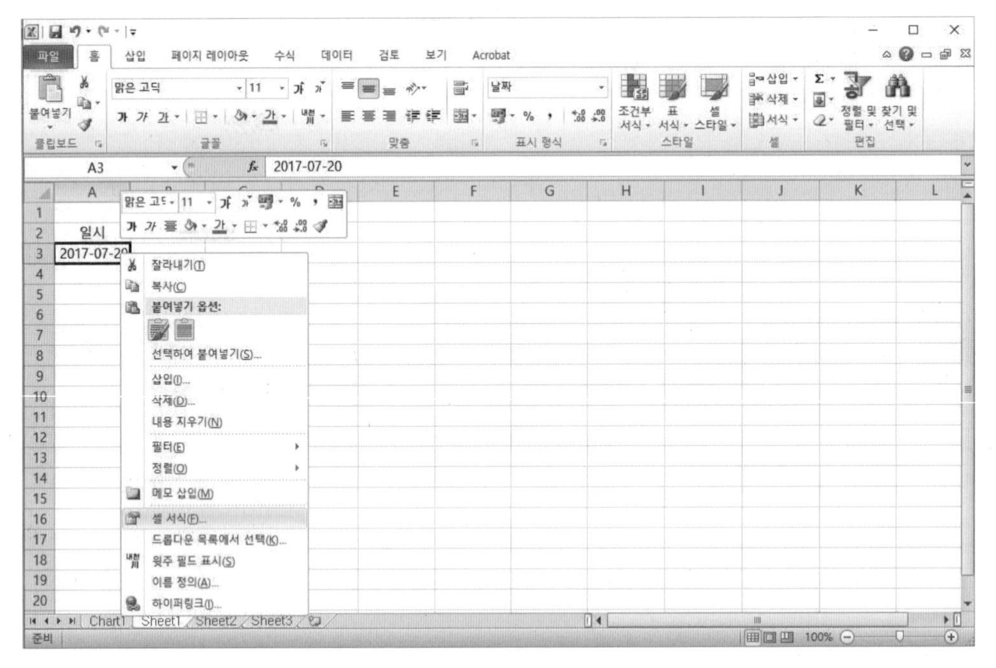

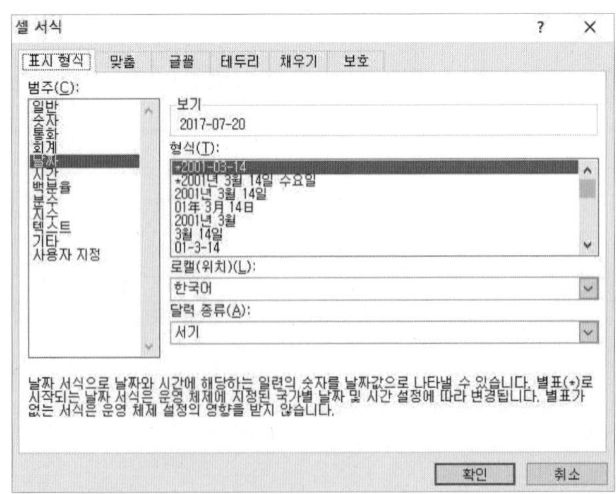

1.4 문자 데이터 셀에 입력

01 셀을 클릭하고 문자 데이터를 입력합니다.

02 '2017년07월20일'은 '숫자+문자'로 이루어진 문자 데이터 형식입니다. 날짜 데이터는 '2017-07-20' 또는 '2017/07/20'의 형식으로 하이픈(-)이나, 슬래시(/)로 구분하여 입력하면 데이터가 오른쪽 정렬이 됩니다.

03 '010-1234-5678'와 같은 '숫자+기호' 형태도 문자 데이터입니다.

04 한 셀에 2줄 이상의 데이터를 입력하기 위해서는 Alt + Enter를 눌러 커서를 두 번째 줄로 이동시킵니다.

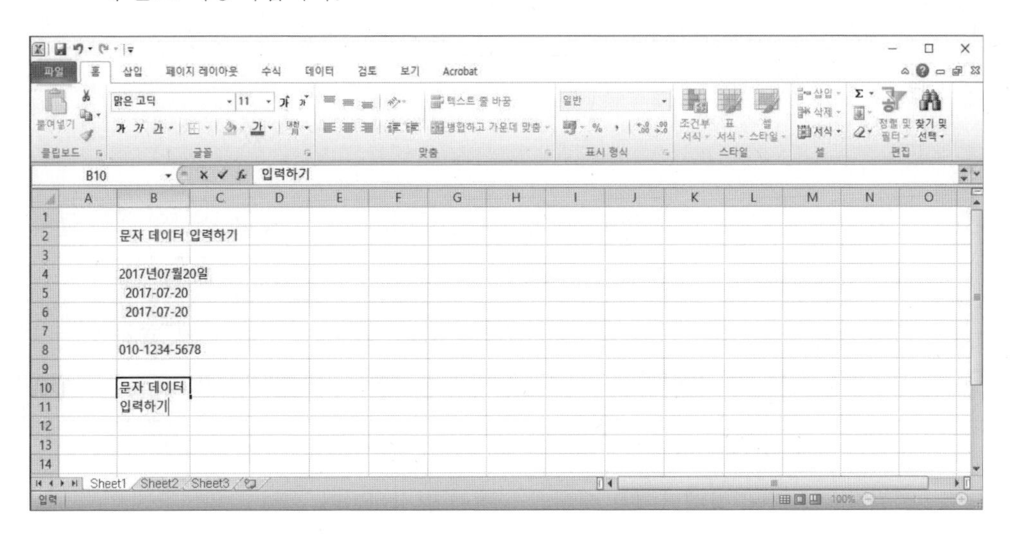

1.5 수치 및 날짜/시간 데이터 입력

01 CH1-1-1.xlsx 파일을 불러와 〈수치〉 시트를 선택합니다.

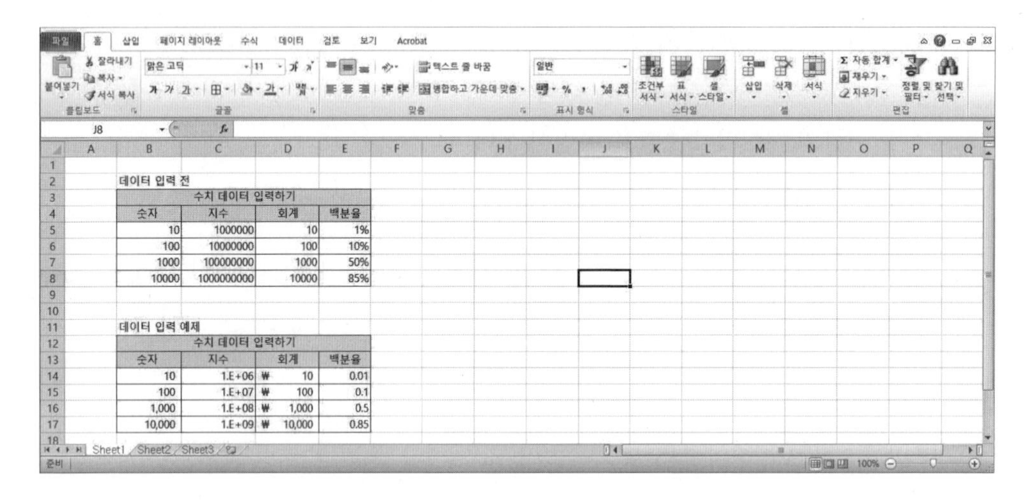

데이터 입력 전

수치 데이터 입력하기			
숫자	지수	회계	백분율
10	1000000	10	1%
100	10000000	100	10%
1000	100000000	1000	50%
10000	1000000000	10000	85%

데이터 입력 예제

수치 데이터 입력하기			
숫자	지수	회계	백분율
10	1.E+06	₩ 10	0.01
100	1.E+07	₩ 100	0.1
1,000	1.E+08	₩ 1,000	0.5
10,000	1.E+09	₩ 10,000	0.85

02 숫자 항목에 숫자를 입력하고 [홈] 탭 – [표시형식] 그룹 – [쉼표 스타일(,)]을 클릭하면 천 단위로 구분하여 데이터의 형식이 변경됩니다.

03 지수 항목에 숫자를 입력하면 넓이가 좁은 셀은 '1.E+06', '1.E+07'로 표시 되는데 이것은 1이라는 숫자 뒤에 0이 6개 또는 7개 있다는 지수 표현입니다.

04 회계 항목에 숫자를 입력하고 [홈] 탭 – [표시형식] 그룹 – [회계 표시 형식( )]을 클릭하면 원화의 화폐단위로 데이터 형식이 변경됩니다.

05 백분율 항목에 숫자를 입력하고 [홈] 탭 – [표시형식] 그룹 – [백분율 스타일(%)]을 클릭하면 백분율로 데이터 형식이 변경됩니다.

06 [셀 서식] 대화상자를 이용해 데이터 표시형식을 변경할 수 있습니다.

연습문제

1. 새로운 워크시트에 아래와 같은 내용을 입력해 봅니다.

	A	B	C	D	E	F	G
1							
2		신규회원 명단					
3							
4		성명	성별	국적	생년월일	나이	
5		나슬픔	남	한국	1980-05-15	36	
6		나미끄	여	일본	1985-10-22	31	
7		천룡	남	중국	1982-07-18	34	
8							
9							

2. CH2-1-ex1 파일을 이용해 다음과 같이 입력해 봅니다.

	A	B	C	D
1		**데이터 입력하기**		
2				
3		데이터 종류	입력 방법	예제
4		문자 데이터	한줄로 입력하기	마이크로소프트
5			두줄로 입력하기	수식계산& 데이터분석
6			숫자를 문자로 변환하기	080723
7		숫자 데이터	셀 너비에 맞게 입력	49365
8			셀 너비보다 길게 입력	1.23457E+17

3. CH2-1-ex2 파일을 이용해 다음과 같이 입력해 봅니다.

	A	B	C	D
1		**날짜/시간 데이터 입력하기**		
2				
3		데이터 종류	입력 방법	예제
4		날짜	직접 입력	2017-12-31
5			바로 가기 키를 이용한 현재 날짜 입력	2017-12-19
6		시간	직접 입력	19:50
7			바로 가기 키를 이용한 현재 시간 입력	7:16 AM

연습문제

4. CH2-1-ex3 파일을 이용해 B17:D20 내용을 삭제하고 아래쪽에 위치한 광주 데이터가 당겨지도록 해봅니다.

	A	B	C	D
1				
2		**각 지역별 분기 매출 현황**		
3				
4		지역	분기	매출액(천)
5		서울지역	1사분기	30,923
6			2사분기	23,043
7			3사분기	23,436
8			4사분기	29,387
9		경기지역	1사분기	93,873
10			2사분기	32,938
11			3사분기	29,899
12			4사분기	98,789
13		부산지역	1사분기	12,365
14			2사분기	23,859
15			3사분기	98,362
16			4사분기	78,987
17		대구지역	1사분기	65,363
18			2사분기	39,283
19			3사분기	29,859
20			4사분기	98,373
21		광주지역	1사분기	23,653
22			2사분기	53,635
23			3사분기	43,936
24			4사분기	56,393

SECTION 2 특수 문자와 한자 입력

2.1 특수문자 입력

01 CH2-2-1.xlsx 파일을 열고 "고사성어" 앞뒤에 특수기호를 삽입합니다.

02 원하는 위치의 셀에 한글 자음을 입력하고 키보드의 [한자]키를 누르면 특수문자들이 목록으로 나타납니다.

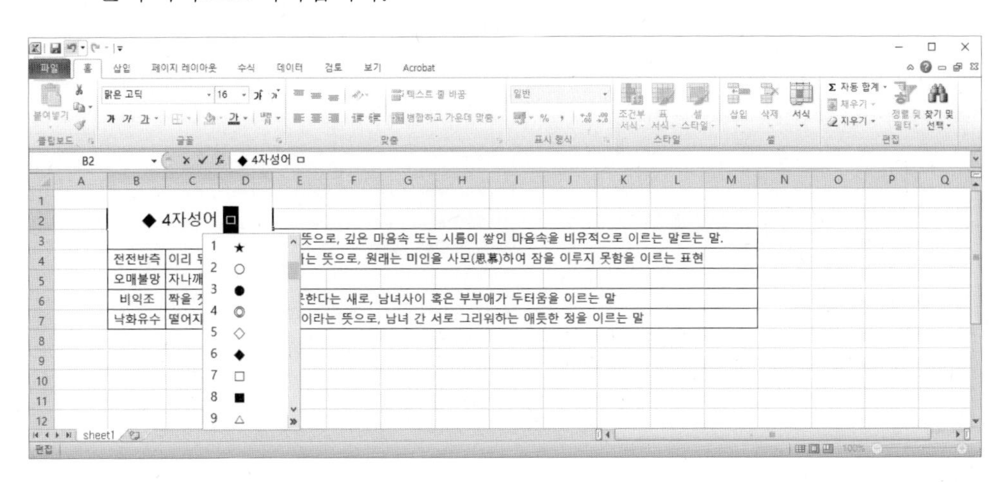

2.2 한자 입력

01 변환을 원하는 단어 뒤에서 더블 클릭을 하고 [한자]를 누르면 [한글/한자 변환] 대화상자가 나타납니다.

02 한자와 입력방법을 선택하여 변환하고, 한자의 음과 뜻을 자세히 알고 싶다면 [한자사전]을 클릭합니다.

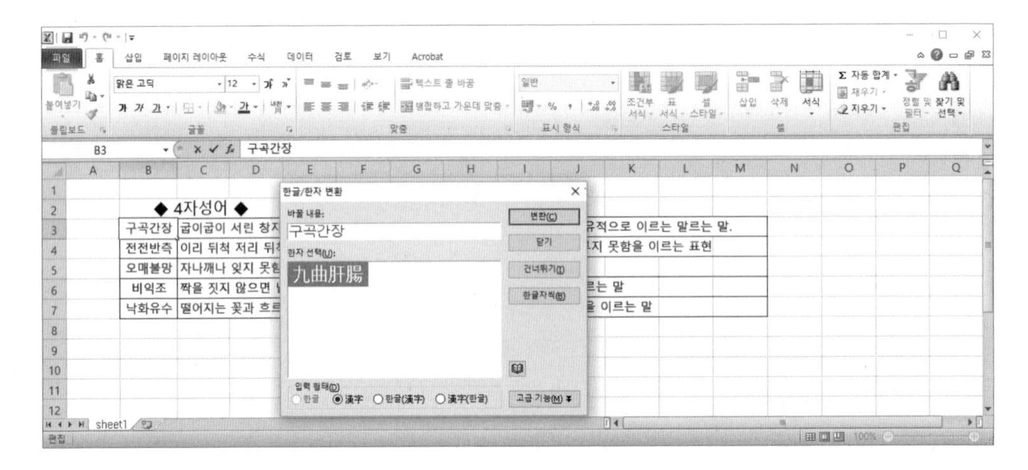

연습문제

1. 워크시트에 특수기호와 한자 변환 기능을 이용해 다음 문서를 작성해 봅니다.

신규회원 명단

성명	성별	국적	생년월일	나이
나술품	남(♂)	한국(韓國)	1980-05-15	36
나미꼬	여(♀)	일본(日本)	1985-10-22	31
천룡	남(♂)	중국(中國)	1982-07-18	34

2. CH2-2-ex1.xlsx 파일을 열어 "출판사"를 한자로 변환하고, 전화번호 앞에 ☎ 기호를 삽입해 봅니다.

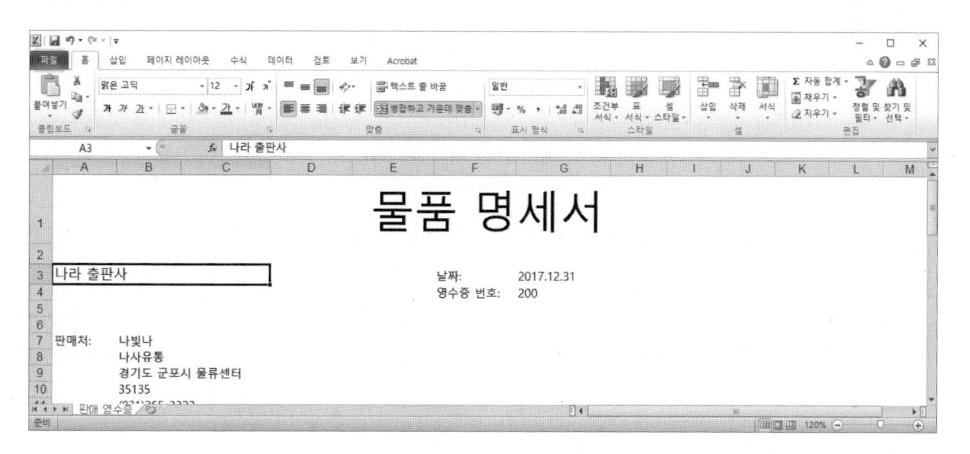

3. 새 워크시트에 다음과 같이 데이터를 입력하고 저장해 봅니다.

우리산악회 회원현황

성명	직책	성별	출석률
홍석환	회장	男	★★★★
이민정	총무	女	★★★★
박미희	홍보	女	★★☆☆
강민준	없음	男	★☆☆☆
박성호	없음	男	★★★☆

4. 새 워크시트에 다음과 같이 데이터를 입력하고 저장해 봅니다.

상반기 승진사원 명단

성명	직책	내선번호
박문식	專務(전무)	☎ 117
윤석준	室長(실장)	☎ 108
김미란	課長(과장)	☎ 110
남경희	代理(대리)	☎ 1125

SECTION 3 데이터 자동 채우기

3.1 문자 데이터

01 CH2-3-1.xlsx 파일을 불러옵니다.

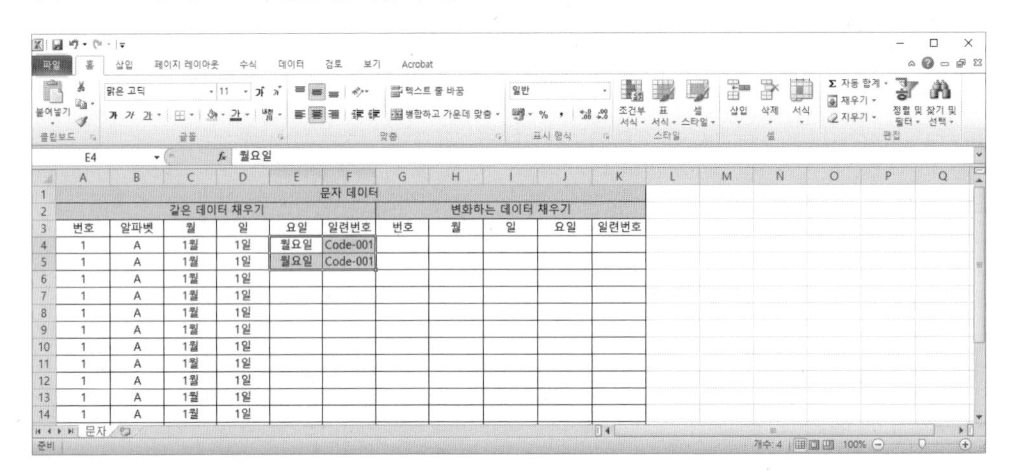

02 자동 채우기할 범위를 지정하고 오른쪽 아래 정사각형의 검은 점(채우기 핸들)을 확인합니다.

03 마우스 포인터가 십자가 모양으로 바뀌면, 왼쪽 단추를 클릭한 채로 원하는 방향으로 드래그 하거나 더블클릭하면 자동채우기를 할 수 있습니다.

04 변화하는 데이터 채우기에 값은 변경하고 채우기를 하면 값이 일정하게 증가되는 것을 확인할 수 있습니다.

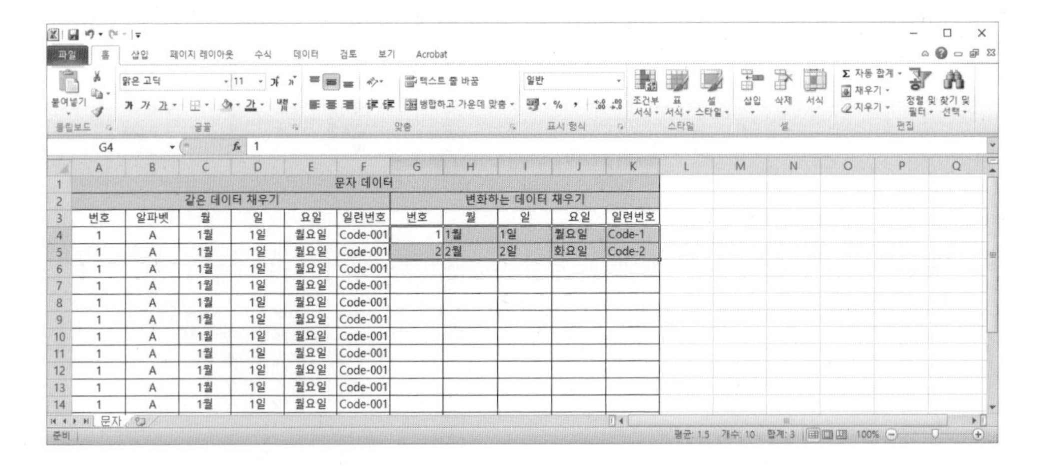

3.2 수치/날짜/시간 데이터

01 CH2-3-2.xlsx 파일을 불러옵니다.

02 수치는 자동 채우기 전에 두 개의 셀 값을 지정하면 두 셀 값의 차이만큼 자동으로 숫자가 증가 또는 감소하면서 데이터가 채워집니다.

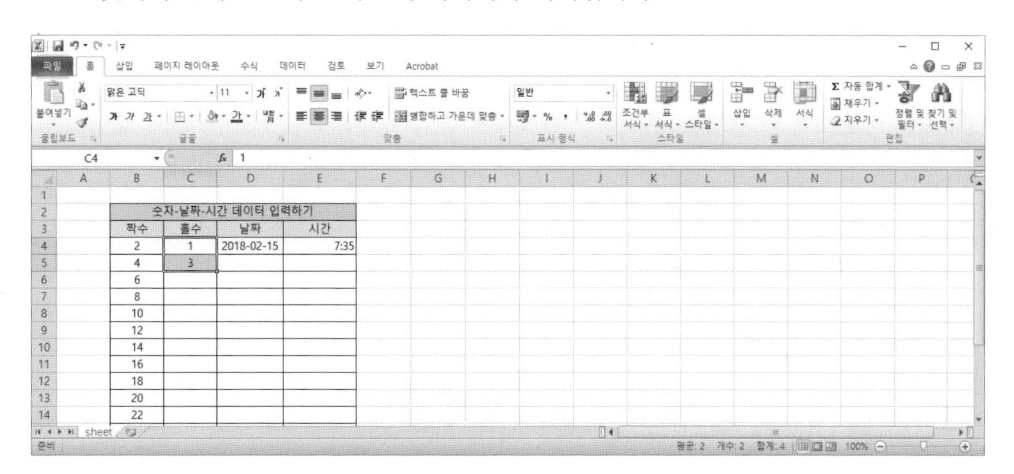

03 날짜 데이터를 자동 채우기로 드래그 후 나타나는 단축 메뉴에서 다양한 방법으로 채우기를 할 수 있습니다.

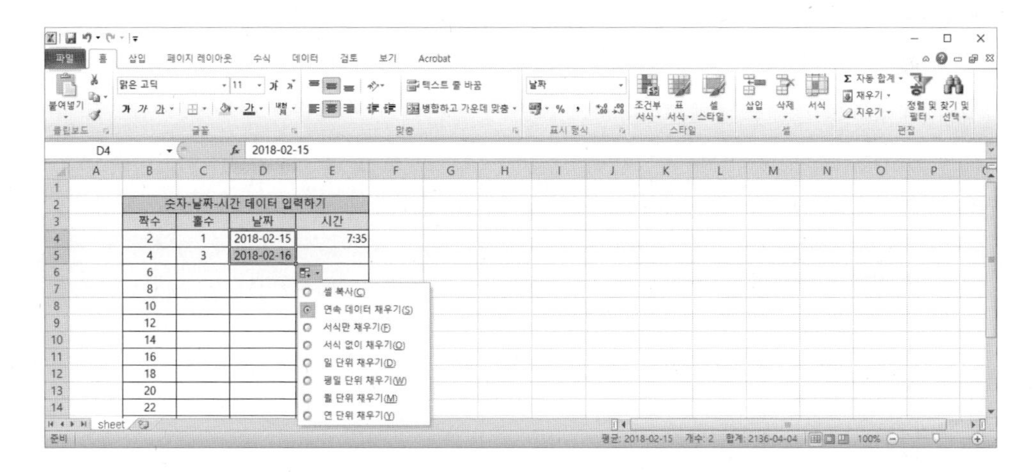

04 시간은 시간만 증가하여 채워집니다.

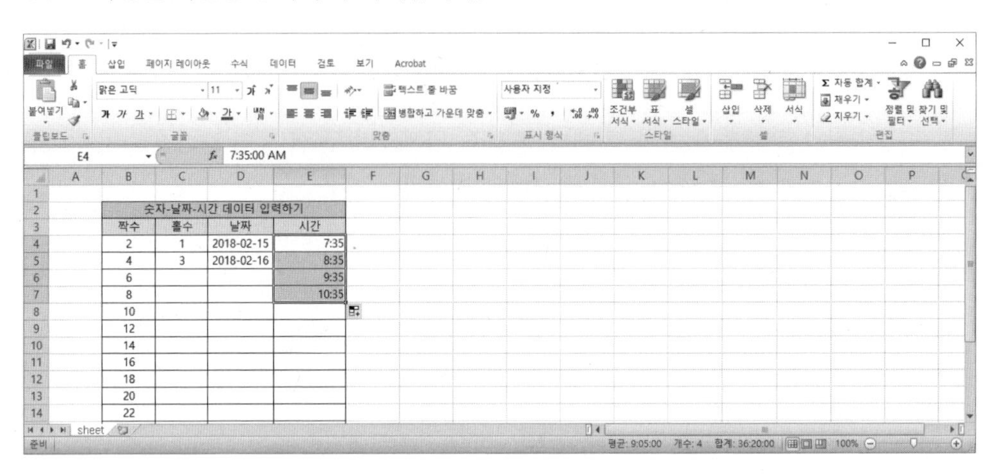

3.3 Ctrl을 이용해 수치/날짜/시간 자동 채우기

01 CH2-3-3.xlsx 파일을 불러옵니다.

02 Ctrl을 누르고 자동 채우기를 하면 수치 데이터는 연속 데이터 채우기가 되어 1씩 증가되어 입력됩니다. 날짜, 시간 데이터는 복사가 됩니다.

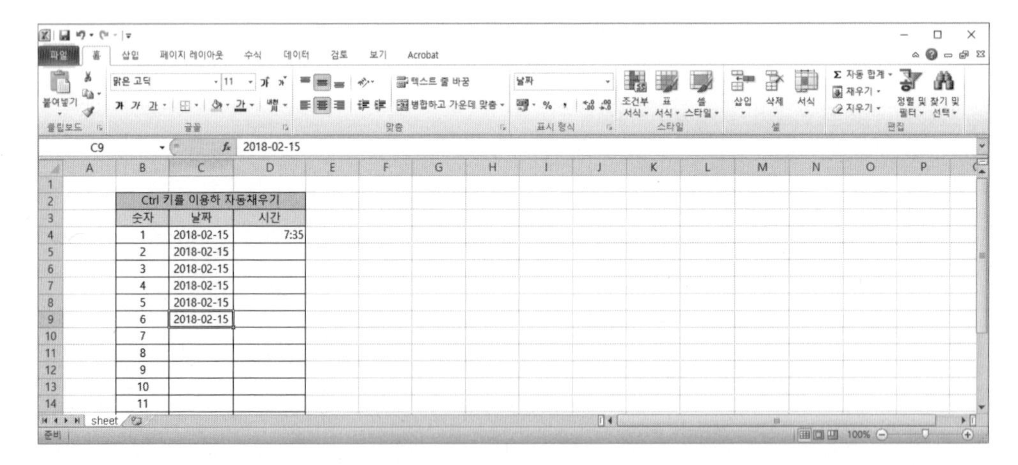

연습문제

1. CH2-3-ex1.xlsx 파일을 열어 다음과 같이 규칙적인 데이터를 입력해 봅니다.

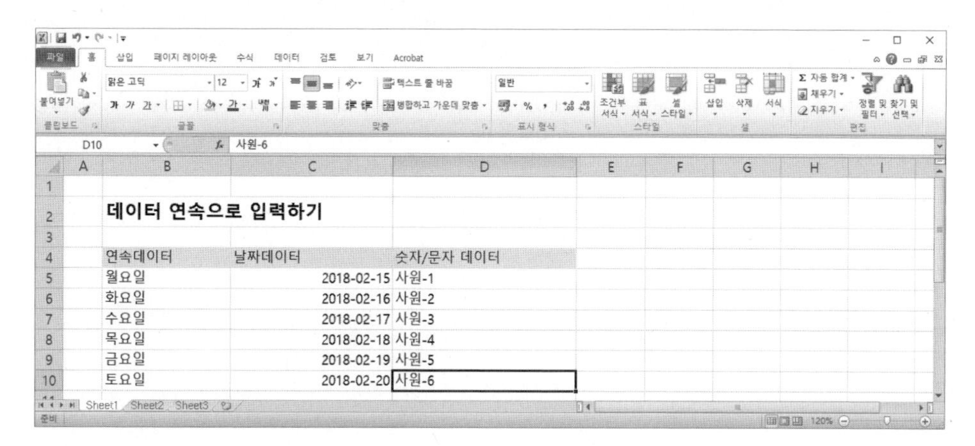

2. 새 워크시트를 열고 다음과 같이 데이터를 입력해 봅니다.

	A	B	C	D	E
1	수 도 권	항 목	2016년	2017년	평 균
2	서 울 특 별 시	고 속 국 도	23	25	24
3	서 울 특 별 시	일 반 국 도	172	172	172
4	서 울 특 별 시	특 별 / 광 역 시 도	7,933	7,933	7,933
5	서 울 특 별 시	지 방 도	14	14	14
6	경 기 도	고 속 국 도	493	593	543
7	경 기 도	일 반 국 도	1,627	1,584	1,606
8	경 기 도	지 방 도	2,734	2,687	2,711
9	경 기 도	시 도	6,833	7,240	7,037
10	경 기 도	군 도	1,399	1,075	1,237
11	고속국도비중		2.43%	2.90%	2.67%

CHAPTER 3

셀과 워크시트 편집 및 관리

CHECK 알아두기

1. 붙여넣기 옵션

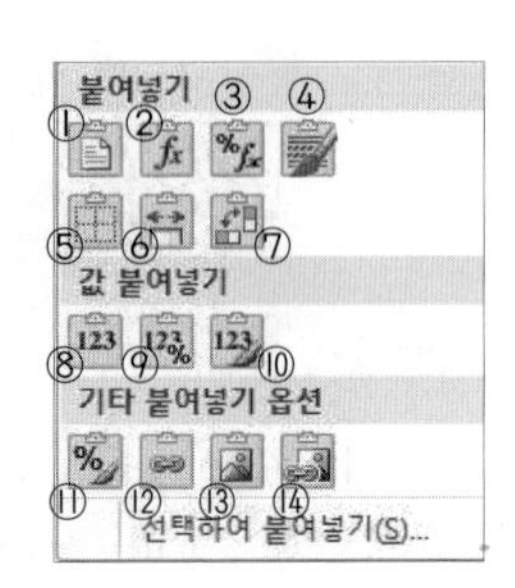

① [붙여넣기] : 모든 데이터와 서식을 붙여 넣습니다.

② [수식] : 데이터를 입력한 값만 붙여 넣습니다.

③ [수식 및 숫자 서식] : 수식 및 숫자에 적용된 서식을 붙여넣습니다.

④ [원본 서식 유지] : 원본 데이터에 모든 데이터와 서식을 붙여 넣을 수 있습니다.

⑤ [테두리 없음] : 표 테두리를 제외한 나머지를 붙여 넣습니다.

⑥ [원본 열 너비 유지] : 원본 데이터의 열 너비를 붙여 넣을 열 너비와 같게 붙여 넣습니다.

⑦ [바꾸기] : 데이터 행과 열의 위치를 바꾸어 붙여 넣습니다.

⑧ [값] : 원본 데이터의 값만 붙여 넣습니다.

⑨ [값 및 숫자 서식] : 선택한 셀의 값과 숫자 서식만 붙여 넣습니다.

⑩ [값 및 원본 서식] : 셀 값과 원본 테마 사용 옵션을 붙여 넣습니다.

⑪ [서식] : 데이터는 가져오지 않고 서식만 붙여 넣습니다.

⑫ [연결하여 붙여넣기] : 서식은 가져오지 않고 셀을 참조하여 붙여 넣습니다.

⑬ [그림] : 원본 데이터를 그림 형태로 붙여 넣습니다.

⑭ [연결된 그림] : 원본 데이터가 수정되면 붙여진 그림도 수정되도록 붙여 넣습니다.

2. 그 외의 붙여넣기

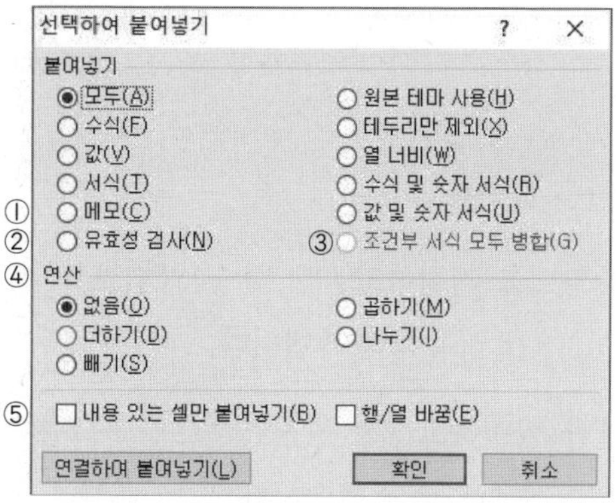

선택하여 붙여넣기

붙여넣기

모두(A) / 원본 테마 사용(H)

수식(F) / 테두리만 제외(X)

값(V) / 열 너비(W)

서식(T) / 수식 및 숫자 서식(R)

① 메모(C) / 값 및 숫자 서식(U)

② 유효성 검사(N) / ③ 조건부 서식 모두 병합(G)

④ 연산

없음(O) / 곱하기(M)

더하기(D) / 나누기(I)

빼기(S)

⑤ 내용 있는 셀만 붙여넣기(B) / 행/열 바꿈(E)

연결하여 붙여넣기(L) / 확인 / 취소

① [메모] : 메모가 있는 셀만 붙여 넣습니다.

② [유효성 검사] : 데이터 유효성 검사 규칙을 붙여 넣습니다.

③ [조건부 서식 모두 병합] : 복사한 값의 셀과 붙여 넣을 셀에 서로 다른 조건부 서식이 있을 경우 조건부 서식을 병합하고 모든 데이터와 서식을 붙여 넣습니다.

④ [연산] : 붙여 넣을 셀 값을 연산하여 붙여 넣습니다.

⑤ [내용 있는 셀만 붙여넣기] : 내용이 있는 셀만 데이터와 서식을 붙여 넣고 빈 셀은 서식도 붙여 넣지 않습니다.

SECTION 1 행과 열

1.1 잘라내기

01 CH3-3-1.xlsx 파일을 불러옵니다.

02 잘라내고자 하는 영역을 지정하고 [홈] 탭 – [클립보드] 그룹 – [잘라내기]를 클릭하거나, 단축키 Ctrl+X를 사용해 잘라냅니다.

03 이동을 원하는 셀을 클릭하고 [홈] 탭 – [클립보드] 그룹 – [붙여넣기]를 클릭하거나, 단축키 Ctrl+V를 사용해 붙여 넣습니다.

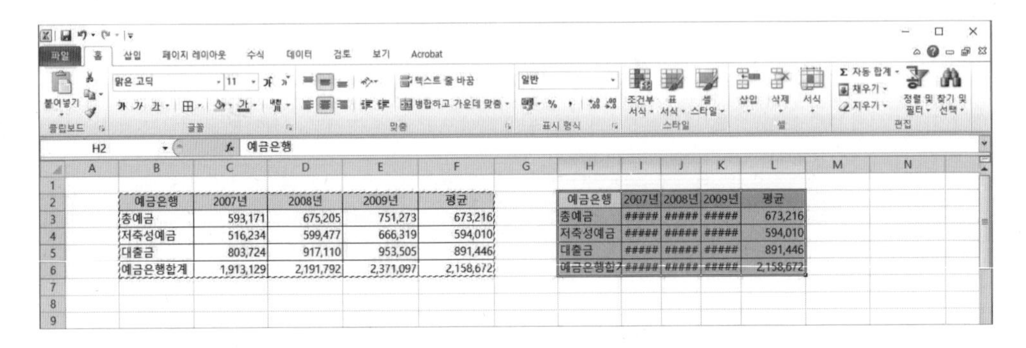

1.2 복사

01 복사할 셀을 드래그 해 범위를 지정하고 [홈] 탭 – [클립보드] 그룹 – [복사]를 클릭합니다.

02 복사할 위치의 셀을 클릭하고 [홈] 탭 – [클립보드] 그룹 – [붙여넣기]를 클릭하여 복사한 데이터를 붙여 넣습니다.

03 단축키 Ctrl+C(복사하기), Ctrl+V(붙여넣기)를 이용해 복사할 수 있습니다.

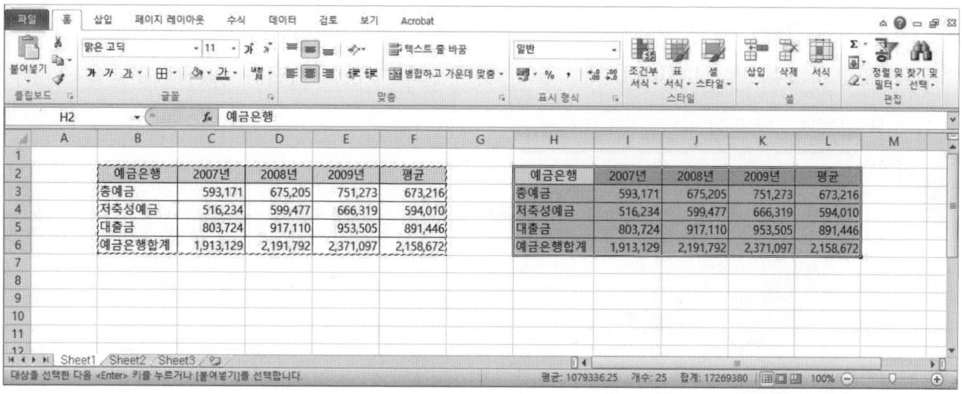

예금은행	2007년	2008년	2009년	평균
총예금	593,171	675,205	751,273	673,216
저축성예금	516,234	599,477	666,319	594,010
대출금	803,724	917,110	953,505	891,446
예금은행합계	1,913,129	2,191,792	2,371,097	2,158,672

1.3 행/열 삽입, 삭제

01 CH3-1-2.xlsx 파일을 불러옵니다.

02 삽입을 원하는 부분의 행 머리글을 클릭하고 [홈] 탭 – [셀] 그룹 – [삽입] 내림단추를 클릭하여 [시트 행 삽입]을 클릭하면 선택된 행 윗부분에 빈 행이 삽입됩니다.

03 같은 방법으로 열 머리글을 클릭하고 [홈] 탭 – [셀] 그룹 – [삽입] 내림 단추를 클릭하여 [시트 열 삽입]을 클릭하면 빈 열이 삽입됩니다.

04 Ctrl키를 누른 상태에서 여러 행 머리글이나 열 머리글을 선택하면 동시에 삽입할 수도 있습니다.

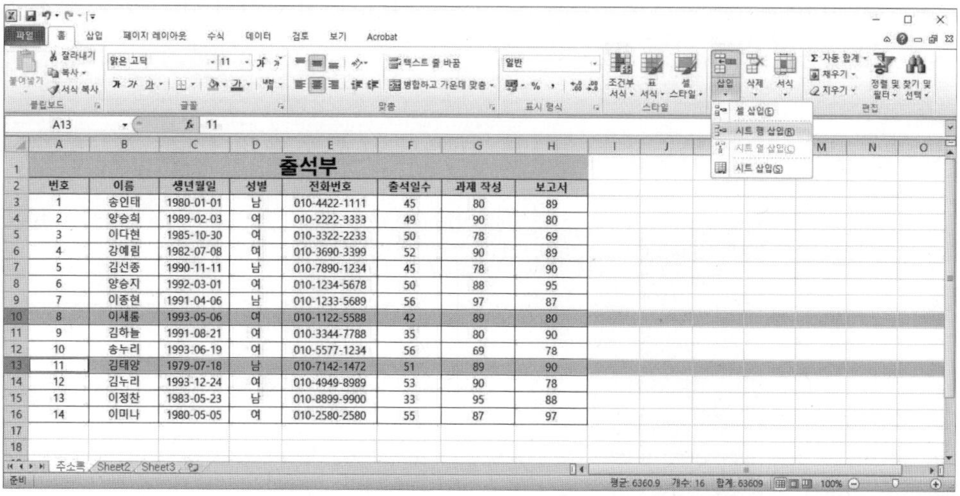

출석부

번호	이름	생년월일	성별	전화번호	출석일수	과제 작성	보고서
1	송인태	1980-01-01	남	010-4422-1111	45	80	89
2	양승희	1989-02-03	여	010-2222-3333	49	90	80
3	이다현	1985-10-30	여	010-3322-2233	50	78	69
4	강예림	1982-07-08	여	010-3690-3399	52	90	89
5	김선종	1990-11-11	남	010-7890-1234	45	78	90
6	양승지	1992-03-01	여	010-1234-5678	50	88	95
7	이종현	1991-04-06	남	010-1233-5689	56	97	87
8	이새롬	1993-05-06	여	010-1122-5588	42	89	80
9	김하늘	1991-08-21	여	010-3344-7788	35	80	90
10	송누리	1993-06-19	여	010-5577-1234	56	69	78
11	김태양	1979-07-18	남	010-7142-1472	51	89	90
12	김누리	1993-12-24	여	010-4949-8989	53	90	78
13	이정찬	1983-05-23	남	010-8899-9900	33	95	88
14	이미나	1980-05-05	여	010-2580-2580	55	87	97

05 삭제를 원하는 부분의 열 머리글을 선택하고 [홈] 탭 – [셀] 그룹 – [삭제] 내림단추를 클릭하여 [셀 삭제]나 [시트 열 삭제]를 클릭하면 삭제할 수 있습니다. 같은 방법으로 행도 삭제할 수 있습니다.

출석부

번호	이름	생년월일	성별	전화번호	출석일수	과제 작성	보고서
1	송인태	1980-01-01	남	010-4422-1111	45	80	89
2	양승희	1989-02-03	여	010-2222-3333	49	90	80
3	이다현	1985-10-30	여	010-3322-2233	50	78	69
4	강예림	1982-07-08	여	010-3690-3399	52	90	89
5	김선종	1990-11-11	남	010-7890-1234	45	78	90
6	양승지	1992-03-01	여	010-1234-5678	50	88	95
7	이종현	1991-04-06	남	010-1233-5689	56	97	87
8	이새롬	1993-05-06	여	010-1122-5588	42	89	80
9	김하늘	1991-08-21	여	010-3344-7788	35	80	90
10	송누리	1993-06-19	여	010-5577-1234	56	69	78
11	김태양	1979-07-18	남	010-7142-1472	51	89	90
12	김누리	1993-12-24	여	010-4949-8989	53	90	78
13	이정찬	1983-05-23	남	010-8899-9900	33	95	88
14	이미나	1980-05-05	여	010-2580-2580	55	87	97

1.4 행/열 숨기기

01 열 머리글을 지정하고 [홈] 탭 – [셀] 그룹 – [서식]을 클릭한 후 [숨기기 및 숨기기 취소] – [열 숨기기]를 선택합니다.

02 숨기기한 열을 다시 보이도록 할 때는 숨겨진 열 머리글 좌우의 열머리 글을 같이 선택한 후 [열 숨기기 취소]를 선택합니다.

03 행 머리글을 선택하여 같은 방법으로 [행 숨기기]나 [행 숨기기 취소]를 할 수 있습니다.

출석부

번호	이름	성별	생년월일	전화번호	출석일수	과제 작성	보고서
1	송인태	남	1980-01-01	010-4422-1111	45	80	89
2	양승희	여	1989-02-03	010-2222-3333	49	90	80
3	이다현	여	1985-10-30	010-3322-2233	50	78	69
4	강예림	여	1982-07-08	010-3690-3399	52	90	89
5	김선종	남	1990-11-11	010-7890-1234	45	78	90
6	양승지	여	1992-03-01	010-1234-5678	50	88	95
7	이종현	남	1991-04-06	010-1233-5689	56	97	87
8	이새롬	여	1993-05-06	010-1122-5588	42	89	80
9	김하늘	여	1991-08-21	010-3344-7788	35	80	90
10	송누리	여	1993-06-19	010-5577-1234	56	69	78
11	김태양	남	1979-07-18	010-7142-1472	51	89	90
12	김누리	여	1993-12-24	010-4949-8989	53	90	78
13	이정찬	남	1983-05-23	010-8899-9900	33	95	88
14	이미나	여	1980-05-05	010-2580-2580	55	87	97

1.5 행/열 병합하기, 분할하기

01 여러 개의 셀을 하나의 셀로 병합하고 분할하고 위해 원하는 범위를 드래그 해 지정하고 [홈] 탭 – [맞춤] 그룹 – [병합하고 가운데 맞춤] 내림 단추를 클릭하여 병합하거나 다시 분할 할 수 있습니다.

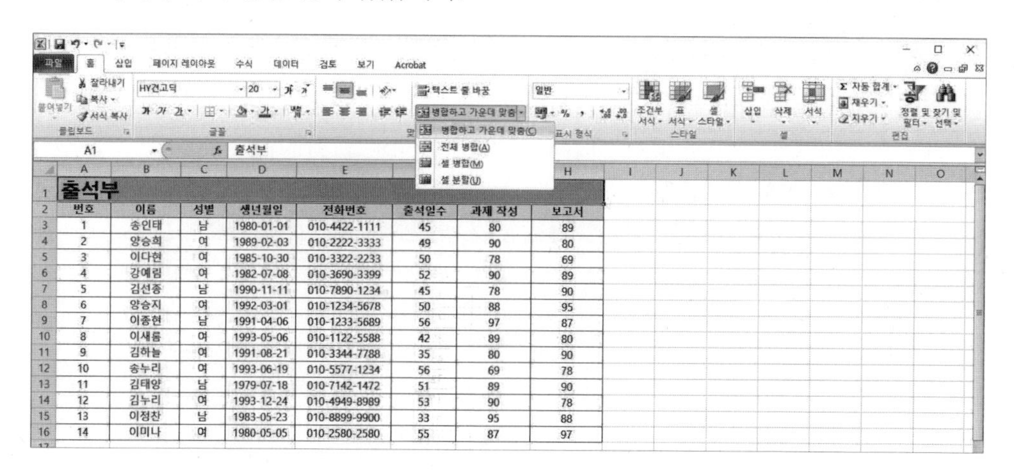

번호	이름	성별	생년월일	전화번호	출석일수	과제 작성	보고서
1	송인태	남	1980-01-01	010-4422-1111	45	80	89
2	양승희	여	1989-02-03	010-2222-3333	49	90	80
3	이다현	여	1985-10-30	010-3322-2233	50	78	69
4	강예림	여	1982-07-08	010-3690-3399	52	90	89
5	김선종	남	1990-11-11	010-7890-1234	45	78	90
6	양승지	여	1992-03-01	010-1234-5678	50	88	95
7	이종현	남	1991-04-06	010-1233-5689	56	97	87
8	이새름	여	1993-05-06	010-1122-5588	42	89	80
9	김하늘	여	1991-08-21	010-3344-7788	35	80	90
10	송누리	여	1993-06-19	010-5577-1234	56	69	78
11	김태양	남	1979-07-18	010-7142-1472	51	89	90
12	김누리	여	1993-12-24	010-4949-8989	53	90	78
13	이정찬	남	1983-05-23	010-8899-9900	33	95	88
14	이미나	여	1980-05-05	010-2580-2580	55	87	97

1.6 행/열 크기 조절하기

01 크기 변경을 원하는 열 머리글을 선택하고 [홈] 탭 – [셀] 그룹 – [서식]을 클릭하여 [열 너비]를 선택해 변경할 수 있습니다.

02 행 머리글을 선택하고 [홈] 탭 – [셀] 그룹 – [서식]을 클릭하여 [행 높이]를 선택하여 행의 높이를 조절 할 수 있습니다.

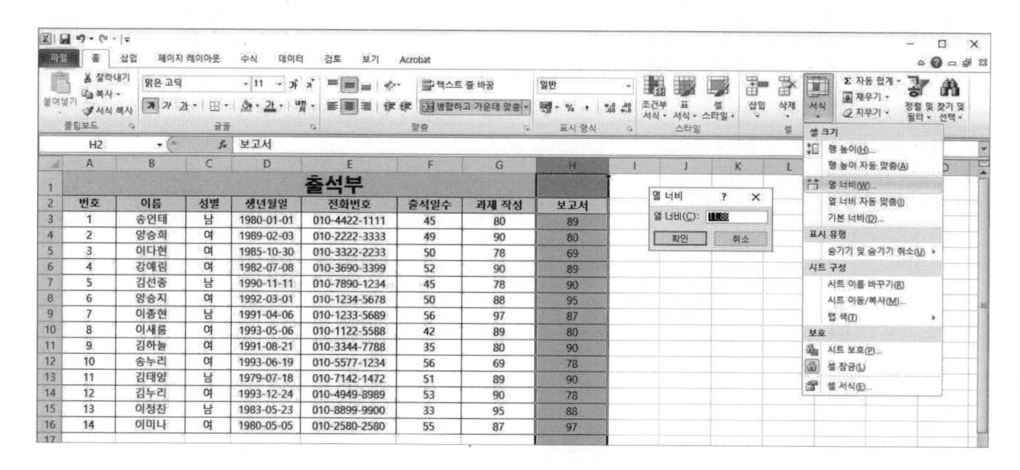

번호	이름	성별	생년월일	전화번호	출석일수	과제 작성	보고서
1	송인태	남	1980-01-01	010-4422-1111	45	80	89
2	양승희	여	1989-02-03	010-2222-3333	49	90	80
3	이다현	여	1985-10-30	010-3322-2233	50	78	69
4	강예림	여	1982-07-08	010-3690-3399	52	90	89
5	김선종	남	1990-11-11	010-7890-1234	45	78	90
6	양승지	여	1992-03-01	010-1234-5678	50	88	95
7	이종현	남	1991-04-06	010-1233-5689	56	97	87
8	이새름	여	1993-05-06	010-1122-5588	42	89	80
9	김하늘	여	1991-08-21	010-3344-7788	35	80	90
10	송누리	여	1993-06-19	010-5577-1234	56	69	78
11	김태양	남	1979-07-18	010-7142-1472	51	89	90
12	김누리	여	1993-12-24	010-4949-8989	53	90	78
13	이정찬	남	1983-05-23	010-8899-9900	33	95	88
14	이미나	여	1980-05-05	010-2580-2580	55	87	97

연습문제

1. CH3-1-ex1.xlsx 파일을 이용해 J24셀 합계 결과 값을 D2셀에 값 및 숫자서식으로 붙여넣기를 해봅니다.

2. 결제란 시트에 있는 결제란 양식을 업체별 입금현황 시트에 그림으로 붙여넣습니다. 위치는 G1셀로 이동하고, 크기 조절해 봅니다.

유통업체별 입금현황 7,554,300

결제	본부장	부장	과장	대리	사원

거래ID	고객	담당	주문일	제품	수량	판매	입금여부	결제
5594	주주 무역 ㈜	윤대현	2012-01-05	신성 스낵	25EA	96,900	O	96,900
5595	주강 교역 ㈜	윤대현	2012-01-05	한성 통밀가루	40EA	228,000	O	228,000
5596	월드 링크 ㈜	윤대현	2012-01-05	한성 특산 후추	20EA	340,000	O	340,000
5597	혜성 백화점 ㈜	이미정	2012-01-06	대양 마말레이드	40EA	2,470,000	O	2,470,000
5598	진주 백화점 ㈜	이미정	2012-01-06	대관령 멜론 아이스크림	25EA	47,500		-
5599	동남 유통 ㈜	이미정	2012-01-06	대관령 파메쌍 치즈	40EA	1,080,000	O	1,080,000
5600	한일유통 ㈜	윤성현	2012-01-01	현진 커피 밀크	12EA	168,000	O	168,000
5601	원일 ㈜	윤성현	2012-01-01	대림 옥수수	15EA	100,000	O	100,000
5602	동광 통상 ㈜	윤성현	2012-01-01	대관령 특제 버터	21EA	175,000	O	175,000
5603	협우 유통 ㈜	이미정	2012-01-05	대림 훈제 대합조개 통조림	15EA	80,000	O	80,000
5604	베네디스 유통 ㈜	이미정	2012-01-05	대림 사과 통조림	20EA	1,249,500	O	1,249,500
5605	일화 유통 ㈜	이미정	2012-01-05	한성 특산 후추	25EA	216,750	O	216,750
5606	경성 트레이딩 ㈜	김찬진	2012-01-02	유미 건조 다시마	40EA	171,000	O	171,000
5607	정금 유통 ㈜	김찬진	2012-01-02	대림 사과 통조림	12EA	1,680,000		-
5608	대진 유통 ㈜	윤대현	2012-01-07	대관령 블루베리 아이스크림	15EA	200,000	O	200,000
5609	ITM ㈜	윤대현	2012-01-07	대림 블루베리 셰이크	21EA	588,000		-
5610	극동 무역 ㈜	윤대현	2012-01-07	미왕 계피 캔디	15EA	640,000	O	640,000
5611	양정 물산 ㈜	김찬형	2012-01-08	삼화 콜라	15EA	51,000		-
5612	성신 교역 ㈜	김찬형	2012-01-08	한림 특선 양념 칠면조	21EA	339,150	O	339,150
합계								7,554,300

3. CH3-1-ex2.xlsx 파일을 이용해 A3:D21 셀을 복사하여 '복사' 시트의 A3 셀에 붙여 넣기를 해봅니다.

4. '복사' 시트의 A3:D21 셀을 잘라내기 한 후 '이동' 시트로 이동해 봅니다.

직원 저축 현황

성 명	부서코드	저축액	생년월일	부서명	나 이
김지선	GS15	730,000	1978-06-23	인사팀	39
김경춘	GS20	1,300,000	1968-03-15	재무팀	49
김청희	GS20	1,500,000	1985-10-25	재무팀	32
오정희	GS25	800,000	1973-11-08	재무팀	44
민영기	GS25	750,000	1969-07-16	재무팀	48
강경아	GS30	670,000	1980-05-24	영업팀	37
송영화	GS30	550,000	1998-08-29	영업팀	19
전혜정	GS15	120,000	1973-05-25	인사팀	44
이현미	GS25	1,530,000	1979-06-24	재무팀	38
박희명	GS30	2,390,000	1977-03-21	영업팀	40
황민숙	GS25	1,225,000	1963-04-19	재무팀	54
송영란	GS30	810,000	1973-10-27	영업팀	44
김연진	GS20	710,000	1984-08-04	재무팀	33
김미래	GS15	820,000	1987-12-05	인사팀	30
유정현	GS25	3,200,000	1979-01-23	재무팀	38
박은진	GS30	750,000	1976-11-26	영업팀	41
김영주	GS25	250,000	1973-04-11	재무팀	44
황은정	GS15	780,000	1965-12-03	인사팀	52

SECTION 2 워크시트

2.1 워크시트 삽입하기

01 [홈] 탭 – [셀] 그룹 – [삽입] 내림 단추를 클릭하여 [시트 삽입]을 선택하여 새 워크시트를 추가할 수 있습니다.

02 시트번호 마지막의 [워크시트 삽입( )]을 클릭하면 마지막에 새로운 워크시트가 삽입됩니다.

03 시트번호에 마우스를 위치하고 오른쪽 버튼을 눌러 [삽입] – [일반] – [Work Sheet]를 선택하여 새 워크시트를 추가할 수 있습니다.

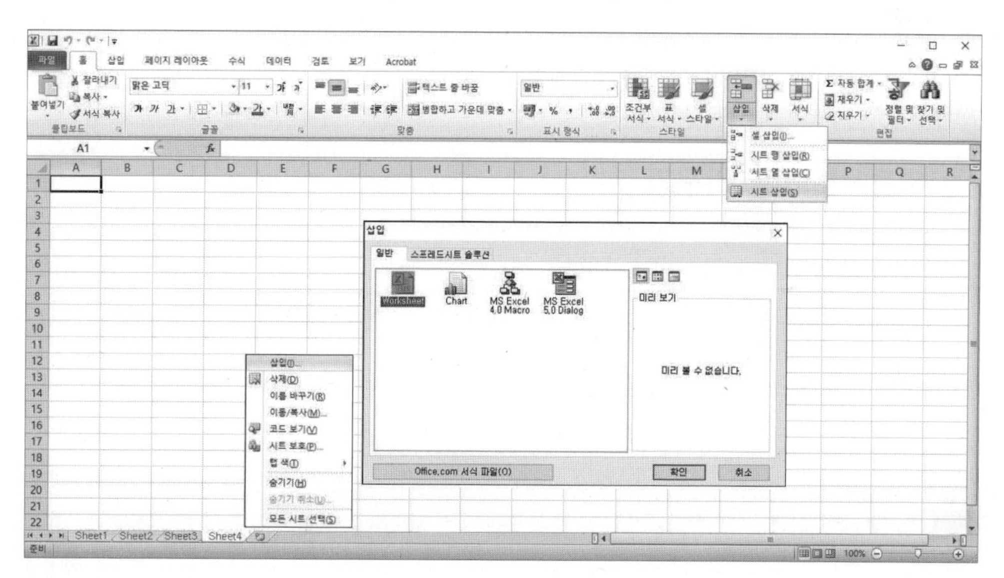

2.2 워크시트 삭제하기

01 삭제하고자하는 워크시트를 클릭하고 [홈] 탭 – [셀] 그룹 – [삭제] 내림단추를 클릭해 [시트삭제]를 선택합니다.

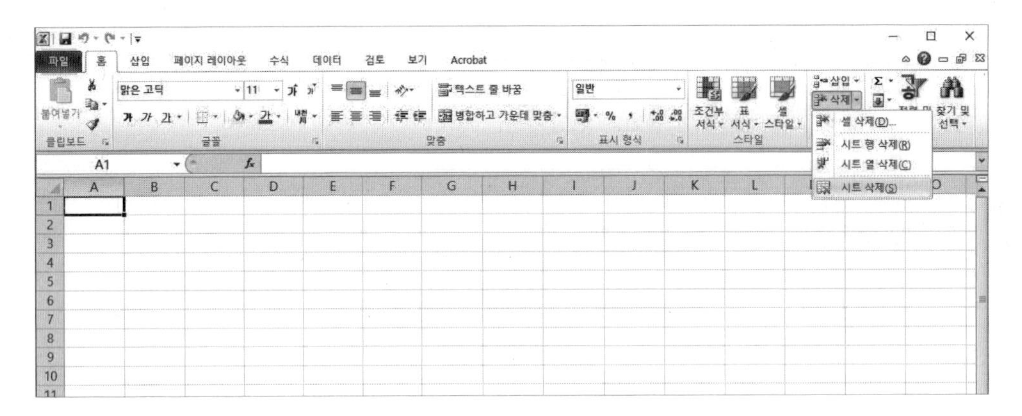

2.3 워크시트 이름 바꾸기

01 이름을 바꾸고자하는 워크시트[Sheet1]를 클릭하고 [홈] 탭 – [셀] 그룹 – [서식]을 클릭한 후 [시트 이름 바꾸기]를 선택합니다.

02 워크시트[Sheet3]를 더블클릭하여 검정색으로 블록 설정 되었을 때 바꿀 이름을 입력합니다.

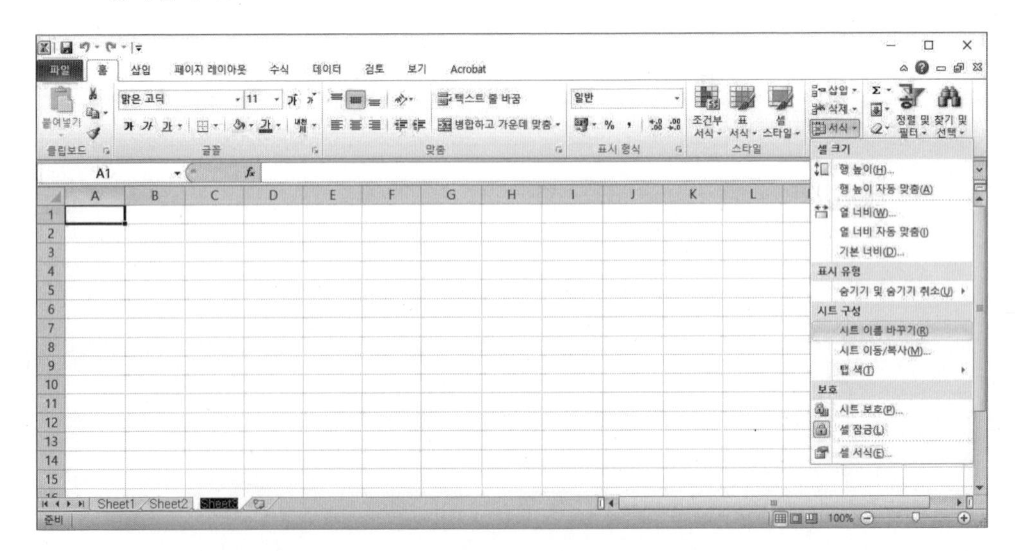

2.4 워크시트 이동 및 복사하기

01 워크시트를 이동할 때에는 이동을 원하는 워크시트를 클릭하고 [홈] 탭 – [셀] 그룹 – [서식]을 클릭하여 [시트 이동/복사]를 선택합니다.

02 [이동/복사] 대화상자가 나타나면 해당 워크시트가 이동할 위치를 선택합니다.

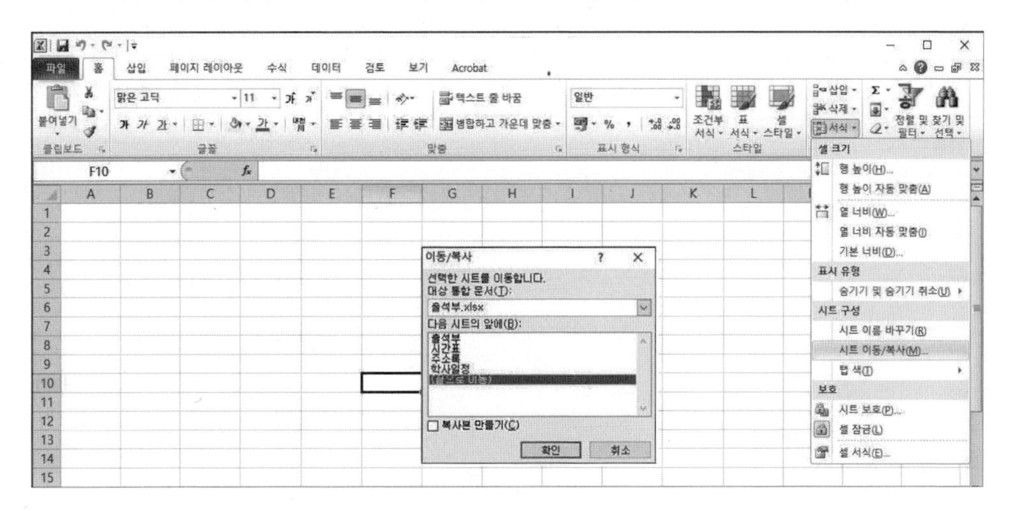

03 워크시트를 클릭하고 마우스 오른쪽 단추를 클릭한 다음 단축메뉴에서 [이동/복사] 대화상자를 선택합니다.

04 [이동/복사] 대화상자에서 복사를 원하는 워크시트를 선택하고 [복사본 만들기]를 선택한 후 [확인]을 클릭합니다.

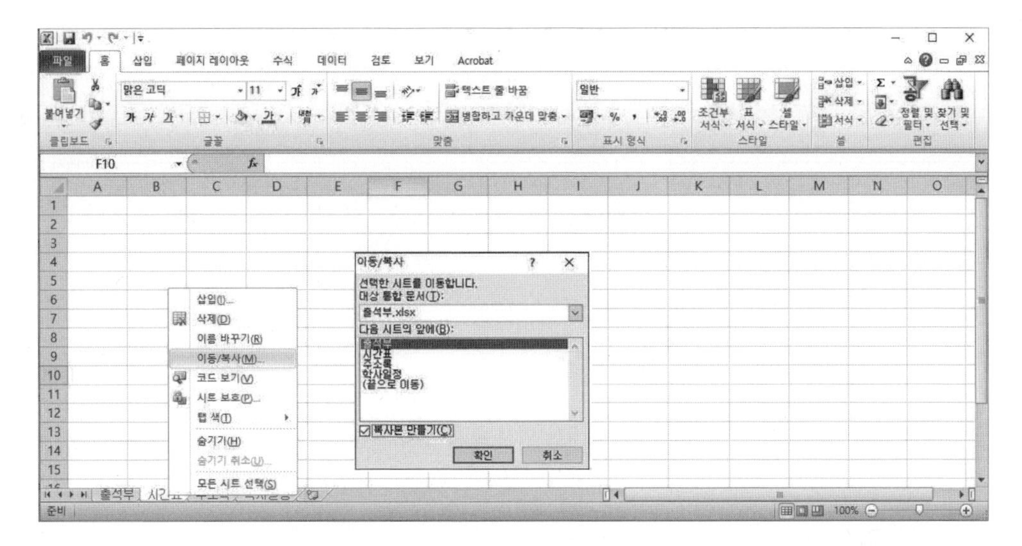

2.5 워크시트 숨기기

01 숨기고자 하는 [워크시트]를 클릭한 후 [홈] 탭 – [셀] 그룹 – [서식]을 클릭, [숨기기 및 숨기기 취소] – [시트 숨기기]를 선택합니다. 여러 워크시트를 숨기고자 할 때는 Ctrl키를 누른 채 선택합니다.

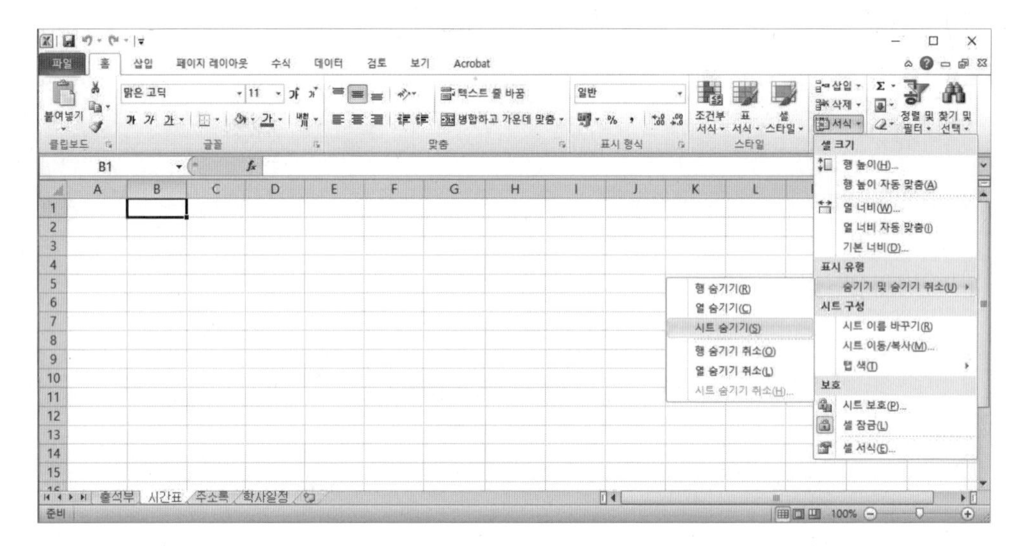

연습문제

1. CH3-2-ex1.xlsx 파일을 이용해 Sheet1의 이름을 '회사순위'로 변경해 봅니다.

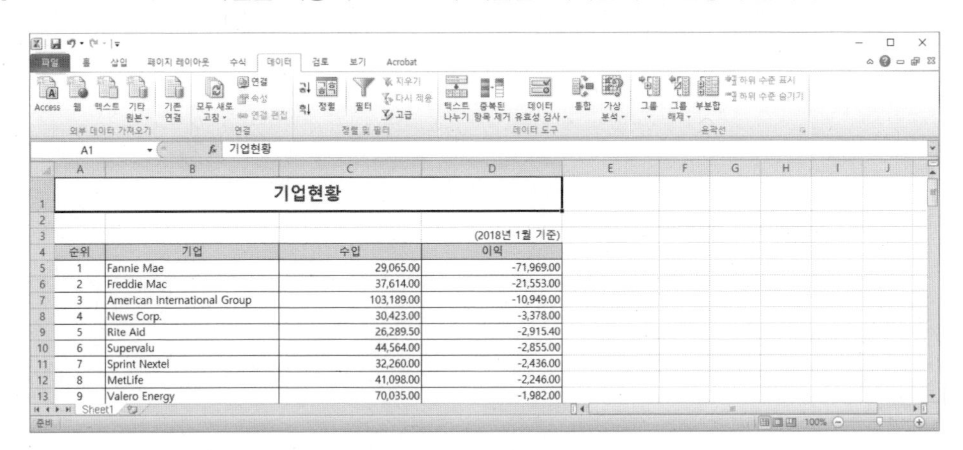

2. CH3-2-ex2.xlsx 파일을 열어 '삭제시트'를 맨 앞으로 이동하고 삭제해 봅니다.

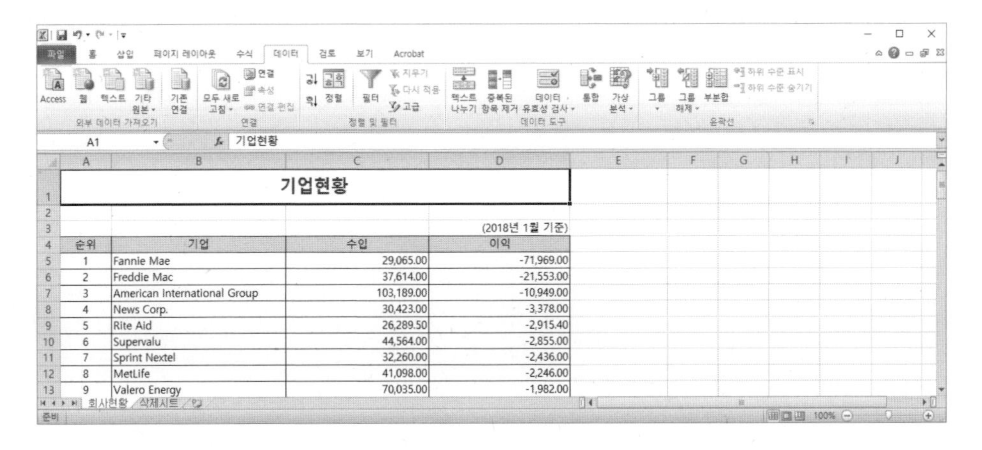

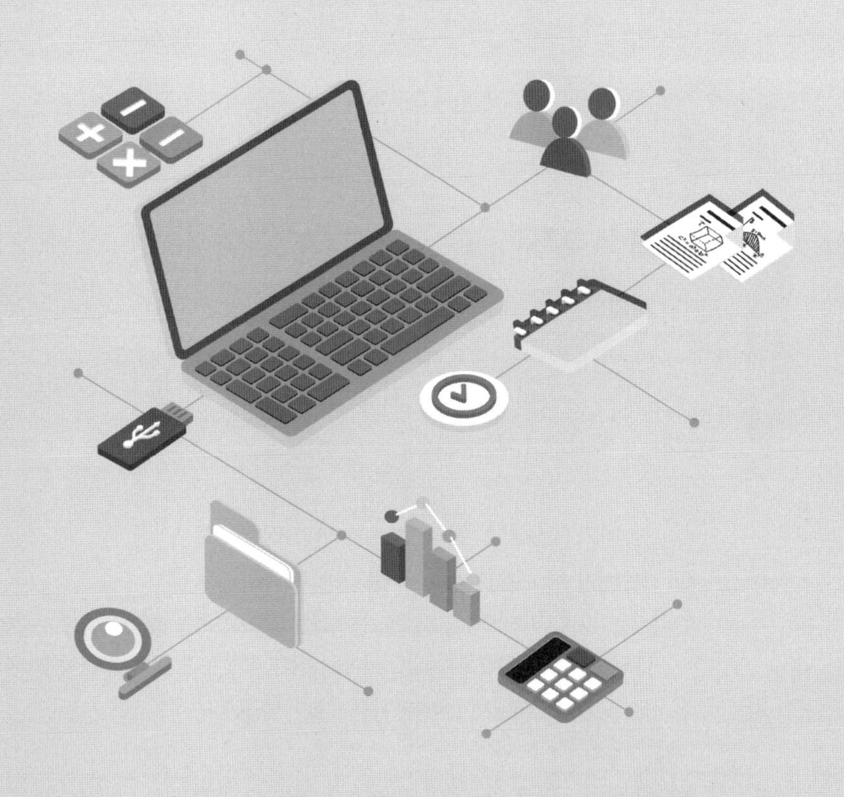

CHAPTER 4

엑셀 문서 꾸미기

CHECK 알아두기

1. 홈 탭 그룹

(1) 클립보드

① [잘라내기 (Ctrl+X)] : 선택 영역을 잘라내 이동합니다.

② [복사하기 (Ctrl+C)] ; 선택 영역을 잘라내 복사합니다.

③ [서식 복사] : 서식이 있는 영역을 선택하고 [서식복사]를 클릭한 후 붙여 넣을 곳에 클릭하면 서식만 복사 됩니다. 문서의 여러 위치에 동일한 서식을 적용하려면 두 번 클릭하여 사용합니다.

④ [붙여넣기] : 잘라내거나 복사된 내용을 붙여 넣습니다.

(2) 글꼴

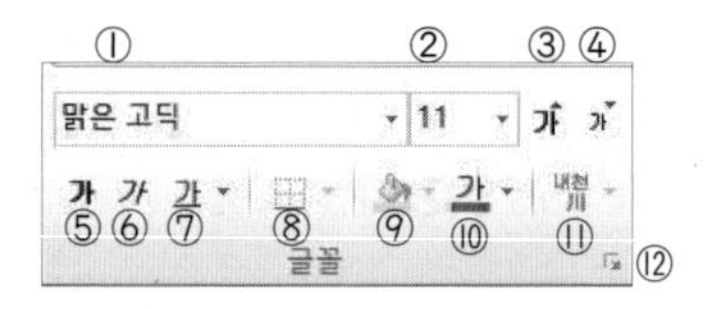

① [글꼴] : 글꼴의 모양을 변경합니다.

② [글꼴 크기] : 글꼴의 크기를 변경합니다.

③ [글꼴 크기 크게] : 글꼴 크기의 숫자만큼 한 단계씩 점점 커집니다.

④ [글꼴 크기 작게] : 글꼴 크기의 숫자만큼 한 단계씩 점점 작아집니다.

⑤ [굵게 (Ctrl+B)] : 글꼴을 굵게 표시합니다.

⑥ [기울임꼴 (Ctrl+I)] : 글꼴을 기울여 표시합니다.

⑦ [밑줄 (Ctrl+U)] : 글꼴에 밑줄 또는 이중 밑줄을 표시합니다.

⑧ [테두리] : 셀에 테두리를 그립니다.

⑨ [채우기 색] : 선택한 셀에 배경 색을 지정합니다. 셀의 배경 색을 지우려면 [채우기 없음]을 클릭합니다.

⑩ [글꼴 색] : 글꼴 색을 변경합니다.

⑪ [윗주 필드 표시/숨기기] : 선택한 단어에 대해 음성 단어가 표시되는 방법을 편집합니다.

⑫ [대화 상자 표시 단추] : [셀 서식] 대화 상자의 [글꼴] 탭을 표시합니다.

(3) 맞춤

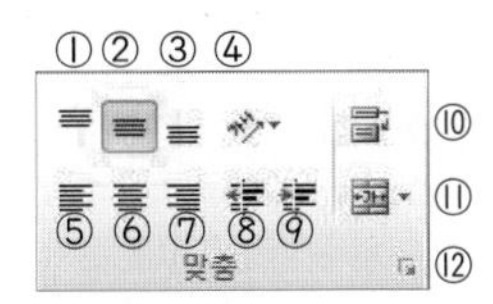

① [위쪽 맞춤] : 텍스트를 세로 위쪽으로 정렬합니다.

② [가운데 맞춤] : 텍스트를 세로 가운데로 정렬합니다.

③ [아래쪽 맞춤] : 텍스트를 세로 아래쪽으로 정렬합니다.

④ [방향] : 텍스트를 대각선, 세로 방향으로 회전합니다.

⑤ [텍스트 왼쪽 맞춤] : 텍스트를 왼쪽 맞춤합니다.

⑥ [가운데 맞춤] : 텍스트를 가운데 맞춤합니다.

⑦ [텍스트 오른쪽 맞춤] : 텍스트를 오른쪽 맞춤합니다.

⑧ [내어쓰기] : 텍스트를 왼쪽으로 내어쓰기합니다.

⑨ [들여쓰기] : 텍스트를 오른쪽으로 들여쓰기합니다.

⑩ [텍스트 줄 바꿈] : 텍스트를 셀 너비에 맞게 조절합니다.

⑪ [병합하고 가운데 맞춤] : 셀을 병합하고 가운데 맞춤합니다.

⑫ [대화 상자 표시 단추] : [셀 서식] 대화 상자의 [맞춤] 탭을 표시합니다.

(4) 표시 형식

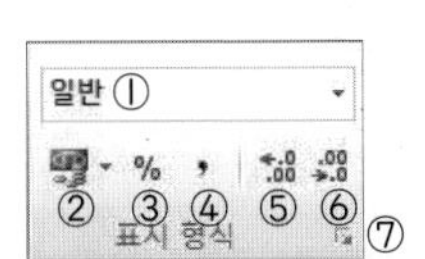

① [표시 형식] : 일반, 숫자, 통화, 회계, 날짜, 시간, 백분율, 분수, 텍스트, 기타 표시 형식등을 지정합니다.

② [회계 표시 형식] : 데이터에 화폐단위를 선택합니다.

③ [백분율 스타일] : 셀 값을 백분율로 표시합니다.

④ [쉼표 스타일] : 천 단위 구분 기호를 표시합니다.

⑤ [자릿수 늘림] : 소수 자릿수를 늘려줍니다.

⑥ [자릿수 줄임] : 소수 자릿수를 줄여줍니다.

⑦ [대화 상자 표시 단추] : [셀 서식] 대화 상자의 [표시 형식] 탭을 표시합니다.

CHECK 알아두기

(5) 스타일

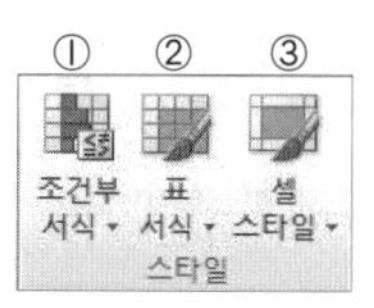

① [조건부 서식] : 데이터에 조건을 부여하여 표시합니다.

② [표 서식] : 다양한 표 스타일을 선택합니다.

③ [셀 스타일] : 다양한 셀 스타일을 이용하여 빠르게 문서 작성합니다.

(6) 셀

① [삽입] : 워크시트나 셀을 삽입합니다.

② [삭제] : 워크시트나 셀을 삭제합니다.

③ [서식] : 셀의 행/열의 크기를 조정하고 셀과 워크시트의 숨기기 및 숨기기 취소를 할 수 있습니다. 워크시트의 이동과 복사, 탭 색, 워크시트 보호, 셀 잠금을 할 수 있습니다.

(7) 편집

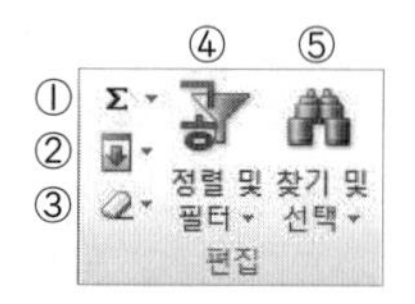

① [자동 합계] : 합계, 평균, 개수, 최대값, 최소값 함수 추가할 수 있습니다.

② [채우기] : 인접한 셀에 일정한 패턴을 채울 때 사용합니다.

③ [지우기] : 데이터나 서식, 내용, 메모, 하이퍼링크 등을 선택하여 지울 수 있고 모두 한 번에 지울 수 있습니다.

④ [정렬 및 필터] : 데이터를 오름차순, 내림차순으로 정렬하고 원하는 데이터만 필터링할 수 있습니다.

⑤ [찾기 및 선택] : 문서에서 특정 텍스트나 서식을 찾고 바꿀 수 있습니다.

2. 데이터 정렬

(1) 데이터 정렬 방법

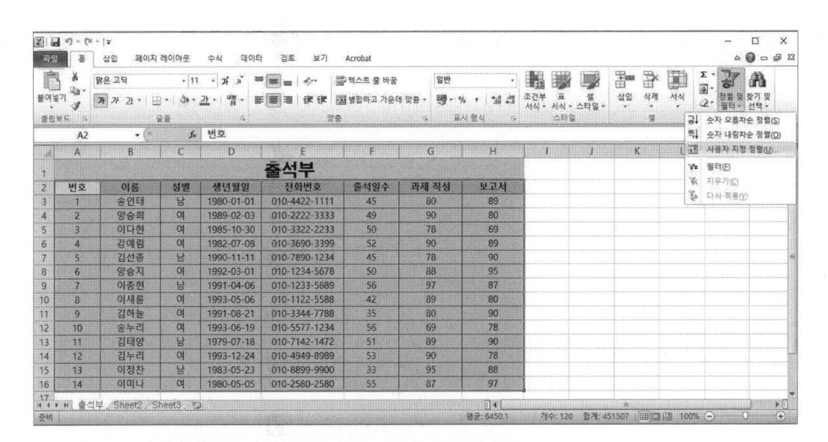

출석부

번호	이름	성별	생년월일	전화번호	출석일수	과제 작성	보고서
1	송인태	남	1980-01-01	010-4422-1111	45	80	89
2	양승희	여	1989-02-03	010-2222-3333	49	90	80
3	이다현	여	1985-10-30	010-3322-2233	50	78	69
4	강예림	여	1982-07-08	010-3690-3399	52	90	89
5	김선종	남	1990-11-11	010-7890-1234	45	78	90
6	양승지	여	1992-03-01	010-1234-5678	50	88	95
7	이종현	남	1991-04-06	010-1233-5689	56	97	87
8	이새롬	여	1993-05-06	010-1122-5588	42	89	80
9	김하늘	여	1991-08-21	010-3344-7788	35	80	90
10	송누리	여	1993-06-19	010-5577-1234	56	69	78
11	김태양	남	1979-07-18	010-7142-1472	51	89	90
12	김누리	여	1993-12-24	010-4949-8989	53	90	78
13	이정찬	남	1983-05-23	010-8899-9900	33	95	88
14	이미나	여	1980-05-05	010-2580-2580	55	87	97

① [텍스트 오름차순 정렬] : 데이터를 오름차순으로 정렬합니다.

② [텍스트 내림차순 정렬] : 데이터를 내림차순으로 정렬합니다.

③ [사용자 지정 정렬] : 특정 열을 지정하여 정렬할 수 있습니다.

④ [필터] : 조건에 맞는 데이터만 표시되고 나머지는 숨깁니다.

(2) [정렬] 대화 상자

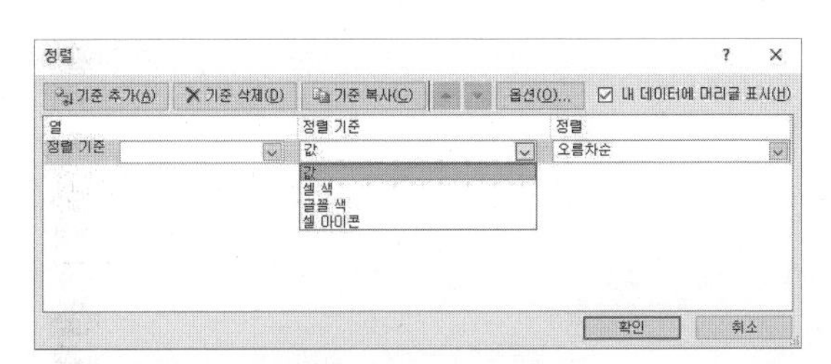

① [기준 추가] : 최대 64개까지 기준을 추가합니다.

② [기준 삭제] : 정렬 기준을 삭제합니다.

③ [기준 복사] : 정렬 기준을 복사합니다.

④ [정렬 순서 변경 화살표] : 정렬 순서를 변경할 수 있습니다.

⑤ [옵션] : 대/소문자 구분, 정렬 방향을 설정합니다.

⑥ [내 데이터에 머리글 표시] : 선택하면 표 데이터의 머리글을 표시합니다. 선택하지 않으면 [A]열, [B]열 등으로 필드 이름이 표시됩니다.

⑦ [열] : 정렬된 필드를 선택합니다.

⑧ [정렬 기준] : 값, 선색, 글꼴 색, 셀 아이콘 중에서 선택합니다.

⑨ [정렬] : 오름차순, 내림차순, 사용자 지정 목록 중 선택하여 정렬합니다.

SECTION 1 셀 서식을 이용한 문서 편집

1.1 표 테두리

01 CH4-1-1.xlsx 파일을 불러옵니다.

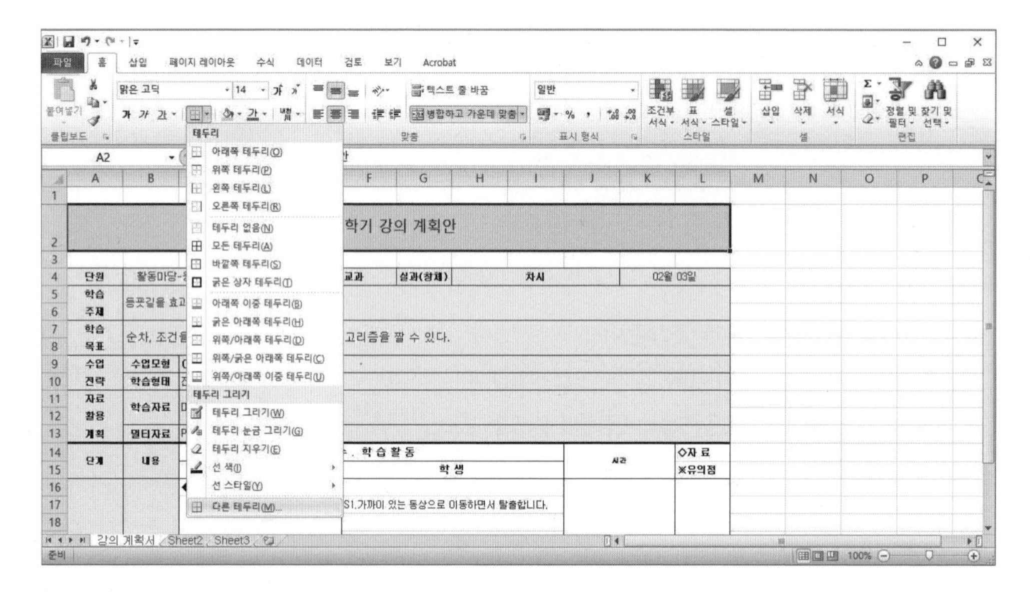

02 원하는 범위를 지정하고 [홈] 탭 – [글꼴] 그룹 – [테두리]의 내림단추를 클릭하고 [다른 테두리]를 선택합니다.

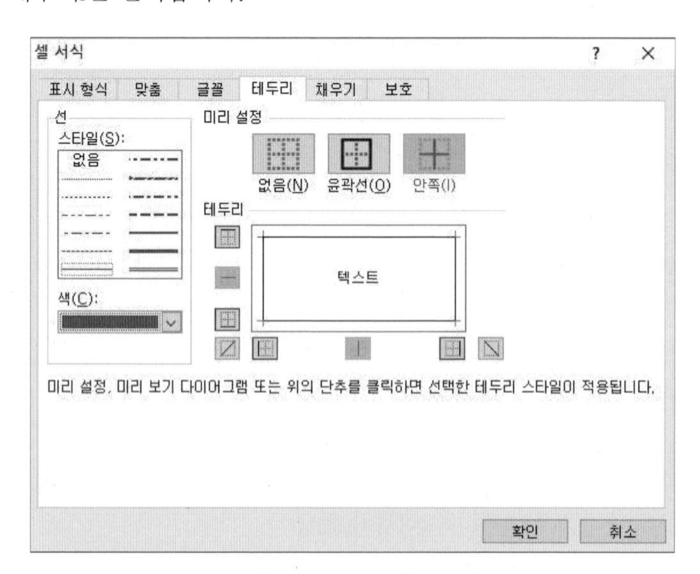

03 [셀 서식] 대화 상자의 [테두리] 탭 [색]에서 테두리의 색깔을 설정할 수 있습니다.

04 [선 스타일]에서는 테두리 선의 모양을 변경할 수 있습니다.

05 [미리 설정]에서는 테두리를 넣는 범위를 지정할 수 있습니다.

1.2 셀 색 채우기

01 셀에 색을 채우기 위해 원하는 셀을 클릭한 후 [홈] 탭 – [글꼴] 그룹 – [채우기 색] 내림단추를 클릭하여 색깔을 선택합니다.

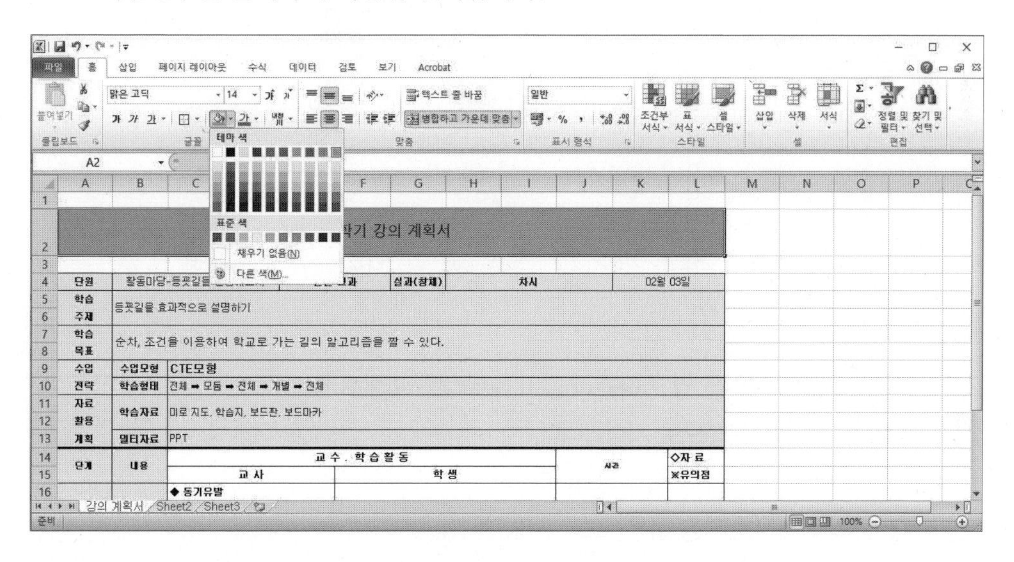

연습문제

1. CH4-1-ex1.xlsx 파일을 열고 제목에 색상을 지정하고 데이터 파일에 표를 만들어 봅시다.

	A	B	C	D	E	F	G
1	직원별 12월 판매 현황						
2							
3	이름	영업분야	성별	직위	10년 판매량	11년 판매량	지난해와의 차이
4	고신철	국내영업	남	사원	401,000	432,000	31,000
5	권미진	해외영업	여	차창	351,900	359,300	7,400
6	김미란	해외영업	여	과장	490,500	840,700	350,200
7	김영규	해외영업	남	대리	40,000	54,600	14,600
8	김영희	국내영업	여	과장	32,000	25,500	-6,500
9	김은형	국내영업	남	대리	1,149,000	1,650,000	501,000
10	박성준	국내영업	남	차장	65,200	65,200	0
11	박신영	해외영업	여	사원	39,000	45,000	6,000
12	박정수	국내영업	남	사원	18,900	19,200	300
13	성민수	국내영업	남	대리	14,500	15,300	800
14	유현영	국내영업	여	과장	39,000	14,230	-24,770
15	윤민희	해외영업	여	부장	89,900	99,820	9,920
16	윤소정	국내영업	여	과장	567,000	654,300	87,300
17	이영진	해외영업	남	과장	3,900	1,256	-2,644
18	이유진	국내영업	여	부장	24,000	35,200	11,200
19	정경희	해외영업	여	사원	1,940,000	1,920,000	-20,000
20	정수진	국내영업	남	사원	189,000	190,300	1,300
21	허진규	국내영업	남	차장	1,340,200	1,148,000	-192,200

2. CH4-1-ex2.xlsx 파일을 열고 다음과 같이 테두리를 그려봅니다.

– 윤곽선은 가장 굵은선으로 지정합니다.

– 표 안쪽 세로선은 실선으로 지정합니다.

– A3:E3의 아래선은 가장 굵은선으로 지정합니다.

	A	B	C	D	E
1					
2					
3	연도	고속국도	일반국도	지방도	시/군도
4	1994년	1650	12046	10655	35781
5	1995년	1825	12053	13854	32424
6	1996년	1886	12464	17147	35989
7	1997년	1889	12459	17089	36288
8	1998년	1996	12447	17155	37721
9	1999년	2041	12418	17145	38039
10	2000년	2131	12413	17151	39240
11	2001년	2637	14254	15704	40992
12	2002년	2778	14232	17084	43719
13	2003년	2778	14234	17485	45625
14	2004년	2923	14246	17476	48262
15	2005년	2968	14224	17710	49885
16	2006년	3103	14225	17677	49318
17	2007년	3368	13832	18175	49535
18	2008년	3447	13905	18193	50174
19	2009년	3776	13820	18138	50501

SECTION 2 빠르게 문서 만들기

2.1 표 서식

01 CH4-2-1.xlsx 파일을 불러옵니다.

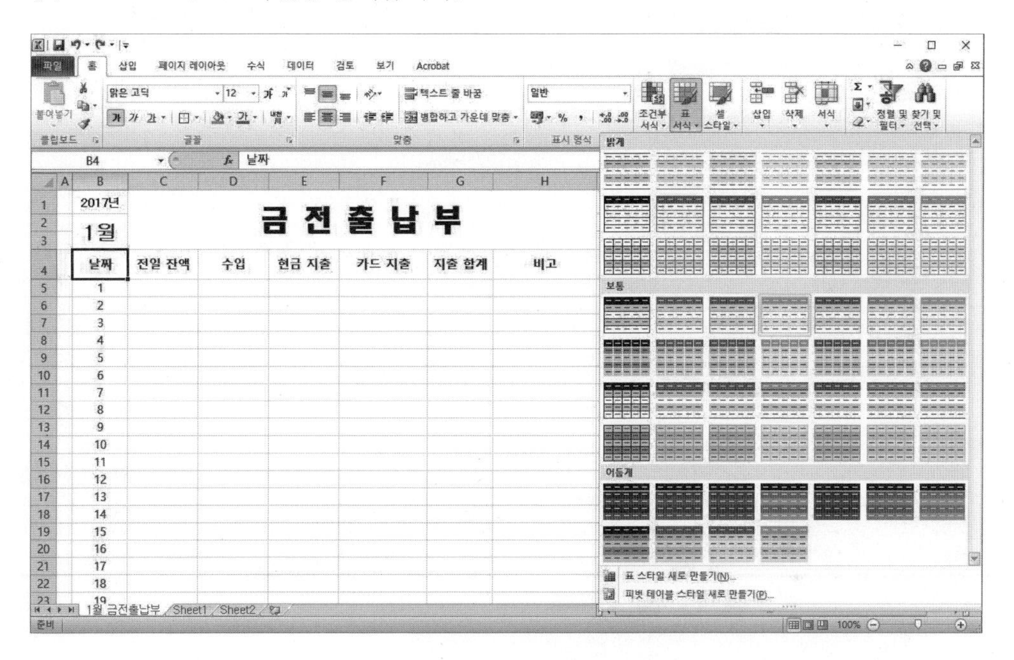

02 [홈] 탭 – [스타일] 그룹 – [표 서식]을 클릭한 후 원하는 서식을 지정합니다.

03 [표 만들기] 대화상자가 나타나면 원하는 범위를 드래그하고 [머리글 포함]을 선택하고 [확인]을 클릭합니다.

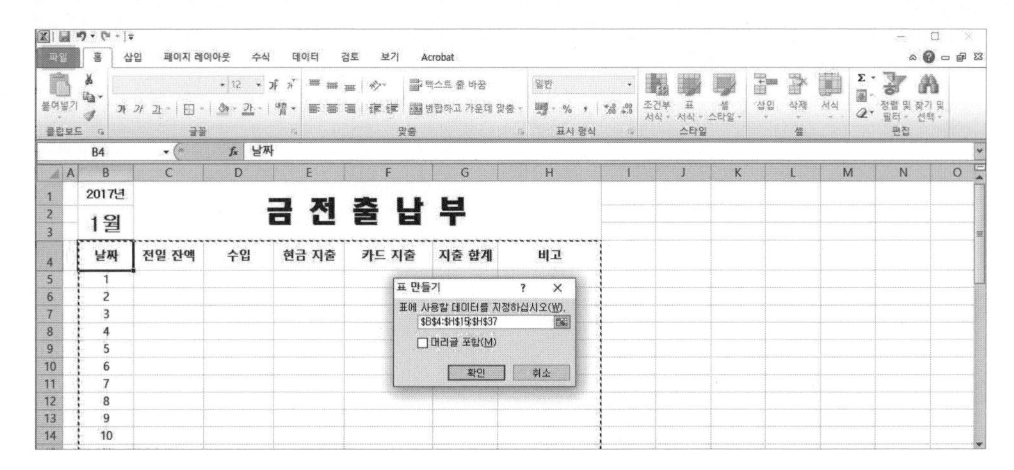

04 표 스타일이 적용되면서 표 제목 항목에 필터 단추가 표시됩니다.

05 필터 단추가 필요하지 않는 경우 [표 도구]의 [디자인]탭 – [도구] 그룹 – [범위로 변환]을 클릭하고, 나타나는 메시지 창에서 [예]를 클릭합니다.

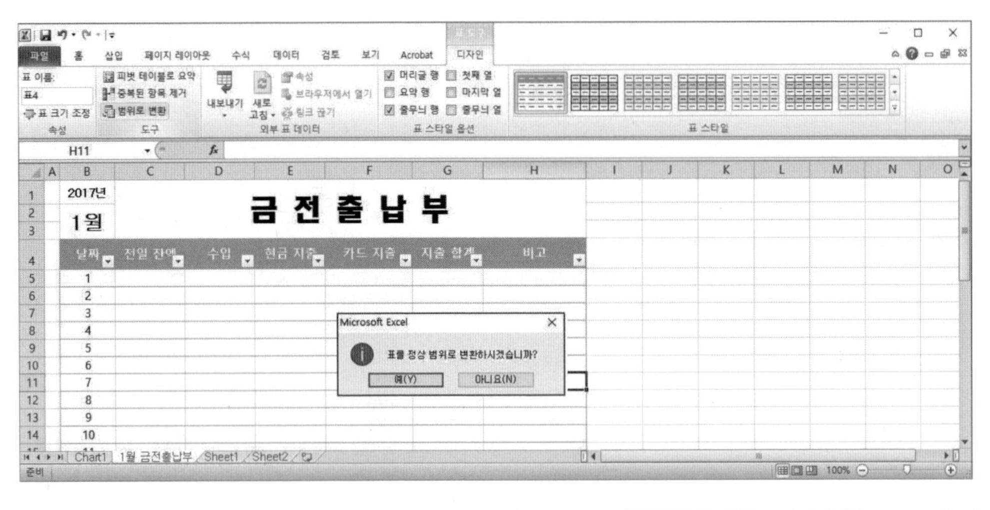

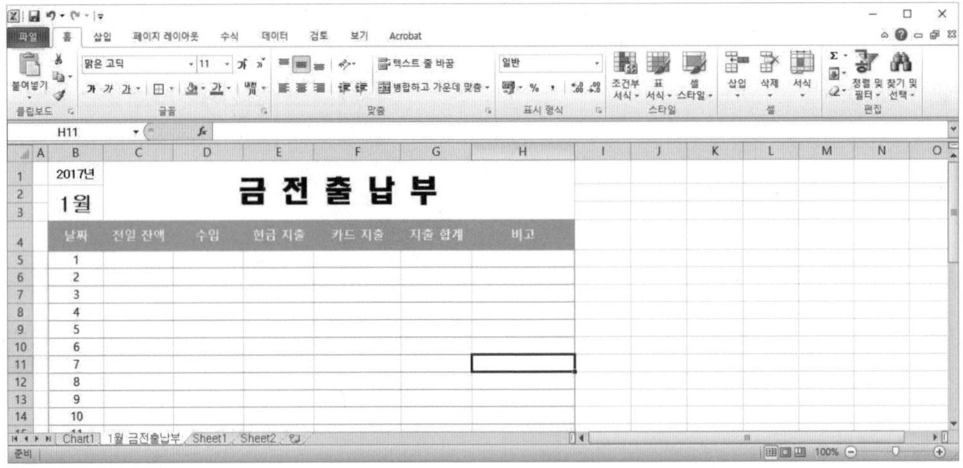

2.2 셀 스타일

01 CH4-2-1.xlsx 파일을 불러옵니다.

02 Ctrl 키를 누르고 스타일을 지정하고자 하는 셀 범위를 선택합니다. [홈] 탭 – [스타일] 그룹 – [셀 스타일]을 클릭하여 원하는 스타일을 설정합니다.

03 범위 지정된 셀에 스타일이 적용되면 [홈] 탭 – [글꼴] 그룹 – [테두리] 내림 단추를 클릭하여 [다른 테두리]를 선택해 테두리를 설정합니다.

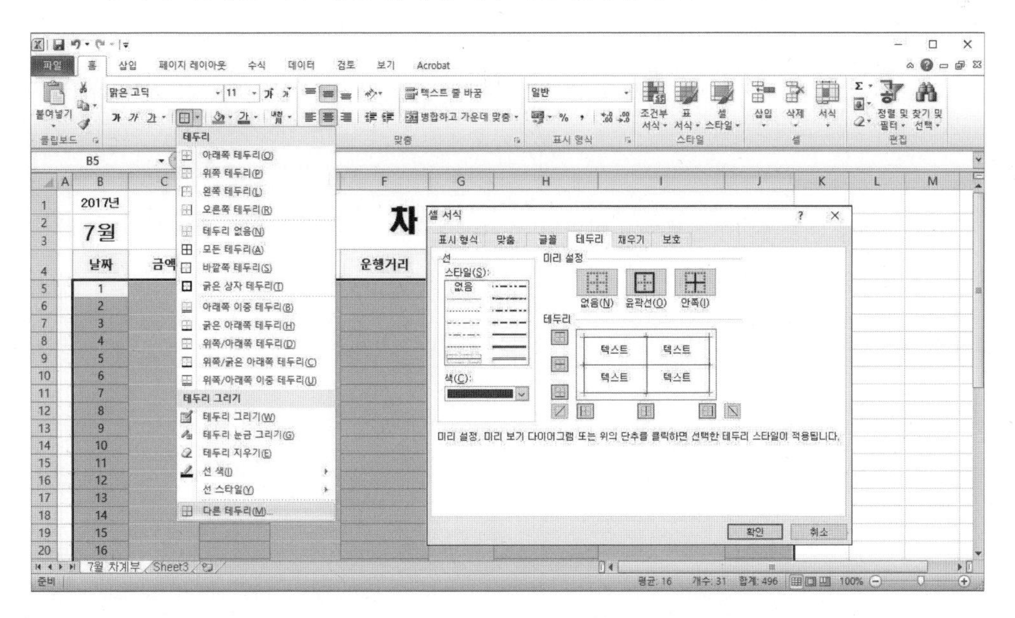

연습문제

1. CH4-2-ex1.xlsx 예제를 이용해 아래 조건대로 문제를 풀어봅니다.

	A	B	C	D	E	F	G
1		코스피 일일 시세					
2							
3		날짜	체결가	전일가	등락율	거래량	거래대금
4		2010-06-08	1554.52	14.55	0.0101	1688150	28224770000
5		2010-06-07	1537.97	24.14	-0.0157	2974420	48020990000
6		2010-06-04	1564.13	2.29	0	2797670	49715420000
7		2010-06-03	1561.84	31.44	0.0193	3043940	50951780000
8		2010-06-01	1530.4	10.85	-0.0066	3077280	47539570000
9		2010-05-31	1541.25	18.47	0.0114	2926230	42859320000
10		2010-05-28	1522.78	15.28	0.0095	3089710	58578870000
11		2010-05-27	1607.5	25.38	0.016	3513040	60771860000
12		2010-05-26	1582.12	21.29	0.0156	3509740	64393380000
13		2010-05-25	1560.83	44.1	-0.0235	4681040	66972410000
14		2010-05-24	1604.93	4.75	0	2662360	47079590000
15		2010-06-01	1630.4	10.85	-0.0066	3077280	64147960000
16		2010-05-31	1641.25	18.47	0.0114	2926230	60771860000
17		2010-05-28	1622.78	15.28	0.0095	3089710	64393380000
18		2010-05-27	1607.5	35.38	0.016	3513040	66972410000
19		2010-05-26	1682.12	31.39	0.0136	3509740	76972410000
20		2010-05-25	1660.83	44.1	-0.0275	4681040	75972410000
21		2010-06-03	1661.84	31.44	0.0193	3043940	50955410000
22		2010-06-01	1630.4	10.85	-0.0066	3077280	47539410000
23		2010-05-31	1641.25	18.47	0.0114	2926230	42852410000
24		2010-05-28	1622.78	15.28	0.0095	3089710	59572410000

① B2셀 제목 '코스피 일일 시세'를 제목1 셀 스타일 적용해 봅니다.

② B3셀부터 G24셀까지 범위 지정 후, 표 스타 보통6을 적용해 봅니다.

③ 날짜 영역 B4셀부터 B24셀까지 범위 지정 후, 셀 서식 사용자지정 표시형식을 지정합니다.

<yyyy.mm.dd(aaaa)>

④ 거래량 F4셀부터 F24셀까지 범위 지정 후, 셀 서식 사용자지정 표시형식을 사용하여 천단위로 변경해 봅니다.

<#,##0,>

⑤ 거래대금 G4셀부터 G24셀까지 범위 지정 후, 셀 서식 사용자지정 표시형식을 사용하여 백만 단위로 변경해 봅니다.

<#,##0,,>

SECTION 3 조건부 서식

3.1 셀 강조 규칙

01 CH4-3-1.xlsx 파일을 불러옵니다.

02 범위가 지정되어있는 상태에서 [홈] 탭 – [스타일] 그룹 – [조건부 서식]을 클릭하여 조건을 만족하는 셀에 서식이나 아이콘 표시, 데이터 막대, 색조 등을 적용할 수 있습니다.

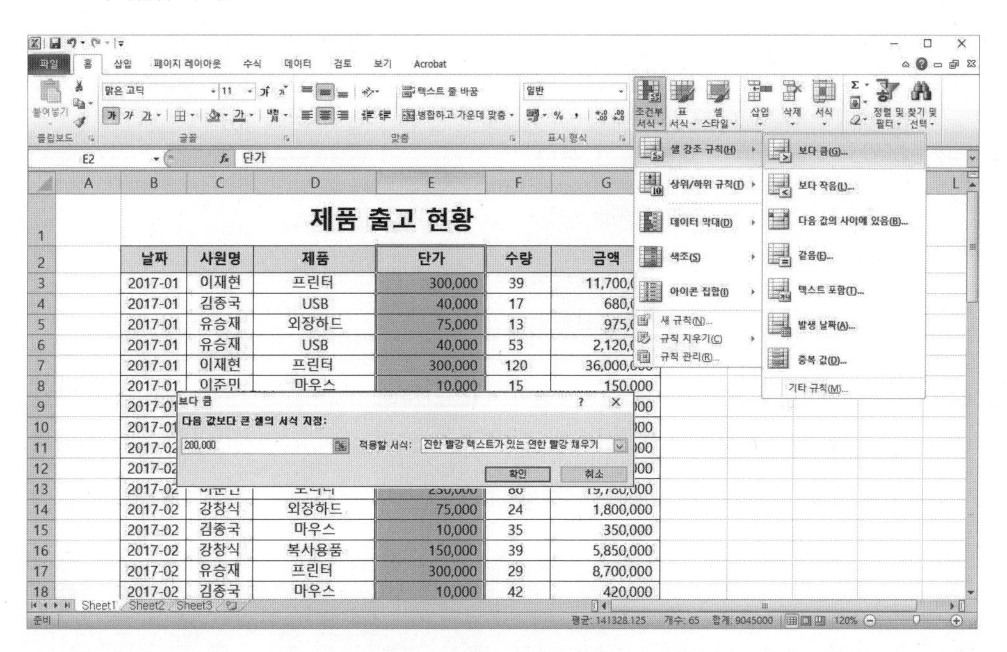

① [보다 큼] : 셀 값보다 큰 데이터에 조건부 서식을 지정합니다.

② [보다 작음] : 지정한 셀 값보다 작은 데이터에 조건부 서식을 지정합니다.

③ [다음 값의 사이에 있음] : 지정한 셀 값 사이에 있는 데이터에 조건부 서식을 지정합니다.

④ [같음] : 지정한 셀 값과 같은 데이터에 조건부 서식을 지정합니다.

⑤ [텍스트 포함] : 특정 문자가 포함된 셀에 조건부 서식을 지정합니다.

⑥ [발생 날짜] : 날짜 범위에 속하는 셀에 조건부 서식을 지정합니다.

⑦ [중복 값] : 중복된 값이 있는 셀에 조건부 서식을 지정합니다.

⑧ [기타 규칙] : 조건과 서식을 사용자가 직접 지정합니다.

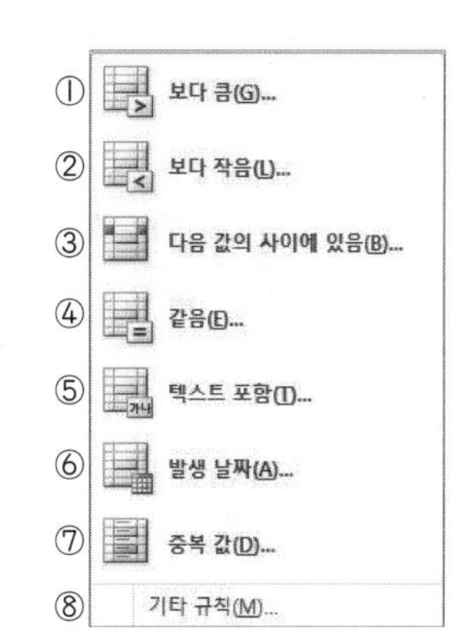

3.2 셀 강조 규칙 지우기

01 규칙을 제거하고자 하는 셀의 범위를 지정하고 [홈] 탭 – [스타일] 그룹 – [조건부 서식]을 클릭하여 [규칙 지우기] – [선택한 셀의 규칙 지우기]를 선택하면 규칙을 제거할 수 있습니다.

02 범위를 지정하지 않고 규칙을 제거할 때에는 [홈] 탭 – [스타일] 그룹 – [조건부 서식]을 클릭하여 [규칙 지우기] – [시트 전체에 규칙 지우기]를 선택하면 규칙이 제거됩니다.

03 조건부 서식의 특정한 규칙만 제거하려면 [홈] 탭 – [스타일] 그룹 – [조건부 서식]을 클릭하여 [규칙 관리]를 선택하고 [조건부 서식 규칙 관리자] 대화 상자가 나타나고 제거하고자 하는 규칙을 클릭해 [규칙 삭제] – [확인]을 선택하면 규칙을 제거할 수 있습니다.

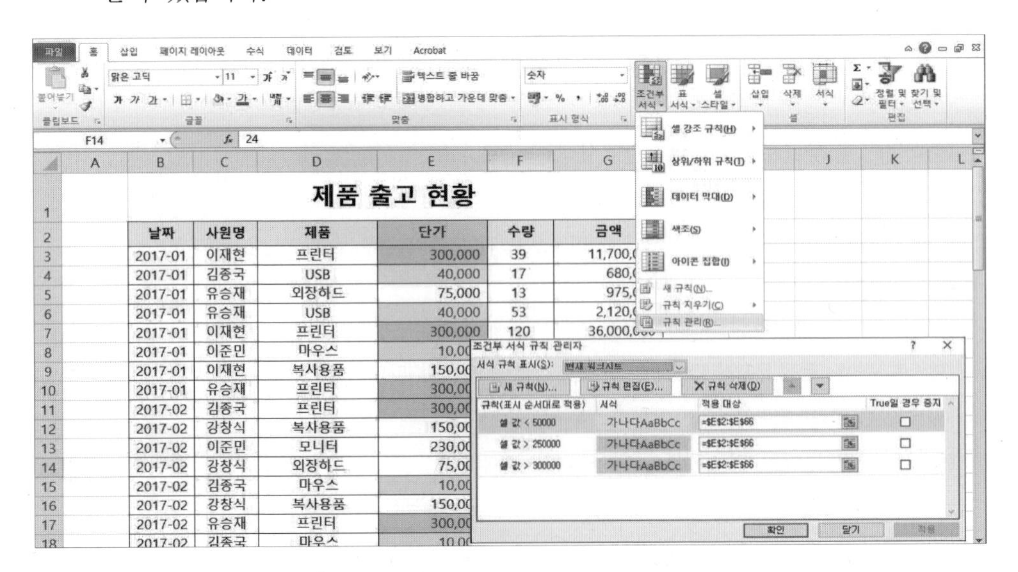

3.3 상위/하위 규칙

01 셀 데이터의 상위 규칙을 지정할 때는 범위를 설정하고 [홈] 탭 – [스타일] 그룹 – [조건부 서식]을 클릭하여 [상위/하위 규칙] – [상위 10개 항목]을 선택합니다. [상위 10개 항목] 대화 상자의 [적용할 서식]을 선택하면 상위 10개 항목의 셀에 원하는 서식을 지정할 수 있습니다.

02 같은 방법으로 [하위 10개 항목]을 선택하여 하위 항목에 대한 서식을 지정 할 수 있습니다.

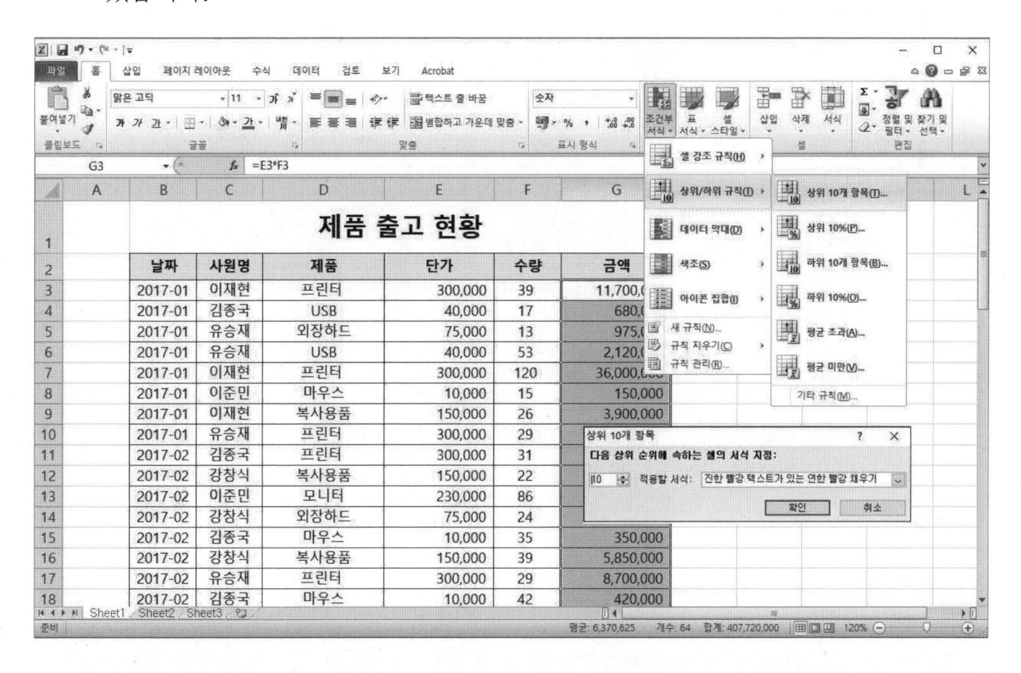

① [상위 10개 항목] : 셀 범위 중 상위 10개 항목에 서식을 지정합니다.
② [상위 10%] : 셀의 개수 중 상위 10%의 항목에 서식을 지정합니다.
③ [하위 10개 항목] : 셀 범위 중 하위 10개 항목에 서식을 지정합니다.
④ [하위 10%] : 셀의 개수 중 하위 10%의 항목에 서식을 지정합니다.
⑤ [평균 초과] : 평균값을 초과하는 항목에 서식을 지정합니다.
⑥ [평균 미만] : 평균 미만 값의 항목에 서식을 지정합니다.
⑦ [기타 규칙] : 새 규칙을 사용자가 만들어 조건부 서식을 지정합니다.

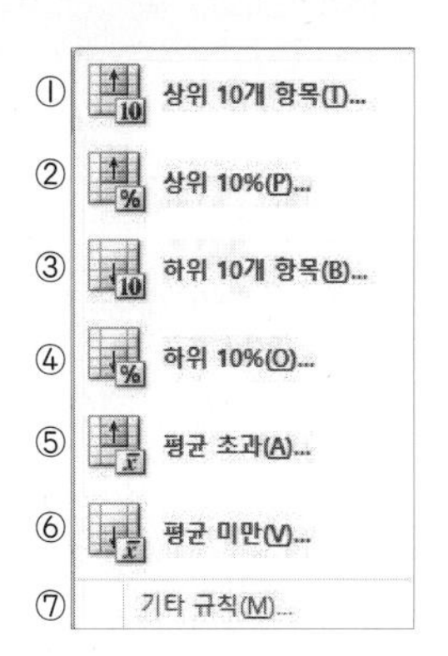

3.4 데이터 막대/색조/아이콘 집합

01 데이터 막대를 표시할 범위를 지정하고 [홈] 탭 – [스타일] 그룹 – [조건부 서식]을 클릭하여 [데이터 막대]를 선택 [그라데이션 채우기]나 [파랑 데이터 막대]를 선택합니다.

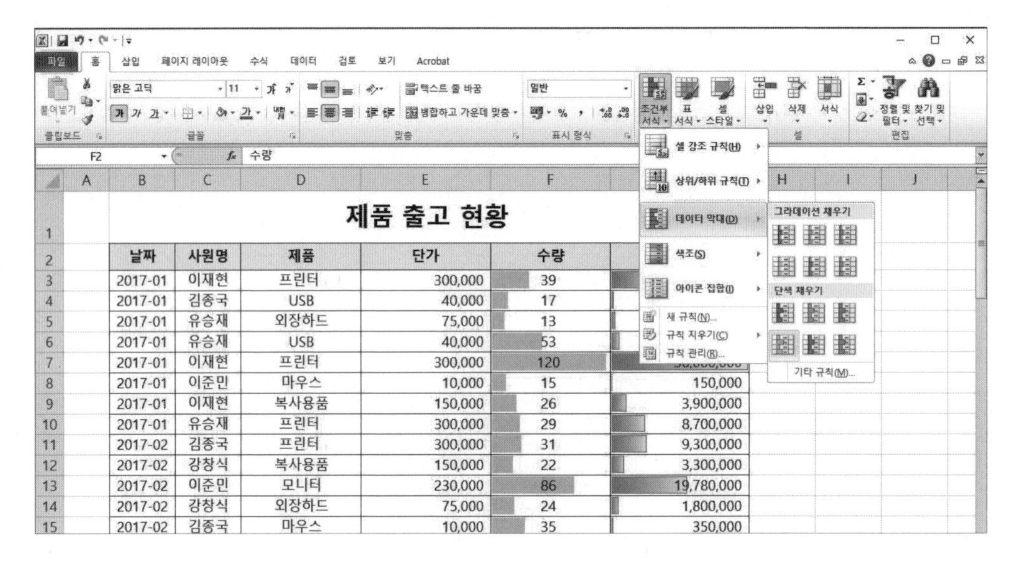

02 색조를 표시할 범위를 지정하고 [홈] 탭 – [스타일] 그룹 – [조건부 서식]을 클릭하여 지정할 수 있습니다. 최대값과 최소값을 이용하면 2색조로 표현할 수 있고, 최대, 중간, 최소값으로 이용하면 3색조로 표현할 수 있습니다.

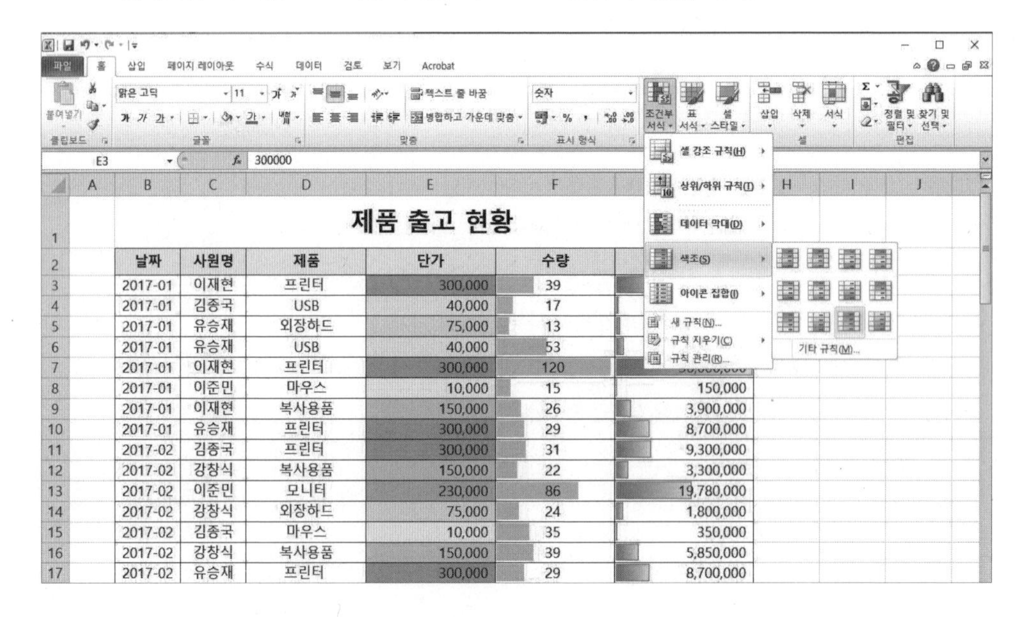

03 [홈] 탭 – [스타일] 그룹 – [조건부 서식]을 클릭하여 [색조] – [기타 규칙]을 선택합니다. [새 서식 규칙] 대화상자에서 [서식 스타일], [최소값], [중간값], [최대값]을 설정할 수 있습니다.

새 서식 규칙
규칙 유형 선택(S):
► 셀 값을 기준으로 모든 셀의 서식 지정
► 다음을 포함하는 셀만 서식 지정
► 상위 또는 하위 값만 서식 지정
► 평균보다 크거나 작은 값만 서식 지정
► 고유 또는 중복 값만 서식 지정
► 수식을 사용하여 서식을 지정할 셀 결정
규칙 설명 편집(E):
셀 값을 기준으로 모든 셀의 서식 지정:
서식 스타일(O): 3가지 색조
최소값 중간값 최대값
종류(T): 최소값 백분위수 최대값
값(V): (최소값) 50 (최대값)
색(C):
미리 보기:
확인 취소

04 아이콘 집합을 표시할 범위를 지정하고 [홈] 탭 – [스타일] 그룹 – [조건부 서식]을 클릭하여 [아이콘 집합]에서 서식을 선택할 수 있습니다.

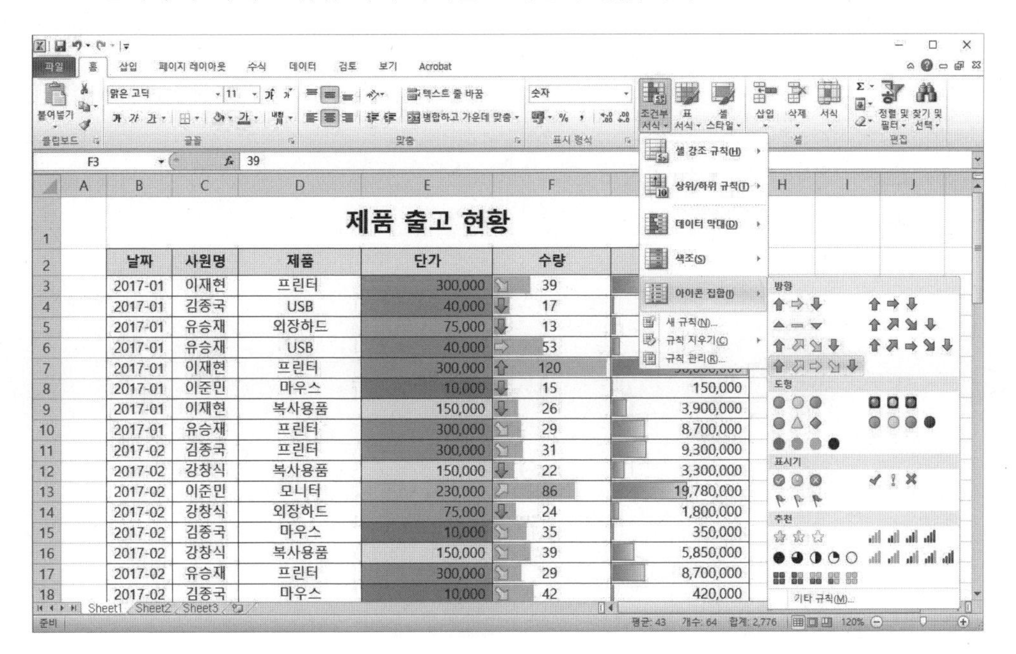

05 아이콘이 어떤 기준으로 설정되었는지 확인하기 위해 [홈] 탭 – [스타일] 그룹 – [조건부 서식]을 클릭하여 [아이콘 집합] – [기타 규칙]을 선택합니다. [새 서식 규칙] 대화상자에서 설정값을 확인할 수 있습니다.

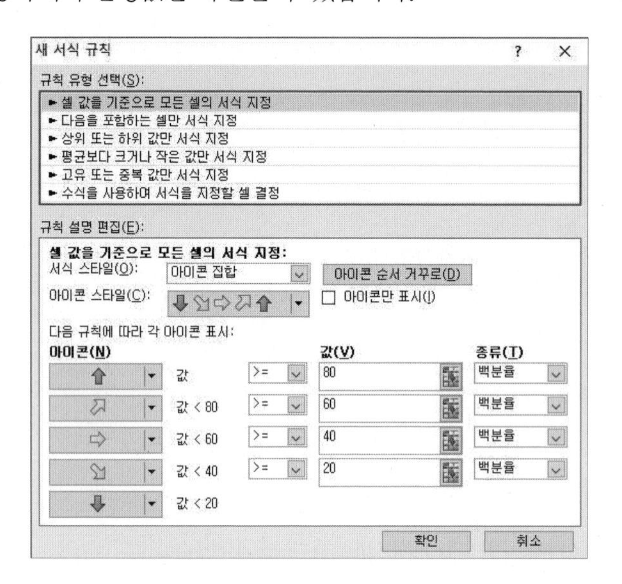

3.5 수식을 이용한 조건부 서식

01 [홈] 탭 – [스타일] 그룹 – [조건부 서식]을 클릭해 [새 규칙]을 선택합니다.

02 [새 서식 규칙] 대화 상자가 나타나면 [규칙 유형 선택]에서 [수식을 사용하여 서식을 지정할 셀 결정]을 선택하고 [규칙 설명 편집]에 혼합 참조를 이용하여 열을 고정시켜 셀을 참조하고 [서식]을 클릭합니다.

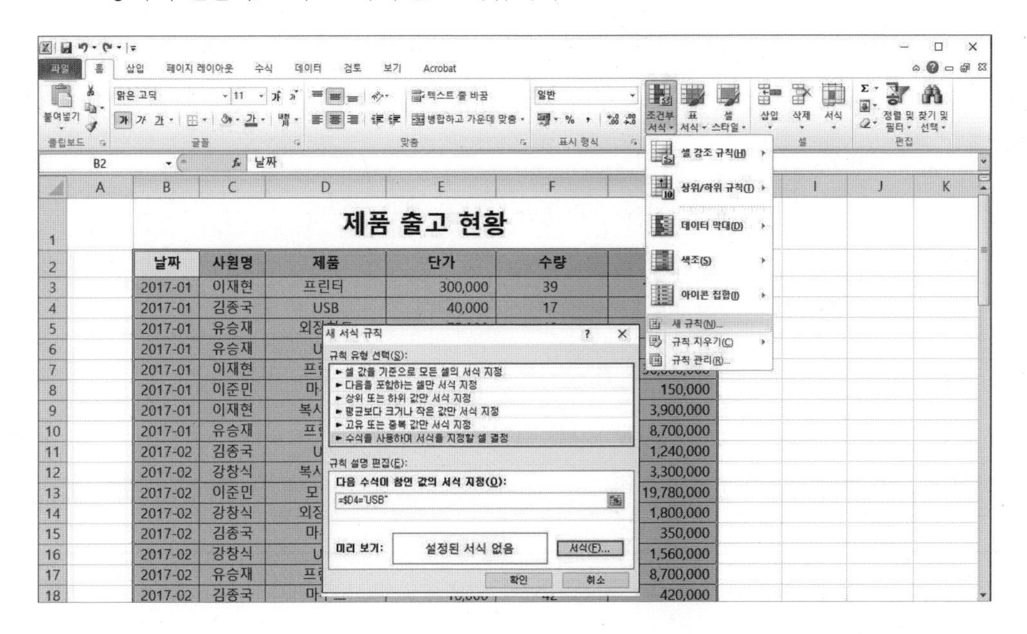

03 [셀 서식] 대화상자에서 [글꼴]과 [채우기] 등을 설정하고 클릭하면 수식을 이용한 조건부 서식은 조건이 지정된 행 전체에 서식이 적용됩니다.

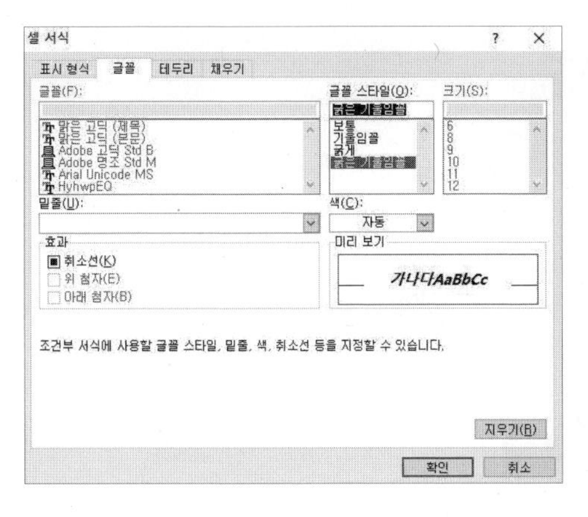

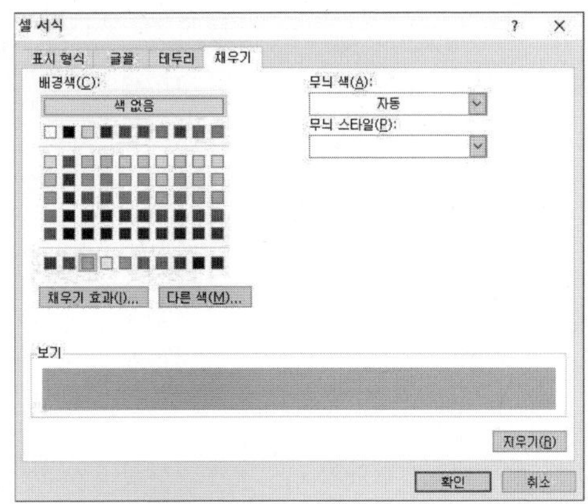

연습문제

1. CH4-3-ex1.xlsx 파일을 열어 조건부 서식을 이용해 다음과 같이 편집해 봅니다.

① 2017년 실적, 월별 증감, 달성율에 색조, 막대, 아이콘 집합을 표시해 봅니다.

② [조건부 서식] – [규칙 관리]를 클릭하고 "조건부 서식 규칙 관리자" 대화상자에서 〈서식 규칙 표시〉에서 '현재 워크시트'를 선택하고 두 번째 '데이터 막대' 규칙을 선택 한 후 〈규칙 편집〉을 클릭합니다.

③ "서식 규칙 편집" 대화상자에서 '막대만 표시'를 체크 합니다.

④ "조건부 서식 규칙 관리자" 대화상자에서 '아이콘 집합'을 선택하고 〈규칙 편집〉을 클릭합니다.

⑤ 아이콘의 위쪽 화살표의 종류를 숫자로 선택하고 값에 1.1을 입력합니다.

⑥ ' – ' 단추 종류를 선택하고 값에 1을 입력합니다.

⑦ 아래쪽 화살표의 종류를 선택하고 "셀 아이콘 없음"을 선택한 후 〈확인〉 단추를 누릅니다.

⑧ "조건부 서식 규칙 관리자" 대화상자에서 〈확인〉 단추를 클릭하여 서식을 지정합니다.

	A	B	C	D	E	F
1	2017년 분석 보고서					
2						
3	부서	월	2017년 목표	2017년 실적	월별 증감	달성율
4	상반기	1월	17,749	17,795		100%
5		2월	13,875	19,255		72%
6		3월	29,070	27,400		106%
7		4월	30,012	27,516		109%
8		5월	24,227	26,048		93%
9		6월	29,148	25,516		114%
10	하반기	7월	10,340	12,518		83%
11		8월	19,184	19,396		99%
12		9월	19,820	20,454		97%
13		10월	23,121	21,574		107%
14		11월	27,272	28,050		97%
15		12월	12,779	15,574		82%

SECTION 4 찾기와 정렬하기

4.1 데이터 찾기

01 CH4-4-1.xlsx 파일을 불러옵니다.

02 많은 양의 데이터 중 원하는 데이터를 빠르게 찾고자 할 때 [홈] 탭 – [편집] 그룹 – [찾기 및 선택]을 클릭하여 [찾기]를 선택합니다. [찾을 내용]에 원하는 데이터를 입력하면 입력된 항목이 자세히 표시 됩니다.

03 [와일드 카드 문자]를 통하여 문자를 대표하여 검색할 수 있습니다. 별표(*)는 2글자 이상 모든 문자를 대신하고, 물음표(?)는 한 글자를 대신하는 문자입니다.

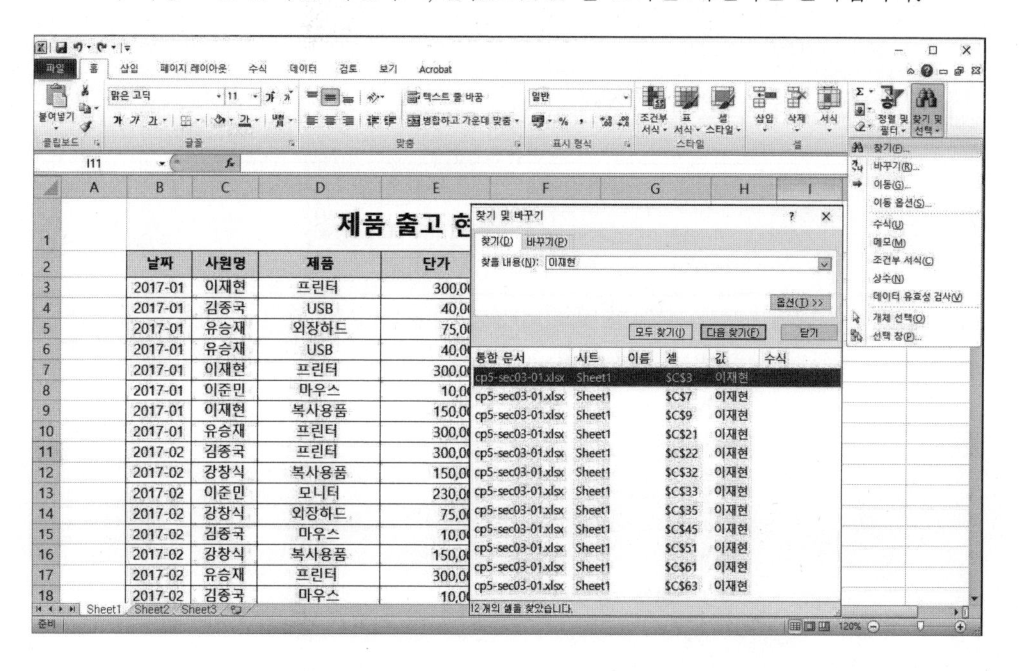

4.2 바꾸기와 정렬하기

01 찾은 데이터를 바꾸기 위해서 [홈] 탭 – [편집] 그룹 – [찾기 및 선택]을 클릭해 [바꾸기]를 선택합니다. 찾을 내용에 기존의 데이터를, 바꿀 내용에 변경을 원하는 데이터를 입력하고 [모두 바꾸기]를 클릭하면 데이터를 변경할 수 있습니다.

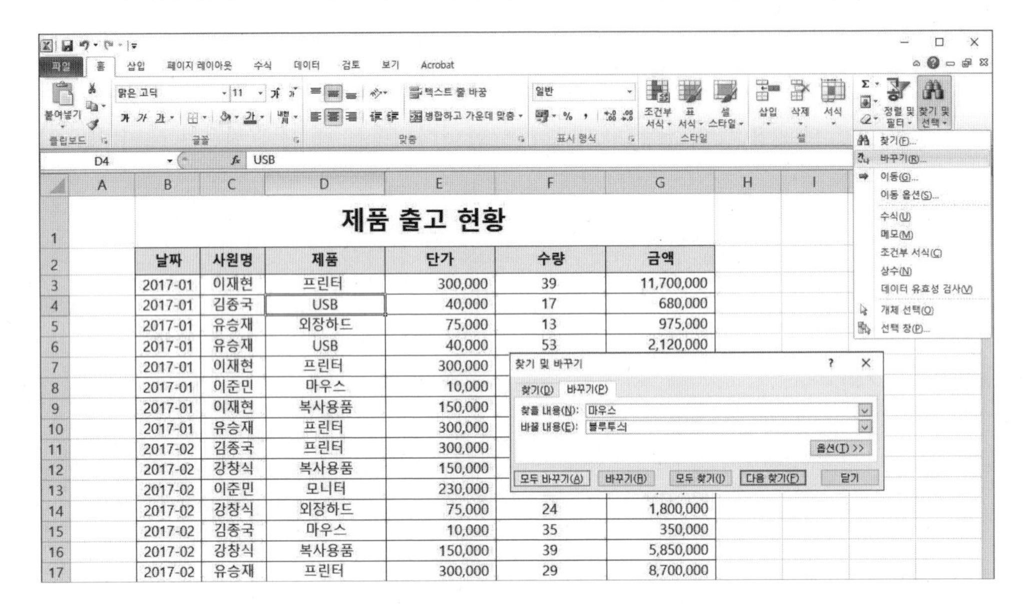

02 [홈] 탭 – [편집] 그룹 – [정렬 및 필터]를 클릭해 [사용자 지정 정렬]을 선택하면 [정렬] 대화 상자에서 정렬 기준과 방법을 지정하여 데이터를 정렬할 수 있습니다.

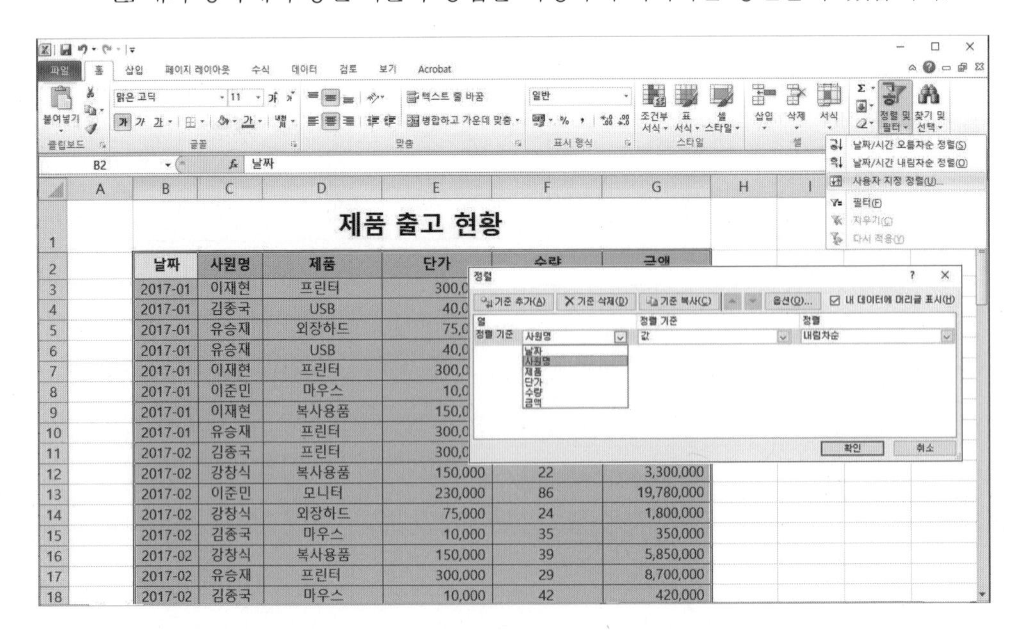

연습문제

1. CH4-4-ex1.xlsx 파일을 이용해 데이터를 정렬해 봅니다.

	A	B	C	D	E	F	G	H
1	거래처별 판매현황							
2								
3								
4	거래일자	거래처명	제품명	수량	단가	공급가액	부가세	합계
5	06-01-02	거명전자	PDP TV	10	1,830,000	18,300,000	1,830,000	20,130,000
6	06-01-05	나라전자	PMP	15	369,000	5,535,000	553,500	6,088,500
7	06-01-12	나라전자	MP3	20	95,000	1,900,000	190,000	2,090,000
8	06-01-15	거명전자	캠코더	25	856,000	21,400,000	2,140,000	23,540,000
9	06-01-20	다원전자	PMP	15	369,000	5,535,000	553,500	6,088,500
10	06-01-25	한국전자	DMB	10	139,000	1,390,000	139,000	1,529,000
11	06-01-26	다원전자	PDP TV	11	1,830,000	20,130,000	2,013,000	22,143,000
12	06-02-03	한국전자	PMP	30	369,000	11,070,000	1,107,000	12,177,000
13	06-02-06	거명전자	디지털카메라	25	265,000	6,625,000	662,500	7,287,500
14	06-02-12	나라전자	MP3	45	95,000	4,275,000	427,500	4,702,500
15	06-02-15	다원전자	캠코더	15	856,000	12,840,000	1,284,000	14,124,000
16	06-02-18	다원전자	PDP TV	15	1,830,000	27,450,000	2,745,000	30,195,000
17	06-02-20	현승전자	DMB	30	139,000	4,170,000	417,000	4,587,000
18	06-02-26	나라전자	디지털카메라	25	265,000	6,625,000	662,500	7,287,500
19	06-03-02	한국전자	DVD	40	215,000	8,600,000	860,000	9,460,000
20	06-03-03	다원전자	MP3	15	95,000	1,425,000	142,500	1,567,500
21	06-03-05	현승전자	PDP TV	9	1,830,000	16,470,000	1,647,000	18,117,000
22	06-03-06	거명전자	캠코더	25	856,000	21,400,000	2,140,000	23,540,000
23	06-03-15	다원전자	DMB	30	139,000	4,170,000	417,000	4,587,000
24	06-03-21	거명전자	PMP	20	369,000	7,380,000	738,000	8,118,000
25	06-03-22	다원전자	MP3	20	95,000	1,900,000	190,000	2,090,000
26	06-04-05	나라전자	MP3	15	95,000	1,425,000	142,500	1,567,500
27	06-04-08	현승전자	디지털카메라	20	265,000	5,300,000	530,000	5,830,000
28	06-04-15	다원전자	PDP TV	16	1,830,000	29,280,000	2,928,000	32,208,000
29	06-04-21	현승전자	DMB	40	139,000	5,560,000	556,000	6,116,000

① [정렬 기준] – [거래처명], [정렬 기준] – [값], [정렬] – [오름차순]을 이용해 정렬해 봅니다.

② [기준 추가]을 클릭하여 [다음 기준] – [합계], [정렬 기준] – [값], [정렬] – [내림차순] 클릭하여 여러 개를 기준으로 정렬해 봅니다.

③ [정렬 기준] – [합계], [정렬 기준] – [셀 색], [정렬] – '색'을 이용해 정렬해 봅니다.

CHAPTER 5

엑셀 함수

1. 수식의 구성과 연산자의 종류

(1) 수식 구성

① = : '=' 등호는 엑셀에서 수식을 작성한다는 의미입니다.

② 피연산자 : 연산의 대상자로 숫자, 셀 주소, 문자, 함수 등이 올 수 있습니다.

③ 연산자 : 일반적으로 사칙 연산의 산술 연산자, 비교, 참조, 문자열 연산자가 올 수 있습니다.

(2) 연산자의 종류

연산자의 종류	연산자	의미
산술 연산자	+	덧셈
	–	뺄셈 (음수)
	*	곱셈
	/	나눗셈
	%	백분율
	^	거듭제곱
비교 연산자	=	같다.
	〉	보다 크다.
	〈	보다 작다.
	〉=	보다 크거나 같다.
	〈=	보다 작거나 같다.
	〈〉	같지 않다.
문자열 연산자	&	2개의 문자를 하나로 연결합니다. 예) "대한"&"민국" → 대한민국
참조 연산자	:	연속된 셀 범위를 참조합니다. 예) =SUM(A2:A6)
	,	불연속적인 셀을 참조합니다. 예) =SUM(A1, B3, C5)
	공백(띄어쓰기)	2개의 참조에 공통으로 교차되는 셀에 대한 참조를 만듭니다. 예) 'A2:D2 B1:B4' 교차되는 [B2] 셀을 참조합니다.

(3) 연산자의 우선순위

① 참조 연산자 〉 산술 연산자 〉 문자열 연산자 〉 비교 연산자 순으로 계산됩니다.

② 산술 연산자 백분율 〉 거듭 제곱 〉 곱셈/나눗셈 〉 덧셈/뺄셈 순으로 계산됩니다.

③ 연산자의 우선순위가 낮더라도 괄호()를 이용하면 괄호 먼저 계산하고 연산자의 우선순위에 따라 계산됩니다.

SECTION 1 엑셀 기본 수식

1.1 셀 주소 참조하기

01 CH5-1-1.xlsx 파일을 불러옵니다.

02 수식을 직접 사용할 때는 자동 채우기를 할 수 없으나, 셀 주소를 참조하여 수식 작성을 하면 이러한 번거로움을 줄일 수 있습니다.

데이터		셀 주소 참조	직접 계산
A	B	결과 값	결과 값
10	100	110	=10+100
20	200	220	
30	300	330	
40	400	440	
50	500	550	

1.2 사칙 연산으로 기본 수식 만들기

01 CH5-1-2.xlsx 파일을 불러옵니다.

02 간단한 사칙 연산으로 기본 수식을 만들어 사용할 수 있습니다. 이때 셀 주소를 참조하면 하나의 결과값에 자동 채우기를 이용하여 간단하게 데이터를 채울 수 있습니다.

H5 =E5+F5

사업장 별 판매현황

사업장	제품	상반기 제품단가	상반기 판매수량	하반기 판매수량	하반기 제품단가	상하반기 총판매수량	상반기 판매액	하반기 판매액	상하반기 판매차액	상하반기 판매증가율
A	마우스	₩ 2,800	370	400	₩ 3,000	=E5+F5	=D5*E5	=F5*K5	=J5-I5	=J5/I5
A	키보드	₩ 17,000	37	81	₩ 18,000					
B	마우스	₩ 2,800	710	730	₩ 3,000					

1.3 문자열 연산자로 기본 수식 만들기

01 CH5-1-3.xlsx 파일을 불러옵니다.

02 문자열 연산자로 문자를 합한 결과를 알 수 있습니다. 직접 입력하는 데이터가 문자 데이터일 경우에는 큰 따옴표("")를 사용하고, 숫자일 경우에는 큰 따옴표("") 없이 바로 입력하면 됩니다. 예) =2017&"년" → 2017년

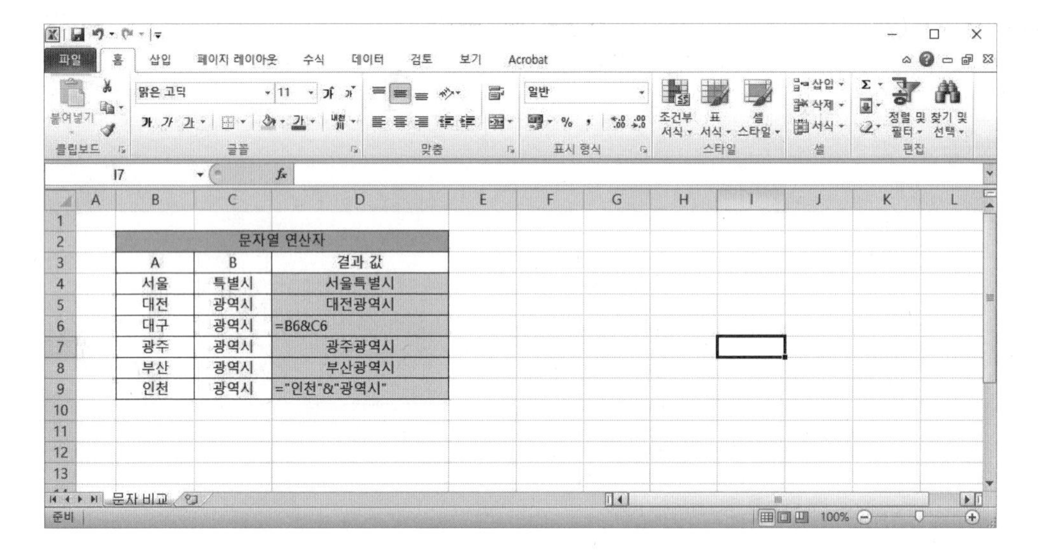

SECTION 2 셀 참조와 이름 정의하기

2.1 상대 참조

01 CH5-2-1.xlsx 파일을 불러옵니다.

02 상대 참조란 셀 포인터가 이동하면 참조되는 셀도 셀 포인터가 이동한 거리만큼 값이 이동하는 것을 의미합니다. 하나의 수식을 입력하고 채우기 핸들을 이용하여 상대 참조된 셀의 결과를 확인할 수 있습니다.

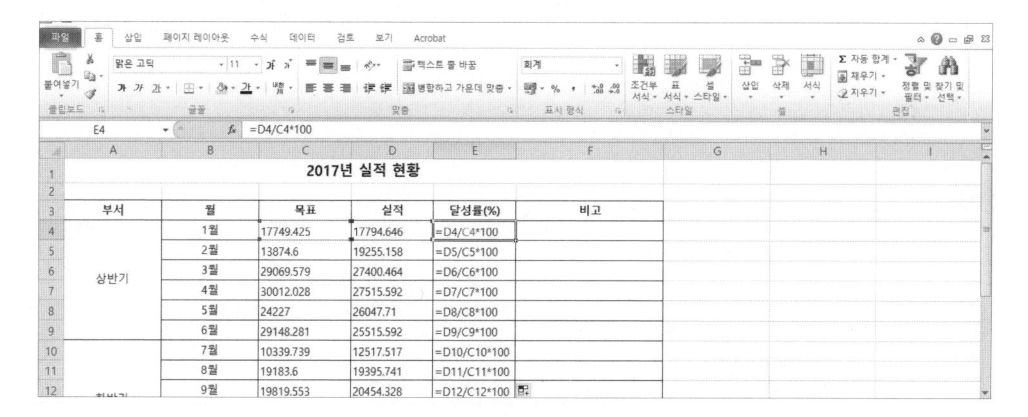

E4 =D4/C4*100

	A	B	C	D	E	F
1	2017년 실적 현황					
2						
3	부서	월	목표	실적	달성률(%)	비고
4	상반기	1월	17749.425	17794.646	=D4/C4*100	
5		2월	13874.6	19255.158	=D5/C5*100	
6		3월	29069.579	27400.464	=D6/C6*100	
7		4월	30012.028	27515.592	=D7/C7*100	
8		5월	24227	26047.71	=D8/C8*100	
9		6월	29148.281	25515.592	=D9/C9*100	
10		7월	10339.739	12517.517	=D10/C10*100	
11		8월	19183.6	19395.741	=D11/C11*100	
12		9월	19819.553	20454.328	=D12/C12*100	

2.2 절대 참조

01 절대 참조는 셀 포인터가 이동을 해도 참조되는 셀의 주소가 상대 참조처럼 이동하지 않고 고정된 셀 주소를 말하며, 해당 셀을 클릭한 상태에서 F4를 눌러 지정해 줄 수 있습니다.

F15 =D15/$D$16*100

	A	B	C	D	E	F
6	상반기	3월	29069.579	27400.464	=D6/C6*100	=D6/$D$16*100
7		4월	30012.028	27515.592	=D7/C7*100	=D7/$D$16*100
8		5월	24227	26047.71	=D8/C8*100	=D8/$D$16*100
9		6월	29148.281	25515.592	=D9/C9*100	=D9/$D$16*100
10	하반기	7월	10339.739	12517.517	=D10/C10*100	=D10/$D$16*100
11		8월	19183.6	19395.741	=D11/C11*100	=D11/$D$16*100
12		9월	19819.553	20454.328	=D12/C12*100	=D12/$D$16*100
13		10월	23120.515	21573.884	=D13/C13*100	=D13/$D$16*100
14		11월	27272.132	28049.545	=D14/C14*100	=D14/$D$16*100
15		12월	12778.761	15573.884	=D15/C15*100	=D15/$D$16*100
16	총계			=SUM(D4:D15)		

2.3 혼합 참조

01 CH5-2-2.xlsx 파일을 불러옵니다.

02 행 또는 열 하나만 상대참조 형식이고 다른 하나는 절대 참조 형식인 경우를 혼합 참조하고 합니다.

03 열 고정 혼합 참조 ($A1 형식) : 열은 고정이며 행은 변화가 가능한 참조 형식으로 채우기 핸들을 가로로 당기면 절대 참조와 같은 결과가 되고, 세로로 당기면 상대 참조와 같은 결과를 가져옵니다.

04 행 고정 혼합 참조 (A$1 형식) : 행은 고정이며 열은 변화가 가능한 참조 형식으로 채우기 핸들을 가로로 당기면 상대 참조 같은 결과가 되고, 세로로 당기면 절대 참조와 같은 결과를 가져옵니다.

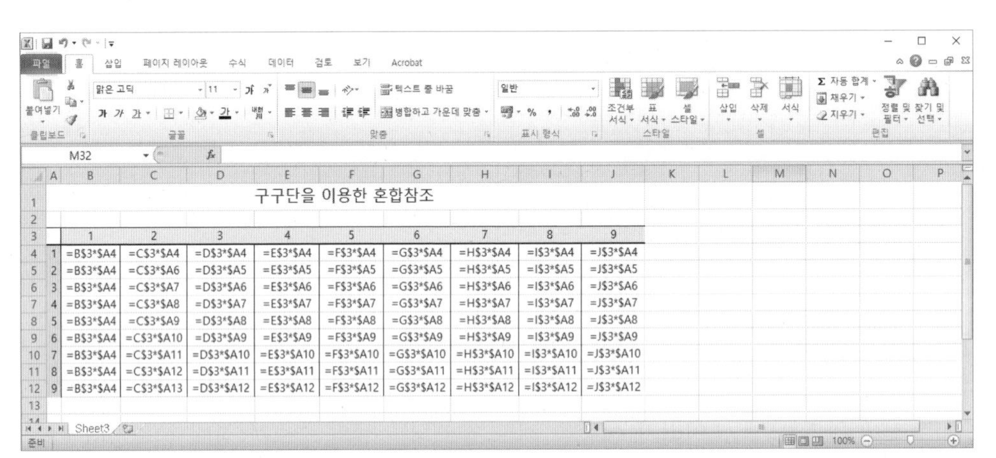

구구단을 이용한 혼합참조

	1	2	3	4	5	6	7	8	9
1	=B$3*$A4	=C$3*$A4	=D$3*$A4	=E$3*$A4	=F$3*$A4	=G$3*$A4	=H$3*$A4	=I$3*$A4	=J$3*$A4
2	=B$3*$A4	=C$3*$A6	=D$3*$A5	=E$3*$A5	=F$3*$A5	=G$3*$A5	=H$3*$A5	=I$3*$A5	=J$3*$A5
3	=B$3*$A4	=C$3*$A7	=D$3*$A6	=E$3*$A6	=F$3*$A6	=G$3*$A6	=H$3*$A6	=I$3*$A6	=J$3*$A6
4	=B$3*$A4	=C$3*$A8	=D$3*$A7	=E$3*$A7	=F$3*$A7	=G$3*$A7	=H$3*$A7	=I$3*$A7	=J$3*$A7
5	=B$3*$A4	=C$3*$A9	=D$3*$A8	=E$3*$A8	=F$3*$A8	=G$3*$A8	=H$3*$A8	=I$3*$A8	=J$3*$A8
6	=B$3*$A4	=C$3*$A10	=D$3*$A9	=E$3*$A9	=F$3*$A9	=G$3*$A9	=H$3*$A9	=I$3*$A9	=J$3*$A9
7	=B$3*$A4	=C$3*$A11	=D$3*$A10	=E$3*$A10	=F$3*$A10	=G$3*$A10	=H$3*$A10	=I$3*$A10	=J$3*$A10
8	=B$3*$A4	=C$3*$A12	=D$3*$A11	=E$3*$A11	=F$3*$A11	=G$3*$A11	=H$3*$A11	=I$3*$A11	=J$3*$A11
9	=B$3*$A4	=C$3*$A13	=D$3*$A12	=E$3*$A12	=F$3*$A12	=G$3*$A12	=H$3*$A12	=I$3*$A12	=J$3*$A12

SECTION 3 많이 사용하는 함수

3.1 SUM 함수

01 CH5-3-1.xlsx 파일을 불러옵니다.

02 SUM 함수는 인수로 사용되는 연속적인 셀 범위를 합계를 구합니다.

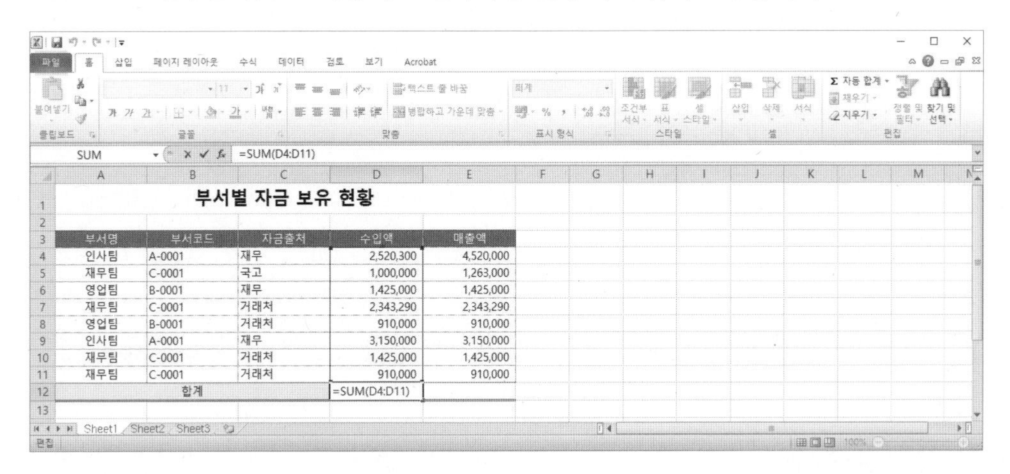

=SUM(D4:D11)

부서별 자금 보유 현황

부서명	부서코드	자금출처	수입액	매출액
인사팀	A-0001	재무	2,520,300	4,520,000
재무팀	C-0001	국고	1,000,000	1,263,000
영업팀	B-0001	재무	1,425,000	1,425,000
재무팀	C-0001	거래처	2,343,290	2,343,290
영업팀	B-0001	거래처	910,000	910,000
인사팀	A-0001	재무	3,150,000	3,150,000
재무팀	C-0001	거래처	1,425,000	1,425,000
재무팀	C-0001	거래처	910,000	910,000
합계			=SUM(D4:D11)	

3.2 AVERAGE 함수

01 AVERAGE 함수는 인수로 사용되는 연속적인 셀 범위의 평균을 구합니다.

=average(E4:E11)

부서별 자금 보유 현황

부서명	부서코드	자금출처	수입액	매출액
인사팀	A-0001	재무	2,520,300	4,520,000
재무팀	C-0001	국고	1,000,000	1,263,000
영업팀	B-0001	재무	1,425,000	1,425,000
재무팀	C-0001	거래처	2,343,290	2,343,290
영업팀	B-0001	거래처	910,000	910,000
인사팀	A-0001	재무	3,150,000	3,150,000
재무팀	C-0001	거래처	1,425,000	1,425,000
재무팀	C-0001	거래처	910,000	910,000
합계			13,683,590	=average(E4:E11)

3.3 COUNT 함수

01 CH5-3-2.xlsx 파일을 불러옵니다.

02 COUNT 함수는 인수로 사용되는 연속적인 셀 범위에서 숫자가 포함된 셀의 개수를 구합니다.

3.4 MAX 함수

01 CH5-3-3.xlsx 파일을 불러옵니다.

02 MAX 함수는 인수가 셀 범위인 경우(연속적인 셀 값)의 최대값을 구합니다.

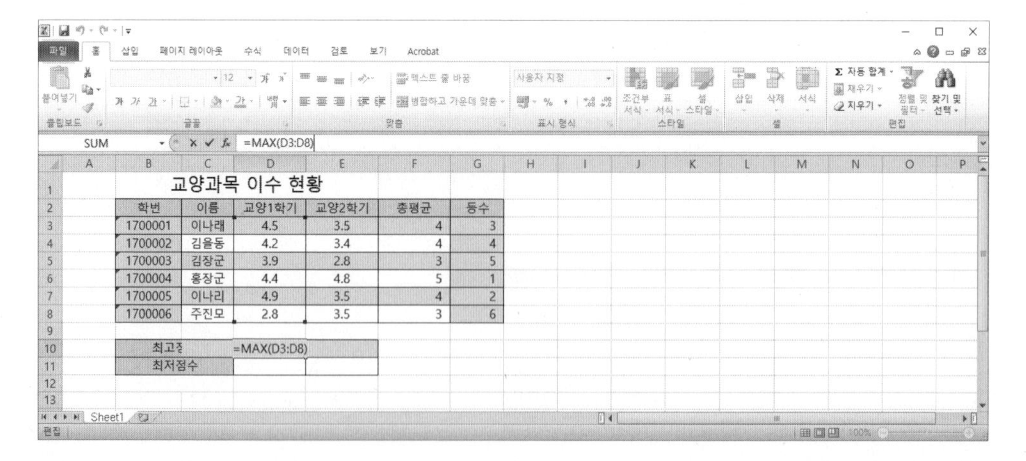

3.5 MIN 함수

01 MIN 함수는 인수가 셀 범위인 경우(연속적인 셀 값)의 최소값을 구합니다.

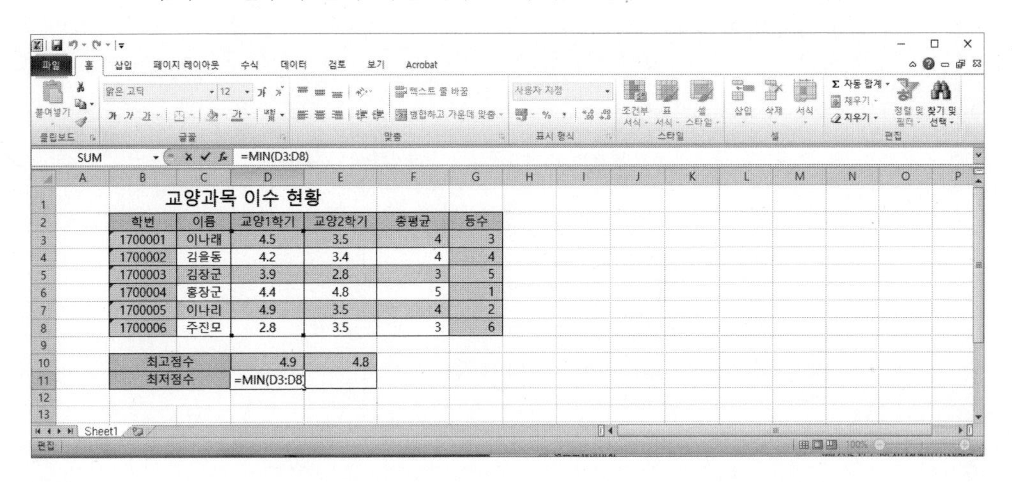

학번	이름	교양1학기	교양2학기	총평균	등수
1700001	이나래	4.5	3.5	4	3
1700002	김을동	4.2	3.4	4	4
1700003	김장군	3.9	2.8	3	5
1700004	홍장군	4.4	4.8	5	1
1700005	이나리	4.9	3.5	4	2
1700006	주진모	2.8	3.5	3	6
최고점수		4.9	4.8		
최저점수		=MIN(D3:D8)			

SECTION 4 함수 마법사 이용하기

01 CH5-4-1.xlsx 파일을 불러옵니다.

	A	B	C	D	E	F
7		4월	30012.028	27515.592		
8		5월	24227	26047.71		
9		6월	29148.281	25515.592		
10	하반기	7월	10339.739	12517.517		
11		8월	19183.6	19395.741		
12		9월	19819.553	20454.328		
13		10월	23120.515	21573.884		
14		11월	27272.132	28049.545		
15		12월	12778.761	15573.884		
16	총계					

02 수식 입력줄의 [fx]를 클릭하면 [함수 마법사] 대화 상자가 나타납니다.

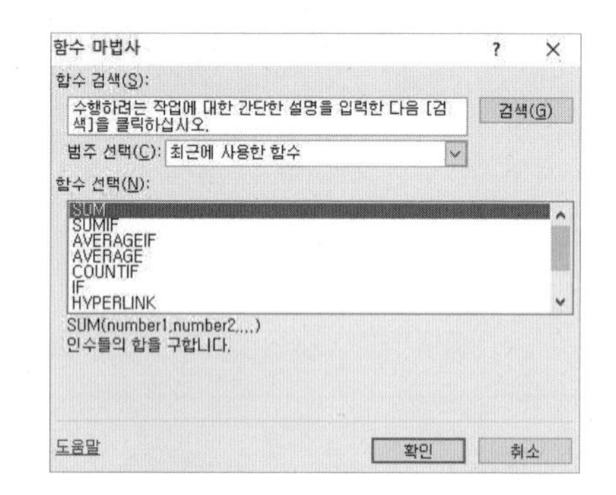

03 [함수 선택]에서 사용하고자하는 함수를 선택하고 확인을 클릭합니다.

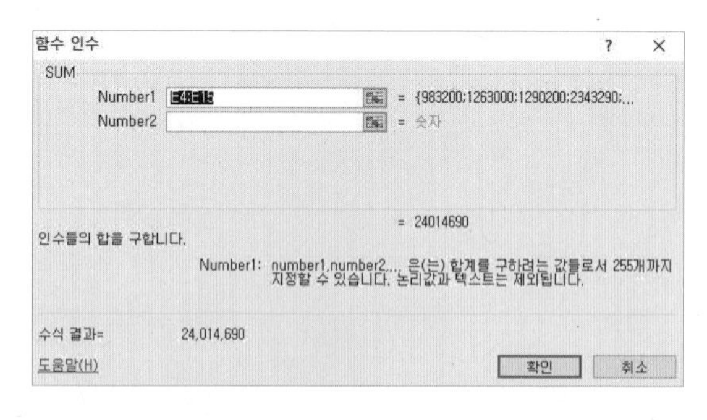

04 [함수 인수] 대화상자가 나타나면 [Number1]의 기존 내용을 삭제하고 계산을 원하는 워크시트를 드래그하여 범위를 지정합니다. 내용이 변경되면 [확인]을 클릭하고 결과 값을 확인합니다.

SECTION 5 논리 함수

5.1 IF 함수

01 CH5-5-1.xlsx 파일을 불러옵니다.

조건을 비교하여 참이면 참 값을, 거짓이면 거짓 값을 반환합니다.

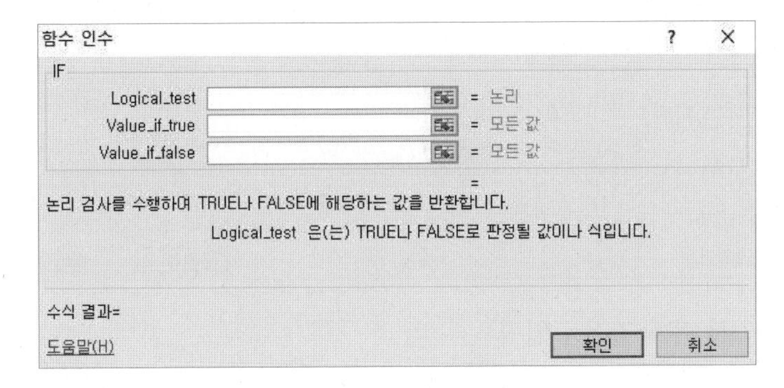

① [Logical_test] : 조건을 넣고 거짓인지 참인지를 판단

② [Value_if_true] : 조건이 참인 경우 표현될 값을 입력

③ [Value_if_false] : 조건이 거짓인 경우 표현될 값을 입력

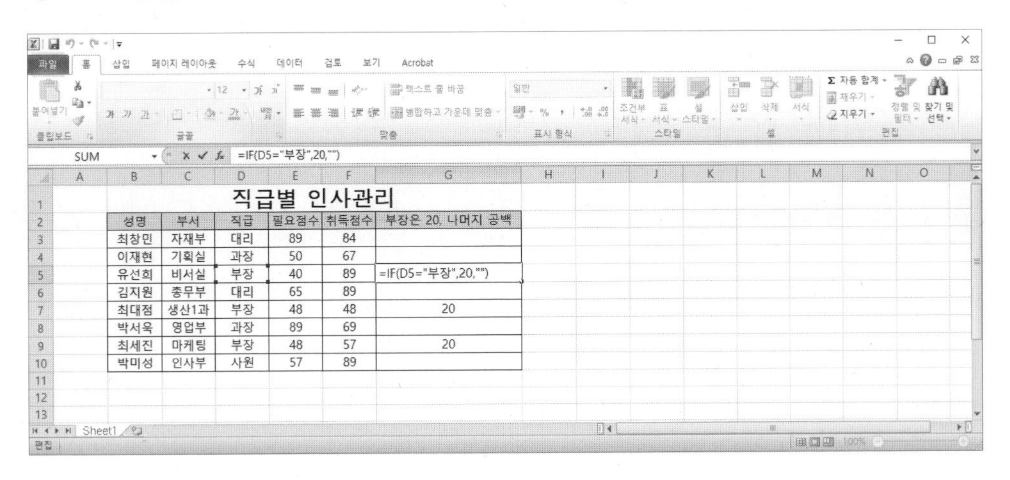

④ [추가 점수] 항목에 직급이 부장인 경우 '20'이 되게 하고 아닌 경우는 공백을 출력합니다.

5.2 AND 함수

01 CH5-5-2.xlsx 파일을 불러옵니다.

인수 모두가 참일 때 참 값을 반환합니다.

함수 인수

AND

Logical1 = 논리

Logical2 = 논리

=

인수가 모두 TRUE이면 TRUE를 반환합니다.

Logical1: logical1,logical2,... 은(는) TRUE 또는 FALSE 값을 가지는 조건으로 1개에서 255개까지 지정할 수 있으며 논리값, 배열, 참조가 될 수 있습니다.

수식 결과=

도움말(H) 확인 취소

① [Logical1] : 첫 번째 조건을 입력

② [Logical2] : 두 번째 조건을 입력

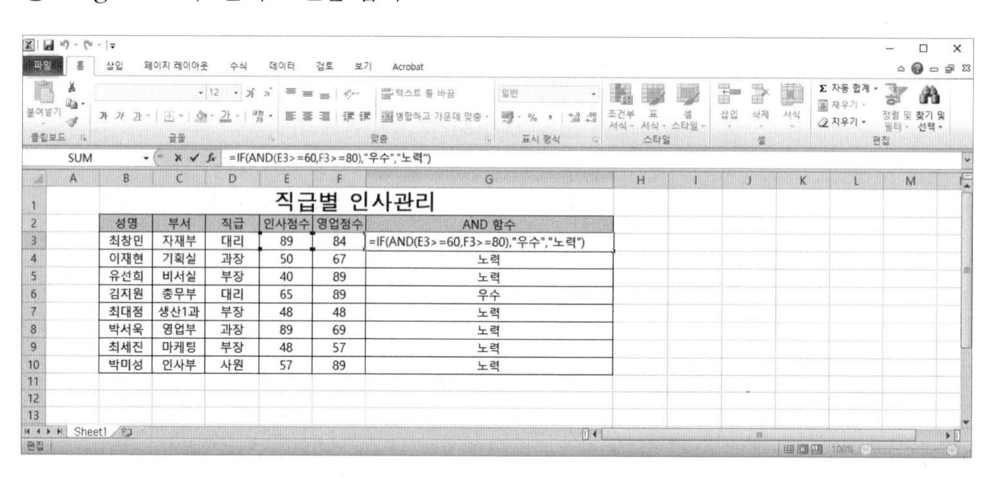

=IF(AND(E3>=60,F3>=80),"우수","노력")

직급별 인사관리

성명	부서	직급	인사점수	영업점수	AND 함수
최창민	자재부	대리	89	84	=IF(AND(E3>=60,F3>=80),"우수","노력")
이재현	기획실	과장	50	67	노력
유선희	비서실	부장	40	89	노력
김지원	총무부	대리	65	89	우수
최대점	생산1과	부장	48	48	노력
박서욱	영업부	과장	89	69	노력
최세진	마케팅	부장	48	57	노력
박미성	인사부	사원	57	89	노력

③ 인사점수가 60점 이상이고 영업 점수가 80점 이상인 사람을 '우수' 또는 '노력'으로 결과값을 출력할 수 있습니다.

5.3 OR 함수

01 CH5-5-3.xlsx 파일을 불러옵니다.

인수 중 하나라도 참이면 참 값을 반환합니다.

함수 인수

OR

Logical1 = 논리

Logical2 = 논리

하나 이상의 인수가 TRUE이면 TRUE를 반환합니다. 인수가 모두 FALSE인 경우에만 FALSE를 반환합니다.

Logical1: logical1,logical2,... 은(는) TRUE 또는 FALSE 값을 가지는 조건으로 1개에서 255개까지 지정할 수 있습니다.

수식 결과=

도움말(H) 확인 취소

① [Logical1] : 첫 번째 조건을 입력

② [Logical2] : 두 번째 조건을 입력

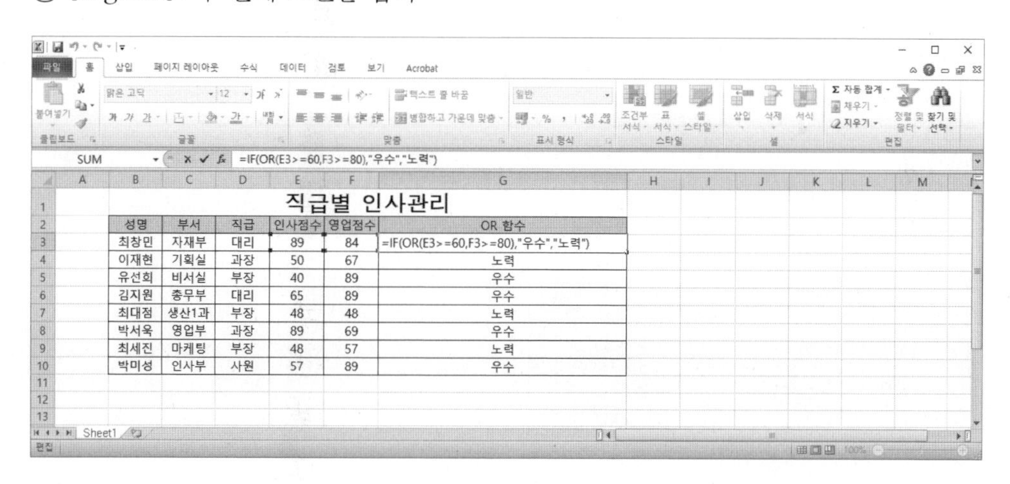

=IF(OR(E3>=60,F3>=80),"우수","노력")

직급별 인사관리

성명	부서	직급	인사점수	영업점수	OR 함수
최창민	자재부	대리	89	84	=IF(OR(E3>=60,F3>=80),"우수","노력")
이재현	기획실	과장	50	67	노력
유선희	비서실	부장	40	89	우수
김지원	총무부	대리	65	89	우수
최대점	생산1과	부장	48	48	노력
박서욱	영업부	과장	89	69	우수
최세진	마케팅	부장	48	57	노력
박미성	인사부	사원	57	89	우수

③ 인사 점수가 60점 이상이거나 영업이 80점 이상인 사람은 '업무' 아니면 '연수'로 결과값을 출력합니다.

SECTION 6 텍스트 함수

6.1 LEFT 함수

01 CH5-6-1.xlsx 파일을 불러옵니다.

텍스트를 왼쪽에서 지정한 수만큼 추출합니다.

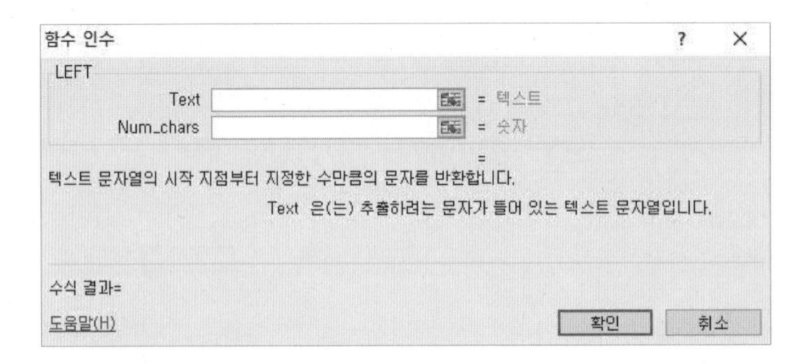

① [Text] : 추출하려는 텍스트 문자열

② [Num_Chars] : 왼쪽에서부터 추출할 문자의 수

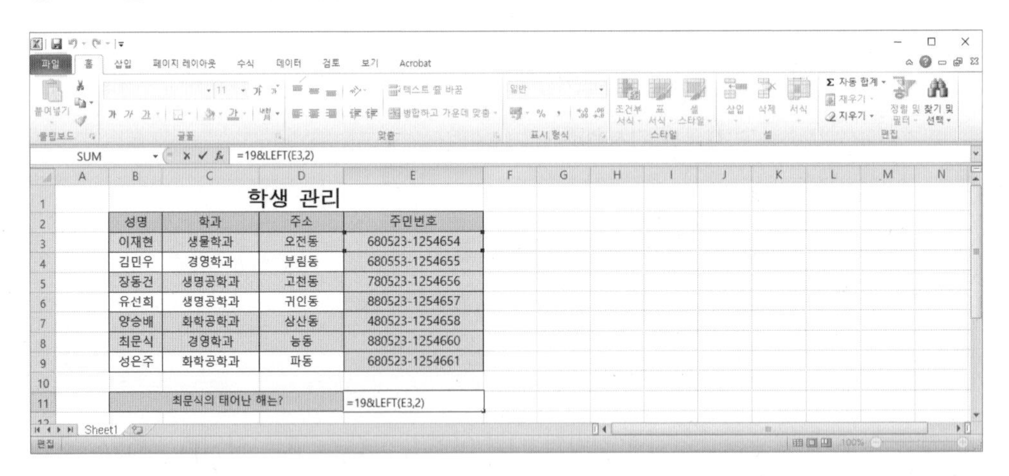

③ 태어난 해를 4자리 수로 만들기 위해 문자열 연산자[&]와 중첩하여 추출할 수 있습니다.

6.2 RIGHT 함수

01 CH5-6-2.xlsx 파일을 불러옵니다.

텍스트를 오른쪽에서 지정한 수만큼 추출합니다.

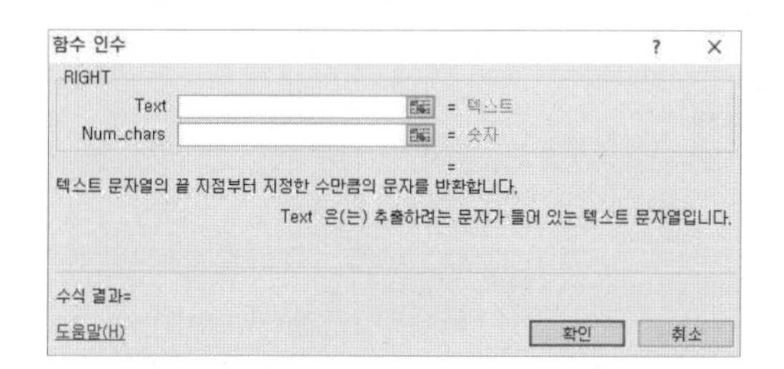

① [Text] : 추출하려는 텍스트 문자열

② [Num_Chars] : 오른쪽에서부터 추출할 문자의 수

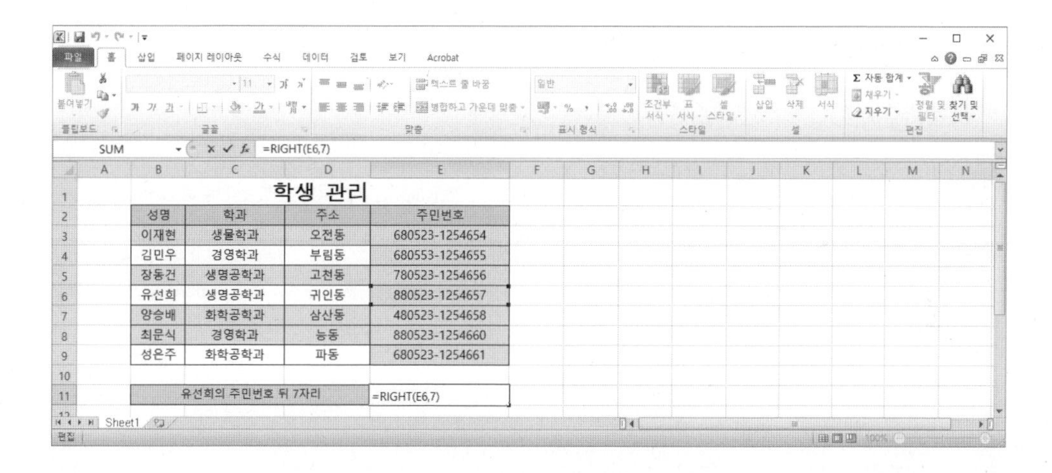

학생 관리

성명	학과	주소	주민번호
이재현	생물학과	오전동	680523-1254654
김민우	경영학과	부림동	680553-1254655
장동건	생명공학과	고천동	780523-1254656
유선희	생명공학과	귀인동	880523-1254657
양승배	화학공학과	삼산동	480523-1254658
최문식	경영학과	능동	880523-1254660
성은주	화학공학과	파동	680523-1254661

유선희의 주민번호 뒤 7자리	=RIGHT(E6,7)

6.3 MID 함수

01 CH5-6-3.xlsx 파일을 불러옵니다.

텍스트의 추출될 첫 번째 문자의 위치를 지정하고 시작위치를 포함하여 지정한 수만큼 추출합니다.

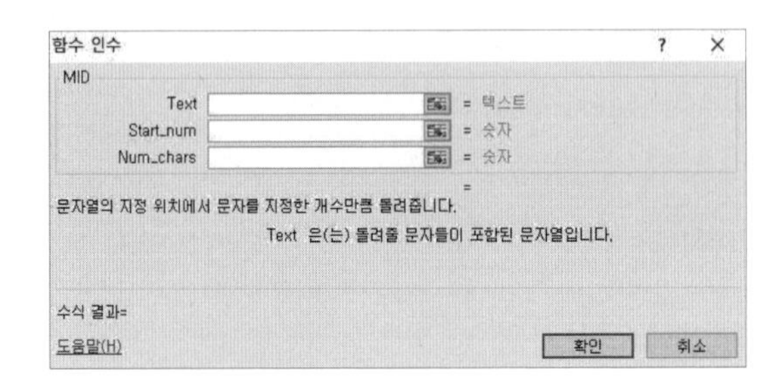

① [Text] : 추출하려는 텍스트 문자열

② [Start_num] : 추출될 첫 번째 문자의 위치

③ [Num_Chars] : 추출될 문자의 개수

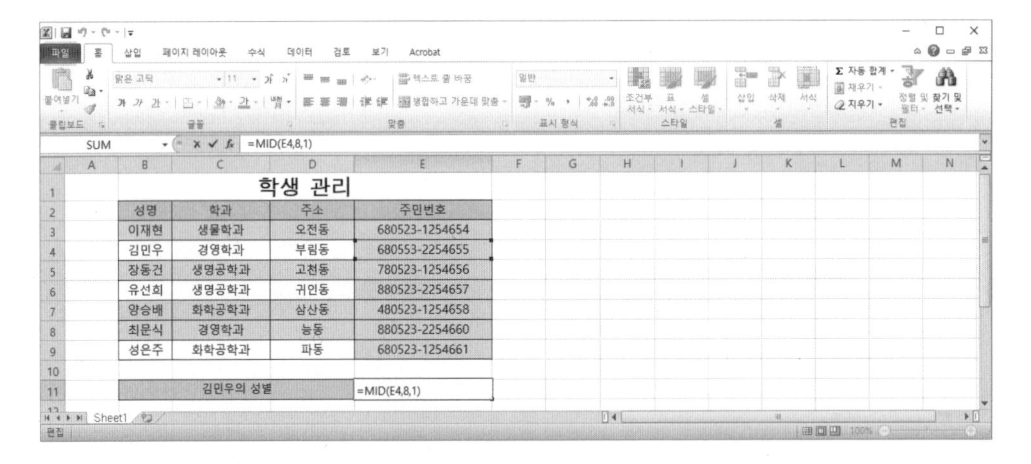

④ MID 함수의 결과로 숫자 "2"가 표시됩니다. 이 때 셀에 입력된 숫자 "2"는 텍스트를 추출한 값이므로 문자로 인식하게 됩니다.

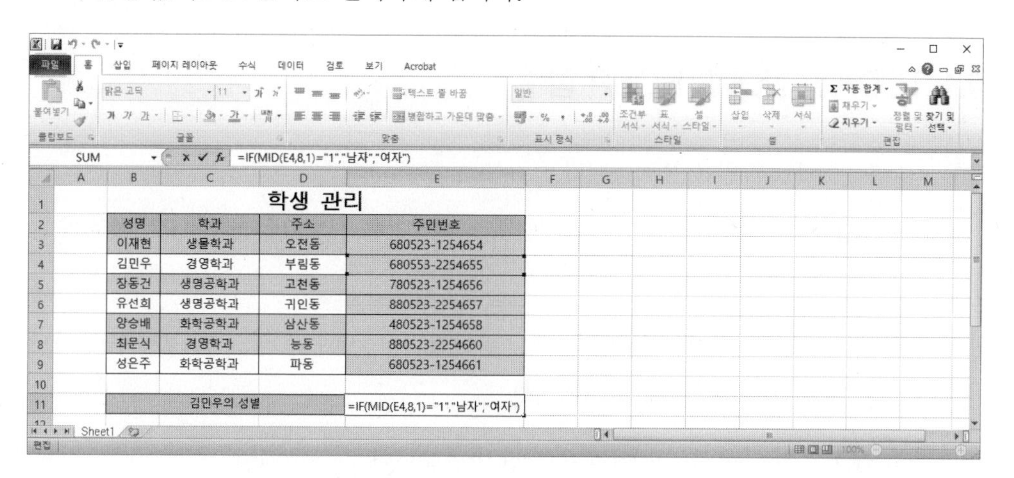

=IF(MID(E4,8,1)="1","남자","여자")

학생 관리

성명	학과	주소	주민번호
이재현	생물학과	오전동	680523-1254654
김민우	경영학과	부림동	680553-2254655
장동건	생명공학과	고천동	780523-1254656
유선희	생명공학과	귀인동	880523-2254657
양승배	화학공학과	삼산동	480523-1254658
최문식	경영학과	능동	880523-2254660
성은주	화학공학과	파동	680523-1254661

김민우의 성별	=IF(MID(E4,8,1)="1","남자","여자")

⑤ IF 함수를 사용하여 "1"이면 "남자", "2"이면 "여자"의 형태로 변경해 추출할 수 있습니다.

SECTION 7 날짜 및 시간 함수

7.1 TODAY, NOW, HOUR 함수

01 CH5-7-1.xlsx 파일을 불러옵니다.

① TODAY 함수는 오늘 날짜를 반환합니다. 인수가 필요없는 함수로 바로 오늘 날짜가 나타납니다.

② NOW 함수는 오늘 날짜와 시간을 반환합니다. 인수가 필요 없는 함수로 바로 오늘의 날짜와 시간을 나타냅니다.

③ HOUR 함수는 시, 분, 초 중 시간만 반환합니다.

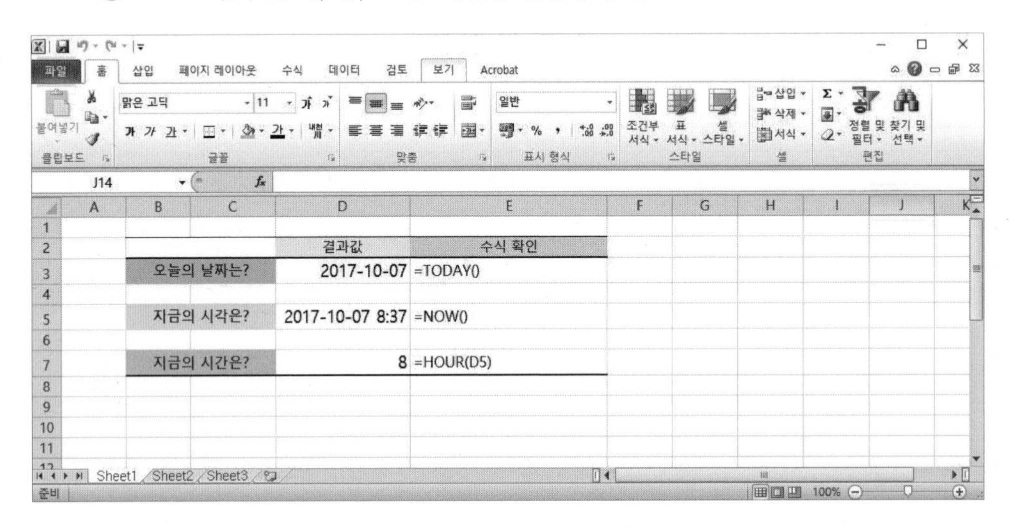

	결과값	수식 확인
오늘의 날짜는?	2017-10-07	=TODAY()
지금의 시각은?	2017-10-07 8:37	=NOW()
지금의 시간은?	8	=HOUR(D5)

7.2 YEAR, MONTH, DAY 함수

01 CH5-7-2.xlsx 파일을 불러옵니다.

① YEAR 함수는 날짜의 연, 월, 일 중 년도를 반환합니다.

② MONTH 함수는 날짜의 연, 월, 일 중 월을 반환합니다.

③ DAY 함수는 날짜의 연, 월, 일 중 일을 반환합니다.

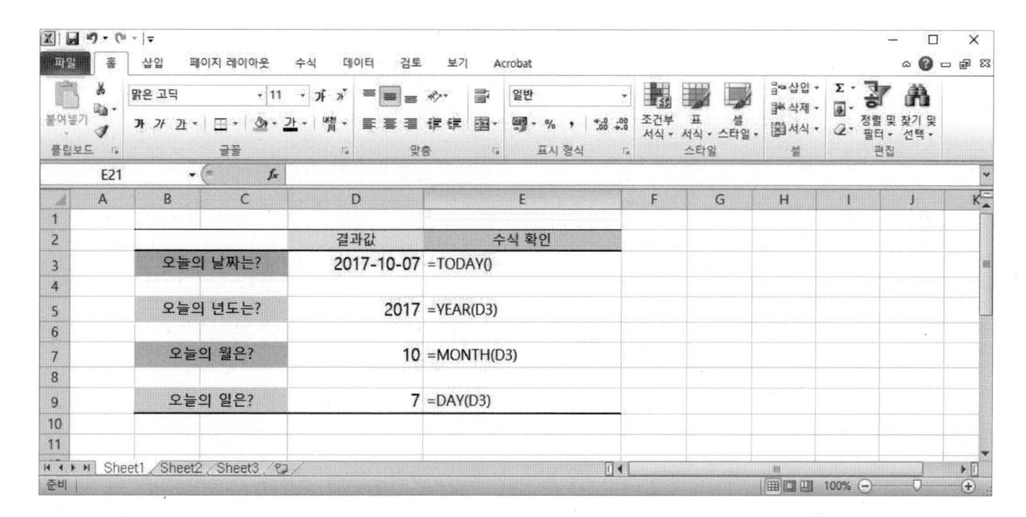

7.3 DATE 함수

01 CH5-7-3.xlsx 파일을 불러옵니다.

년, 월, 일을 입력하면 날짜 형식으로 반환합니다.

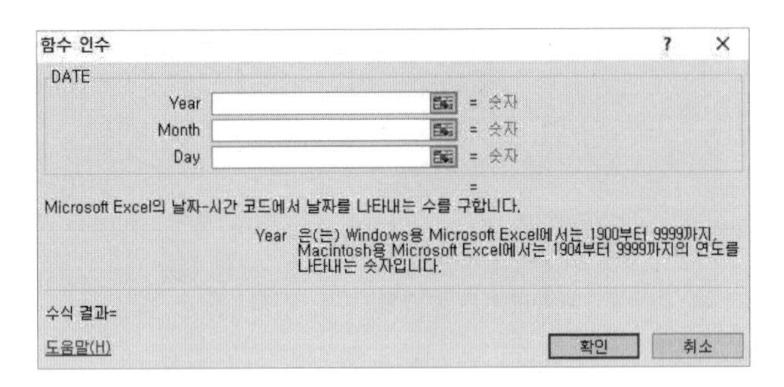

① [Year] : 년도에 관한 값을 입력

② [Month] : 월에 관한 값을 입력

③ [Day] : 일에 관한 값을 입력

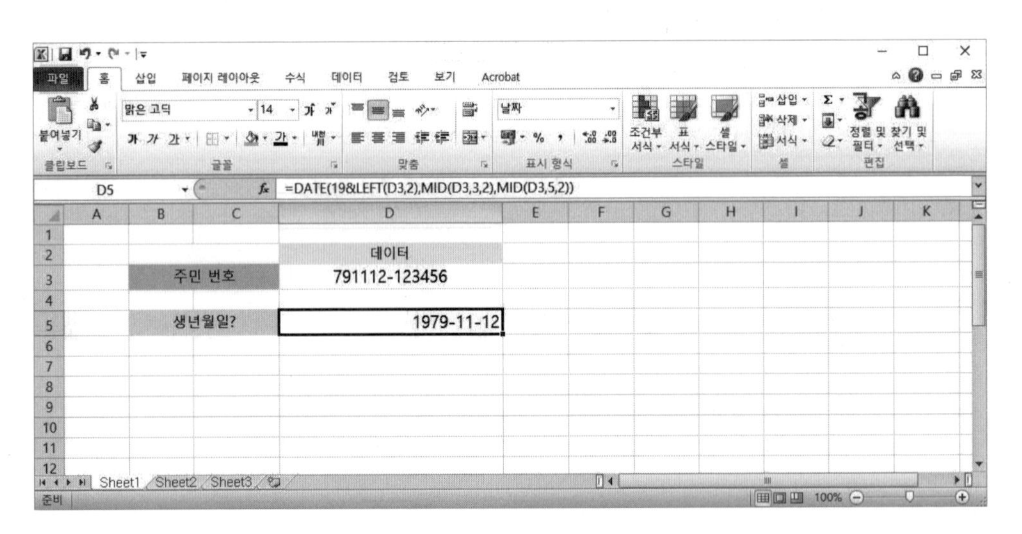

④ 일련번호로 나타내려면 [셀 서식] – [표시 형식]을 [일반]으로 선택해야 합니다.

SECTION 8 찾기 참조 함수

8.1 HLOOKUP 함수

01 CH5-8-1.xlsx 파일을 불러옵니다.

Table_array가 행의 형태로 있을 때 찾고자 하는 기준 값을 지정한 행에서 값을 찾는 함수로, 참조할 표에서 기준이 되는 값만 선택하여 데이터를 가져옵니다. 단, 참조할 표는 행 열 기준으로 되어있어야 합니다.

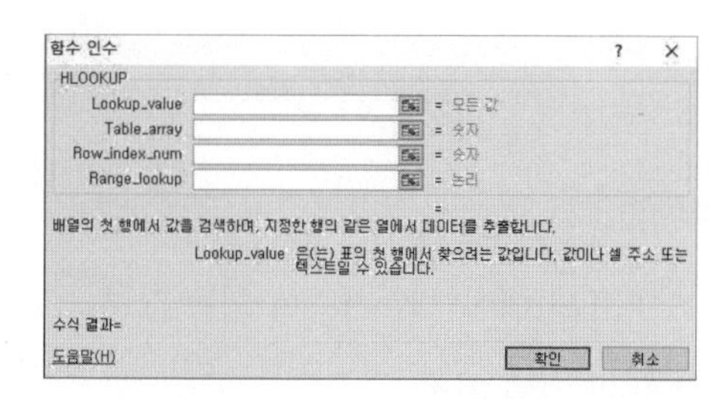

① [Lookup_value] : 참조할 표의 데이터와 기준이 되는 값

② [Table_array] : 참조할 표의 배열 지정

③ [Row_index_num] : 참조할 표의 추출할 행 번호

④ [Range_lookup] : 참조할 표의 값이 비슷한 값인지 정확한 값인지 설정

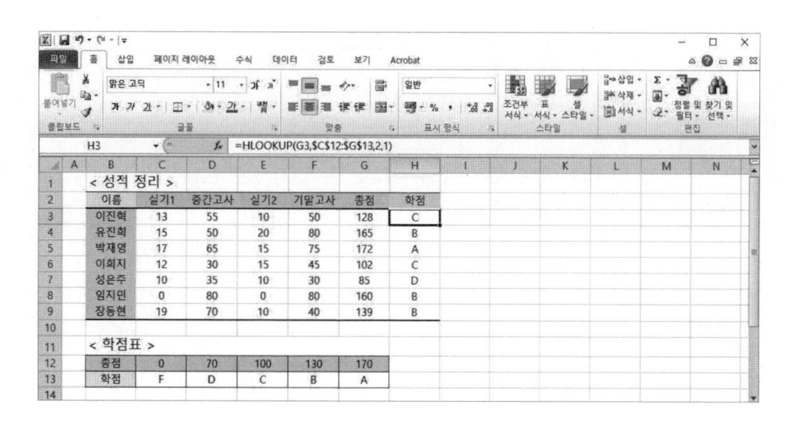

=HLOOKUP(G3,$C$12:$G$13,2,1)

< 성적 정리 >

이름	실기1	중간고사	실기2	기말고사	총점	학점
이진혁	13	55	10	50	128	C
유진희	15	50	20	80	165	B
박재영	17	65	15	75	172	A
이회지	12	30	15	45	102	C
성은주	10	35	10	30	85	D
임지민	0	80	0	80	160	B
장동현	19	70	10	40	139	B

< 학점표 >

총점	0	70	100	130	170
학점	F	D	C	B	A

⑤ 참조할 표의 배열이 행 열 기준인 경우, 총점을 기준으로 점수가 0~69이면 F, 70~99이면 D, 100~129이면 C, 130~169이면 B, 170~200이면 A로 학점 데이터를 추출할 수 있습니다.

8.2 VLOOKUP 함수

01 CH5-8-2.xlsx 파일을 불러옵니다.

Table_array가 열의 형태로 있을 때 찾고자 하는 기준 값을 지정한 열에서 값을 찾는 함수로, 참조할 표에서 기준이 되는 값만 선택하여 데이터를 가져옵니다. 단, 참조할 표는 열 기준으로 되어있어야 합니다.

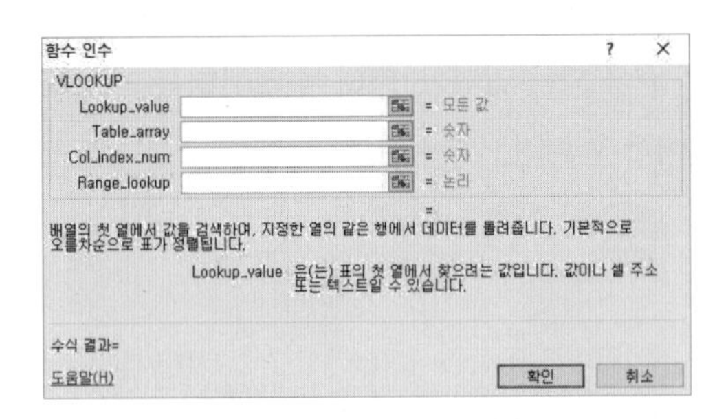

① [Lookup_value] : 참조할 표의 데이터와 기준이 되는 값

② [Table_array] : 참조할 표의 배열 지정

③ [Col_index_num] : 참조할 표의 추출할 열 번호

④ [Range_lookup] : 참조할 표의 값이 비슷한 값인지 정확한 값인지 설정

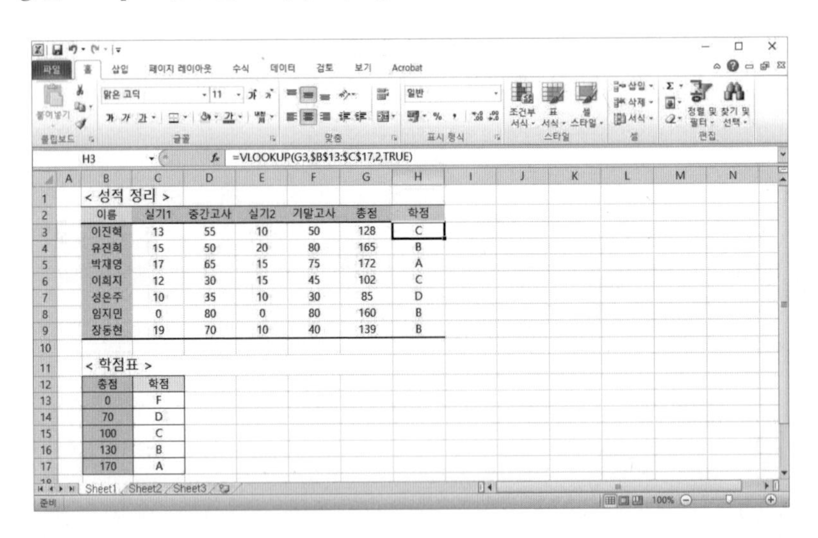

< 성적 정리 >

이름	실기1	중간고사	실기2	기말고사	총점	학점
이진혁	13	55	10	50	128	C
유진희	15	50	20	80	165	B
박재영	17	65	15	75	172	A
이희지	12	30	15	45	102	C
성은주	10	35	10	30	85	D
임지민	0	80	0	80	160	B
장동현	19	70	10	40	139	B

< 학점표 >

총점	학점
0	F
70	D
100	C
130	B
170	A

⑤ 참조할 표의 배열이 열 기준인 경우, 총점을 기준으로 점수가 0~69이면 F, 70~99이면 D, 100~129이면 C, 130~169이면 B, 170~200이면 A로 학점 데이터를 추출할 수 있습니다.

SECTION 9 수학/삼각 함수

9.1 ROUND 함수

01 CH5-9-1.xlsx 파일을 불러옵니다.

지정한 자릿수만큼 숫자를 반올림합니다.

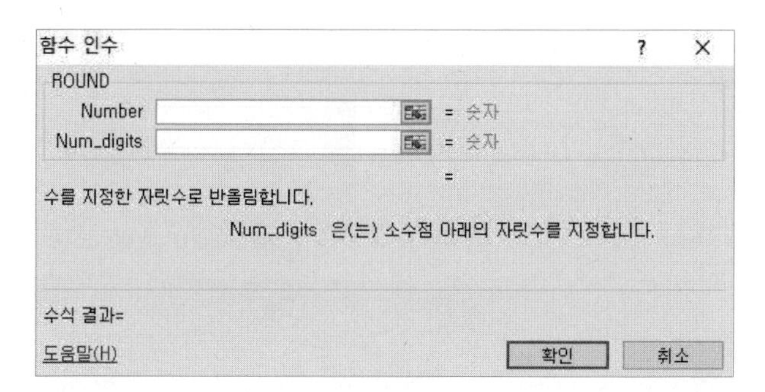

① [Number] : 숫자를 입력

② [Num_digits] : 반올림될 자릿수를 지정

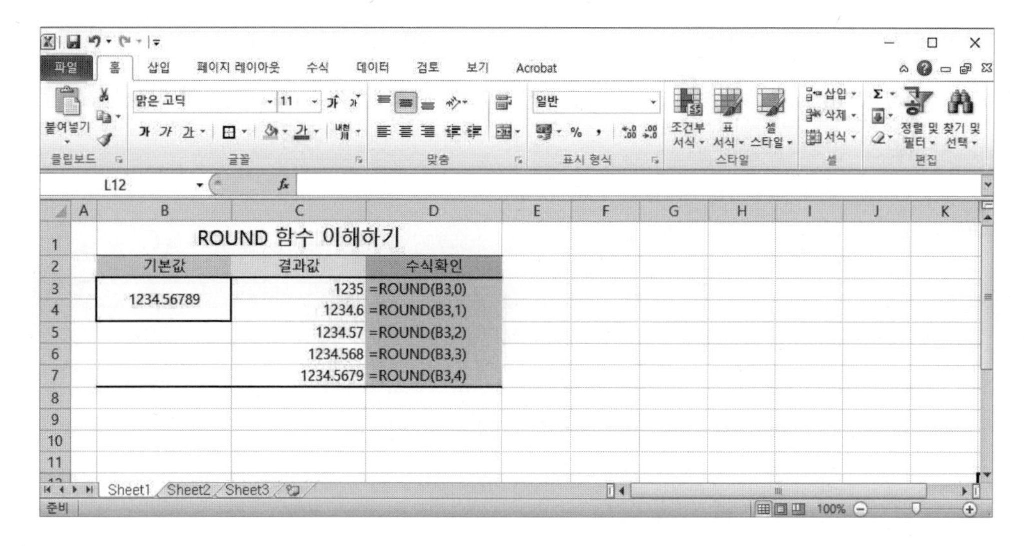

SECTION 10 통계함수

10.1 rank 함수

01 CH5-10-1.xlsx 파일을 불러옵니다.

셀 범위에서 순위를 구합니다.

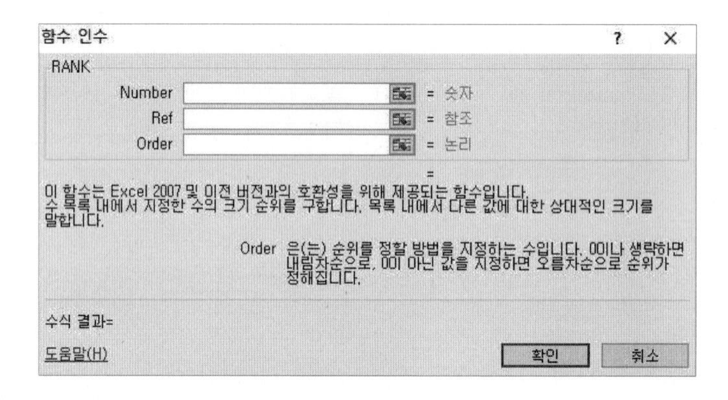

① [Number] : 범위 중에서 순위가 될 수를 지정

② [Ref] : 순위가 될 셀 범위

③ [Order] : 순위가 될 방법을 지정하는 순, 0이나 생략이면 내림차순, 0이 아니면 오름차순으로 순위가 정해짐

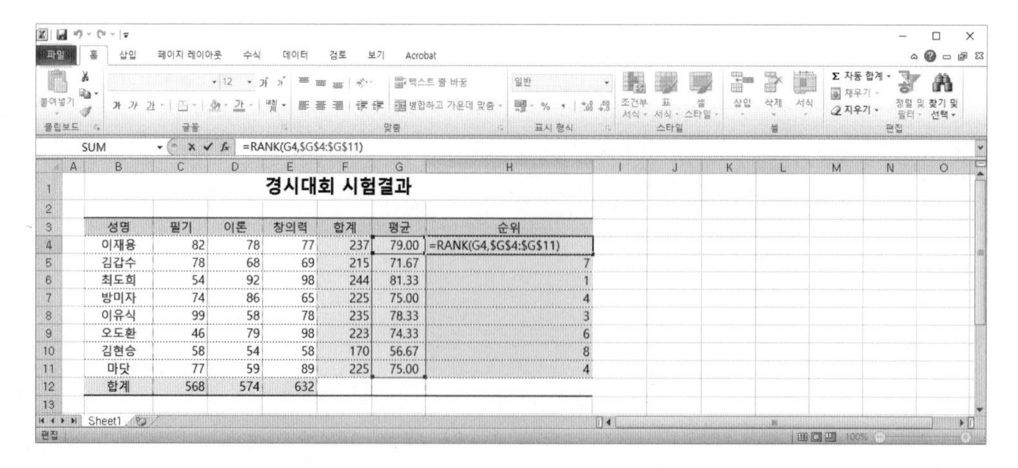

성명	필기	이론	창의력	합계	평균	순위
이재용	82	78	77	237	79.00	=RANK(G4,$G$4:$G$11)
김갑수	78	68	69	215	71.67	7
최도희	54	92	98	244	81.33	1
방미자	74	86	65	225	75.00	4
이유식	99	58	78	235	78.33	3
오도환	46	79	98	223	74.33	6
김현승	58	54	58	170	56.67	8
마닷	77	59	89	225	75.00	4
합계	568	574	632			

연습문제

1. CH5-ex1.xlsx 예제를 불러와 합계, 평균, 최댓값, 최솟값을 구해봅니다.

정보통신기기 판매현황

연도	통신기기	정보기기	방송기기	부품	합계	평균	최대값	최소값
2002년	25333	24675	2323	91428	143759	35939.8	91428	2323
2003년	26343	29871	3326	113161	172701	43175.3	113161	3326
2004년	30580	40275	2821	173599	247275	61818.8	173599	2821
2005년	46266	63337	13811	262842	386256	96564	262842	13811
2006년	89192	63891	15793	250762	419638	104910	250762	15793
2007년	137535	97807	5842	308608	549792	137448	308608	5842
2008년	142351	106817	7444	399076	655688	163922	399076	7444
2009년	199979	156665	8660	502634	867938	216985	502634	8660
2010년	265941	277731	123495	441410	1108577	277144	441410	123495
2011년	284995	231232	130453	451868	1098548	274637	451868	130453
2012년	335959	268382	118623	525910	1248874	312219	525910	118623
2013년	387790	220366	134307	648880	1391343	347836	648880	134307
2014년	470733	179975	163852	831233	1645793	411448	831233	163852
2015년	478571	156476	145350	909026	1689423	422356	909026	145350
2016년	471795	150739	155877	970418	1748829	437207	970418	150739
2017년	542048	143977	152330	1064211	1902566	475642	1064211	143977

2. CH5-ex2.xlsx 예제를 불러와 총계와 각 서비스별 평균의 차를 구해봅니다.

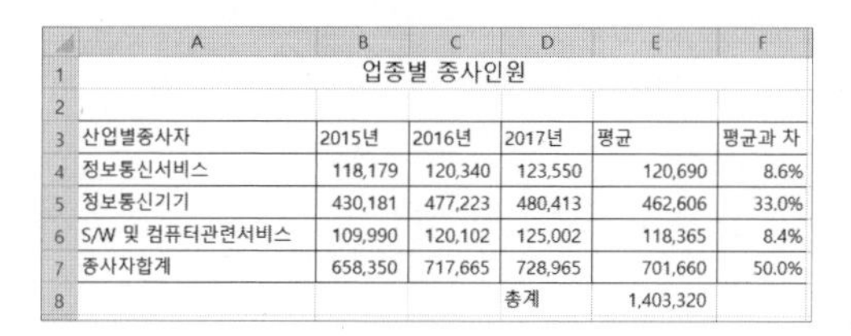

업종별 종사인원

산업별종사자	2015년	2016년	2017년	평균	평균과 차
정보통신서비스	118,179	120,340	123,550	120,690	8.6%
정보통신기기	430,181	477,223	480,413	462,606	33.0%
S/W 및 컴퓨터관련서비스	109,990	120,102	125,002	118,365	8.4%
종사자합계	658,350	717,665	728,965	701,660	50.0%
			총계	1,403,320	

3. CH5-ex3.xlsx 예제를 불러와 비고란에 다음과 같은 조건으로 값을 구해봅니다.
결재가 900,000원 이상일 경우 우수, 700,000원 이상일 경우 보통, 나머지는 노력을 비고란에 표기하시오.

유통업체별 입금현황

거래ID	고객	담당	주문일	제품	수량	판매	입금여부	결제	비고
5594	주주 무역 ㈜	윤대현	2012-01-05	신성 스낵	25EA	96,900	O	96,900	노력
5595	주강 교역 ㈜	윤대현	2012-01-05	한성 통밀가루	40EA	228,000	O	228,000	노력
5596	월드 링크 ㈜	윤대현	2012-01-05	한성 특산 후추	20EA	340,000	O	340,000	노력
5597	혜성 백화점 ㈜	이미정	2012-01-06	대양 마말레이드	40EA	2,470,000	O	2,470,000	우수
5598	진주 백화점 ㈜	이미정	2012-01-06	대관령 멜론 아이스크림	25EA	47,500		-	노력
5599	동남 유통 ㈜	이미정	2012-01-06	대관령 파메쌍 치즈	40EA	1,080,000	O	1,080,000	우수
5600	한일유통 ㈜	윤성현	2012-01-01	현진 커피 밀크	12EA	168,000	O	168,000	노력
5601	원일 ㈜	윤성현	2012-01-01	대림 옥수수	15EA	100,000	O	100,000	노력
5602	동광 통상 ㈜	윤성현	2012-01-01	대관령 특제 버터	21EA	175,000	O	175,000	노력
5603	협우 유통 ㈜	이미정	2012-01-05	대림 훈제 대합조개 통조림	15EA	80,000	O	80,000	노력
5604	베네디스 유통 ㈜	이미정	2012-01-05	대림 사과 통조림	20EA	1,249,500	O	1,249,500	우수
5605	일화 유통 ㈜	이미정	2012-01-05	한성 특산 후추	25EA	216,750	O	216,750	노력
5606	경성 트레이딩 ㈜	김찬진	2012-01-02	유미 건조 다시마	40EA	171,000	O	171,000	노력
5607	정금 유통 ㈜	김찬진	2012-01-02	대림 사과 통조림	12EA	1,680,000		-	노력
5608	대진 유통 ㈜	윤대현	2012-01-07	대관령 블루베리 아이스크림	15EA	200,000	O	200,000	노력
5609	ITM ㈜	윤대현	2012-01-07	대림 블루베리 셰이크	21EA	588,000		-	노력
5610	극동 무역 ㈜	윤대현	2012-01-07	미왕 계피 캔디	15EA	640,000	O	640,000	노력
5611	양정 물산 ㈜	김찬형	2012-01-08	삼화 콜라	15EA	51,000		-	노력
5612	성신 교역 ㈜	김찬형	2012-01-08	한림 특선 양념 칠면조	21EA	339,150	O	339,150	노력
합계								7,554,300	

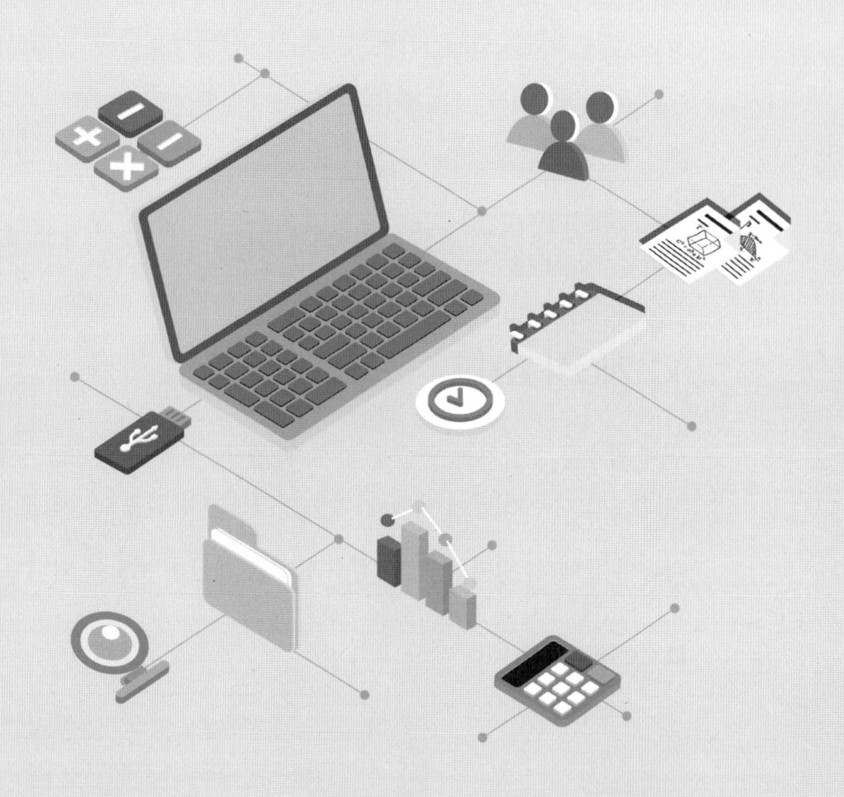

CHAPTER 6

함수 조합의 원리

SECTION 1 식과 함수의 기본

1.1 계산식 입력

실제 함수를 조합하는 연습을 하게 될 경우, 식을 입력하는 경우가 많이 있습니다. 따라서 함수를 다루기 전에 엑셀에 식을 입력하는 방법을 학습하도록 하겠습니다.

다음의 표에서, 영어, 수학의 점수 합계를 계산해 보도록 합니다.

▣ E3: 점수의 합계를 계산

	A	B	C	D	E
1					
2		이름	영어	수학	합계
3		김기수	90	95	
4					

먼저, 식을 입력할 셀을 클릭해서, 「=」를 입력합니다. 엑셀에서는 맨 처음에 「=」를 입력하면 「여기서부터 식이 시작 됩니다.」라는 의미가 되고, 「=」로부터 뒤를 식으로 인식하게 됩니다. 엑셀에서는 어떠한 식이라고 맨 처음 반드시 「=」이 필요합니다.

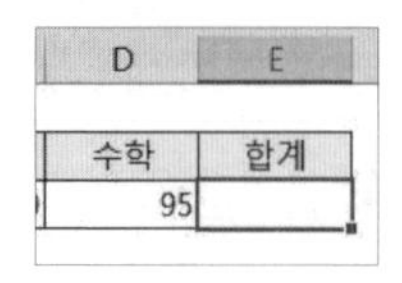

「=」를 입력하면 이어서 영어의 점수가 입력된 셀 C3을 클릭합니다. 그럼, 「=」의 뒤로 「C3」으로 입력됩니다. 이와 같이 식의 입력 중에 그 밖의 다른 셀을 클릭하면, 식 중에서 그 셀을 참고할 수 있습니다. 계속해서 「+」을 입력한 후에 수학의 점수가 입력된 셀 D3을 클릭합니다. 그러면 「=C3+D3」이 입력됩니다. 여기서 「Enter」키를 누르면 「셀 C3의 값 + 셀 D3의 값」의 계산결과 「185」가 표시됩니다.

▣ 셀 C3을 클릭하면 「C3」으로 입력

	A	B	C	D	E
1					
2		이름	영어	수학	합계
3		김기수	90	95	=C3
4					

■ 셀 D3을 클릭하면 「D3」으로 입력

	A	B	C	D	E
1					
2		이름	영어	수학	합계
3		김기수	90	95	=C3+D3
4					

또한, 「=C3+D3」와 같이 셀을 참조하는 식을 입력해 두면, 향후 영어의 점수를 95로 변경하면 바로 다시 계산이 됩니다.

■ C3 셀을 95로 변경하면

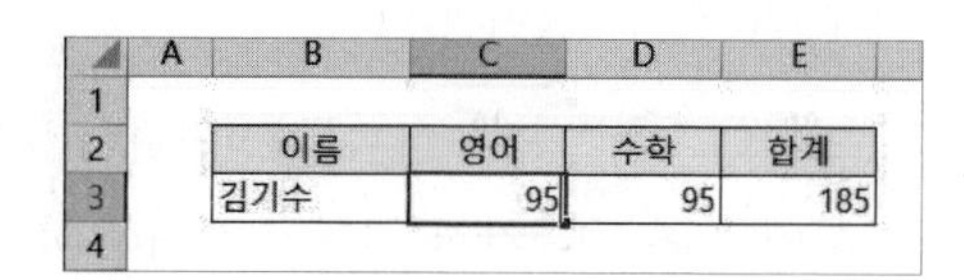

	A	B	C	D	E
1					
2		이름	영어	수학	합계
3		김기수	95	95	185
4					

■ 합계가 다시 계산이 됩니다.

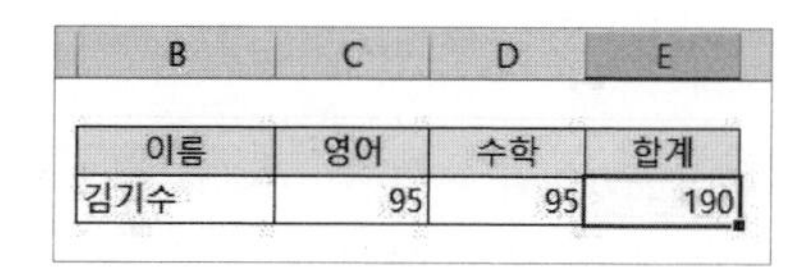

B	C	D	E
이름	영어	수학	합계
김기수	95	95	190

1.2 함수식 입력

다음은 이전의 2과목에 「국어」, 「과학」이 추가된 2과목의 점수를 계산합니다.

	A	B	C	D	E	F	G
1							
2		이름	영어	수학	국어	과학	합계
3		김기수	90	95	80	90	
4							

점수가 입력된 각각의 셀을 참조시켜서 「=C3+D3+E3+F3」으로 입력하면 합계가 「355」로 계산됩니다.

◘ 각각의 셀을 참조시키면

이름	영어	수학	국어	과학	합계
김기수	90	95	80	90	=C3+D3+E3+F3

◘ 합계가 계산됩니다.

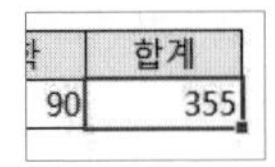

학	합계
90	355

그러나 C3을 클릭해서 「+」를 입력, D3을 클릭하고 「+」를 입력, 이와 같이 몇 번이고 셀을 클릭하면서 입력하는 매우 번거로운 일이 됩니다.

여기서 등장하는 것이 함수입니다. 함수라는 것은 「합산하다」, 「평균하다」 등의 기능을 이미 갖고 있는 식입니다. 어떠한 함수도 각각 정해진 서식에 맞춰서 입력하게 됩니다. 그러나 먼저 함수명이 오고 그 뒤로 「( )」가 이어집니다. 그 괄호 속에 계산과 처리에 필요한 정보를 지정하게 되어 있습니다. 그러한 정보를 인수라고 부릅니다. 함수에 의해서 기능이 다르기 때문에 함수 마다 각각 다른 인수가 필요하게 됩니다.

「합산하다.」에 해당하는 엑셀에 있는 함수는 「SUM」 입니다. SUM 함수도 정해진 서식을 갖고 있으며, 함수명 「SUM」의 뒤로 「( )」의 가운데에 더하는 수치를 인수로 지정합니다. 이 서식에 맞춰서 식을 작성하면 인수로 지정된 수치를 더하게 됩니다.

■ SUM 함수

① 수식: SUM (수치1,[수치2]...)

② 기능: 더한다.

SUM 함수의 상세한 사용법에 관해서는 다음에 함수의 입력 방법에 관해서 살펴보도록 하겠습니다.

실제로 SUM 함수를 셀에 적용해 보도록 합니다. 먼저 식의 시작을 의미하는 「=」를 입력합니다. 이어서 함수명 「SUM」를 넣고 그 뒤에 인수를 입력하기 위해 「(」를 입력합니다. 다음과 같은 SUM 함수에 지정한 인수를 나타내는 서식이 팝업으로 표시됩니다.

	A	B	C	D	E	F	G	H	I
1									
2		이름	영어	수학	국어	과학	합계		
3		김기수	90	95	80	90	=SUM(		
4							SUM(number1, [number2], ...)		

여기서는, 합계를 하고 싶은 수치의 셀 C3부터 F3까지 셀 범위를 인수로 지정합니다. 셀 C3부터 F3까지 드래그(drag)를 합니다. 마우스 포인터가 셀 G3이전까지 다다르면 인수에 「C3:F3」으로 표시됩니다. 이것으로 「C3부터 F3의 셀 범위」를 지정한 것이 됩니다. 인수가 지정되면 「)」를 입력해서 「Enter」 키를 누르면 SUM 함수의 입력은 완료됩니다. 셀 G3에 정확한 계산 결과 「355」가 표시됩니다. 식의 가운데 연속된 셀의 범위를 지정할 경우는 이 영역으로 셀 범위를 선택해서 입력하면 됩니다.

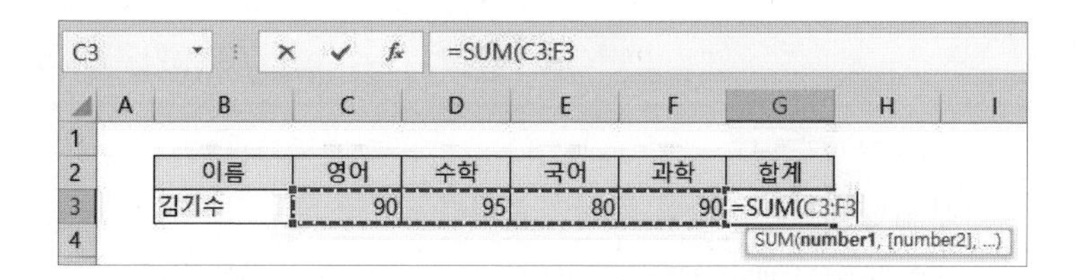
C3 =SUM(C3:F3

	A	B	C	D	E	F	G	H	I
1									
2		이름	영어	수학	국어	과학	합계		
3		김기수	90	95	80	90	=SUM(C3:F3		
4							SUM(number1, [number2], ...)		

함수에는 「합산하다」, 「평균하다」라고 하는 계산과 합계를 하는 것 이외에 「문자수를 세다」, 「문자열을 일부 추출하다」라고 하는 문자열을 다루는 함수와 「표로부터 검색하다」라고 하는 기능을 갖는 함수 등이 있습니다. 엑셀 2010에서는 400개 이상의 함수가 준비되어 있습니다. 여러 가지 함수를 잘 다루게 되면 엑셀을 활용하는 범위가 한 층 넓어지게 됩니다.

1.3 문자열을 식으로 결합

엑셀에서는 계산과 합계를 하는 것 이외에 문자열을 결합할 수 있습니다.

「부명」과 「팀명」이 입력된 다음의 표에서 부서명과 팀명을 결합해서 「부서명」으로서 표시해 보도록 합니다.

문자열을 결합

	A	B	C	D
1				
2		부명	팀명	부서명(부명+팀명)
3		교무처	수업팀	

먼저, 식의 시작을 나타내는 「=」를 입력합니다. 이어서 부서명이 들어있는 셀 B3을 클릭, 식에 B3이 참조되면 「&」(엠퍼센트)를 입력합니다. 「&」는 「문자열을 연결한다」라고 하는 역할을 수행하는 연산자입니다. 「&」에 이어서 이번에는 팀명이 들어있는 셀 C3을 클릭합니다. 「=B3&C3」으로 표시된 상태에서 「Enter」 키를 누릅니다. 2개의 문자열이 결합된 「교무처수업팀」으로 표시됩니다.

부명	팀명	부서명(부명+팀명)
교무처	수업팀	=B3&C3

⇨

부서명(부명+팀명)
교무처수업팀

다음의 예제도 「부서명」과 「팀명」이 들어있습니다. 각각 「부」와 「팀」의 문자가 생략되어 있습니다. 이것을 동일하게 「교무처수업팀」으로 표시해 보겠습니다.

	A	B	C	D
1				
2		부명	팀명	부서명(부명+팀명)
3		교무	수업	

셀 D3에 「=B3&」까지 입력하고 「교무」의 뒤에 추가하고 싶은 문자 「처」를 「""」(큰 따옴표)로 묶어서 입력합니다. 이어서 「&」를 입력해서 C3을 클릭하면, 「&」를 입력한 상태에서 「수업」의 뒤에 추가하고 싶은 문자 「팀」을 같은 방법으로 「""」으로 묶어서 입력합니다. 입력이 끝난 후 「Enter」 키를 누르면 「교무처수업팀」으로 표시됩니다. 이와 같이 엑셀의 식 중에서 결합할 문자열을 직접 지정할 수가 있습니다. 식 중에서 문자열을 직접 지정할 때는 반드시 「""」(큰 따옴표)로 묶어야만 됩니다.

부명	팀명	부서명(부명+팀명)
교무	수업	=B3&"처"&C3&"팀"

⇨

부서명(부명+팀명)
교무처수업팀

「&」을 사용해서 복수의 문자열을 결합하거나 계산식과 문자열을 조합하는 방법은 표를 만드는 경우 등 다양하게 활용할 수 있습니다.

1.4 함수식 복사

다음은 6명의 각각 4과목에 대한 점수표로서 각각의 총점을 계산하는 방법을 생각해 보겠습니다.

◘ 각각의 총점을 계산한다.

이름	국어	영어	수학	과학	총점
박광현	70	54	80	65	
박순영	70	55	84	56	
홍명섭	88	65	86	72	
한용진	95	55	85	75	
정해용	92	55	85	55	
김행조	95	65	95	66	

먼저, 첫째 행의 셀 G3에 함수식 「=SUM(C3:F3)」을 입력하고 총점을 계산합니다. 다음 행 이후에도 총점을 계산하고 싶지만 각 행에 「=SUM(C4:F4)」 … 와 수식을 입력하는 것은 번거로운 일이 됩니다. 엑셀 식은 다른 셀에 복사할 수가 있습니다. 입력한 셀 G3을 아래 행까지 복사해 보도록 하겠습니다. 식을 입력한 셀 G3의 우측하단에 포인터를 맞춥니다. 포인터가 그림과 같이 검은 십자형으로 바뀐 상태에서 클릭, 그 상태로 아래 행까지 드래그 합니다. 그 결과, 식이 복사되어 3명 각각의 총점이 계산됩니다.

◘ 그대로 드래그 한다.

과학	총점
65	269
56	

◘ 수식이 복사되었다.

=SUM(C3:F3)

영어	수학	과학	총점
54	80	65	269
55	84	56	265
65	86	72	311
55	85	75	310
55	85	55	287
65	95	66	321

실제로 복사를 하면, 수식 중에 참고하고 있는 셀이 복사하는 방향으로 자동으로 이동합니다. 즉, 아래로 복사된 수식에서는 참조하는 셀도 아래로 이동하고 있기 때문에 6명 각각의 총점이 계산되게 됩니다.

- "SUM(C3:F3)"
  아래로 복사를 하면 C4:F4, C5:F5 …로 참고 셀이 순서대로 아래로 이동

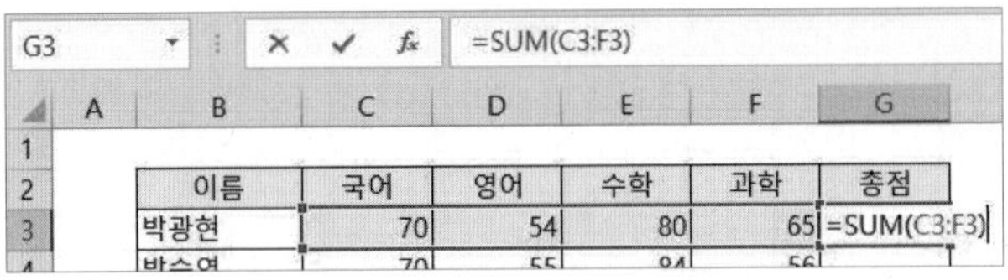

G3 =SUM(C3:F3)

	A	B	C	D	E	F	G
1							
2		이름	국어	영어	수학	과학	총점
3		박광현	70	54	80	65	=SUM(C3:F3)

- "SUM(C4:F4)"

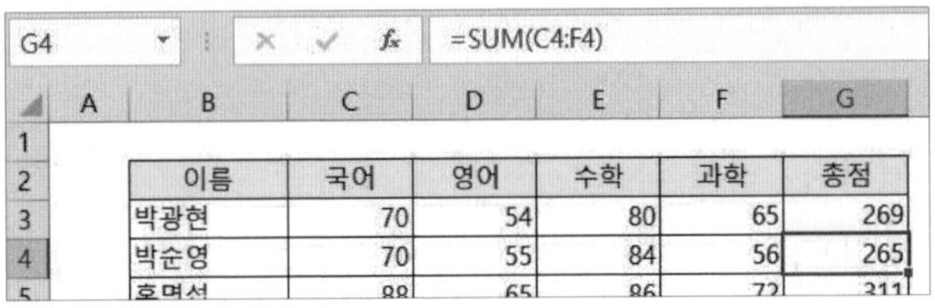

G4 =SUM(C4:F4)

	A	B	C	D	E	F	G
1							
2		이름	국어	영어	수학	과학	총점
3		박광현	70	54	80	65	269
4		박순영	70	55	84	56	265

1.5 상대 참조와 절대 참조

수식이 복사될 수 있다는 것은 매우 편리합니다. 그러나 다음과 같은 경우는 주의가 필요합니다.

셀 C2에서 지정된 1세트의 개수와 B열의 세트 수로부터 각각의 세트에 포함된 개수를 계산해 보도록 하겠습니다.

	A	B	C
1			
2		1세트의 개수	12
3			
4		세트의 수	개수
5		25	
6		54	
7		24	
8		12	
9		8	
10		25	
11		55	

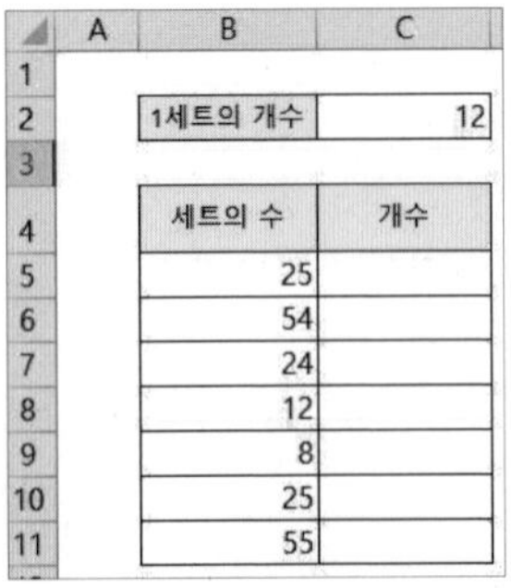

개수의 계산은 「1세트의 개수 × 세트 수」로 계산되기 때문에 가장 위의 25세트 수를 계산하는 식은 「C2×B5」가 됩니다. 엑셀에서는 곱하기의 연산자로 「×」의 대신에 「*」(에스테리크)을 사용합니다. 셀에 「=C2*B5」로 수식을 입력하면 계산 결과는 「300」로 표시됩니다.

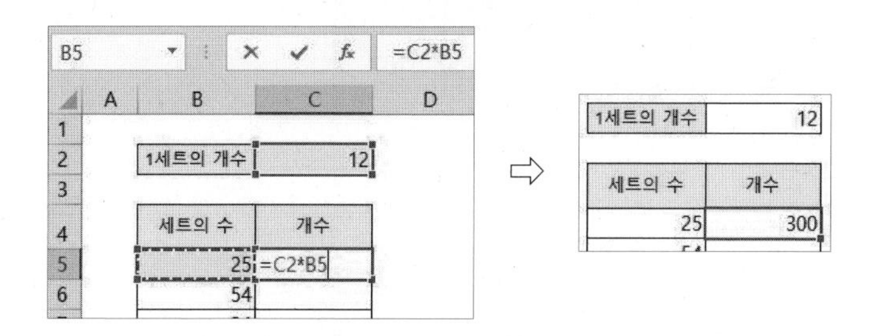

이 식을 위에서와 같이 아래의 행까지 복사해 보겠습니다. 그러면 다음과 같이 계산이 되며, 생각했던 계산 결과가 되지 않습니다. 올바른 계산 결과가 되도록 수식을 복사하기 위해서는 어떻게 하면 좋을지 생각해 보도록 하겠습니다.

■ 복사하면 올바른 계산이 되지 않는다.

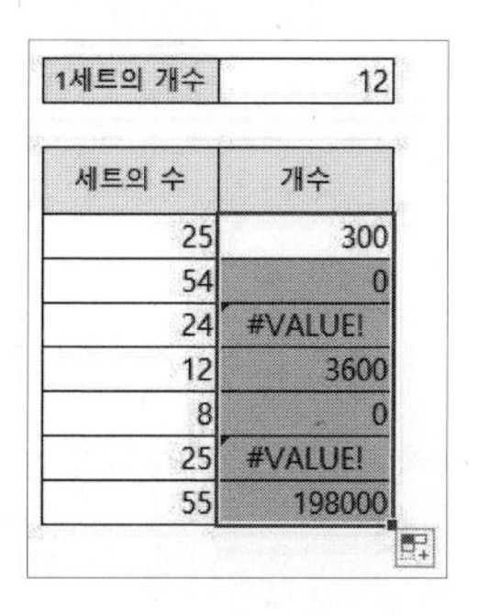

1세트의 개수	12

세트의 수	개수
25	300
54	0
24	#VALUE!
12	3600
8	0
25	#VALUE!
55	198000

여기서, 지금 복사한 수식의 내용을 살펴보겠습니다. 아래로 복사하면 참고할 셀이 1행씩 아래로 이동하게 됩니다. 맨 처음의 행 「=C2*B5」는 올바르게 계산됩니다, 그러나 다음의 행 이후로는 「=C2*B6」, 「=C3*B7」 … 으로 되며 참고할 곳이 이동하게 됩니다. B열의 세트 수에 관해서는 제대로 셀을 참고하고 있습니다만, 1세트 수는 항상 셀 C2을 참고하지 않고 있으면 올바른 계산 결과를 얻을 수 없습니다.

"C2*B5" 아래로 복사하면…

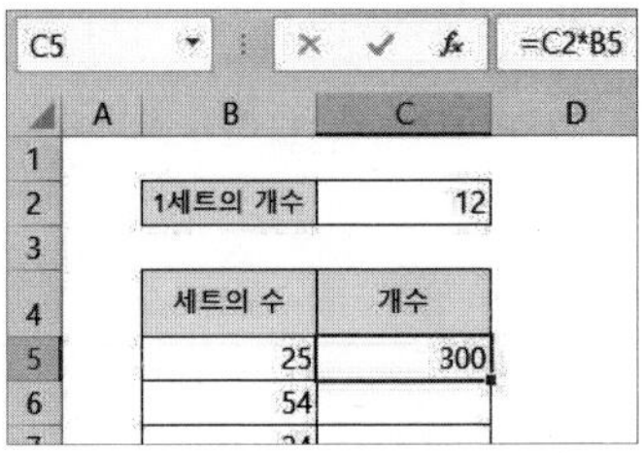

"C3*B6" 틀렸음

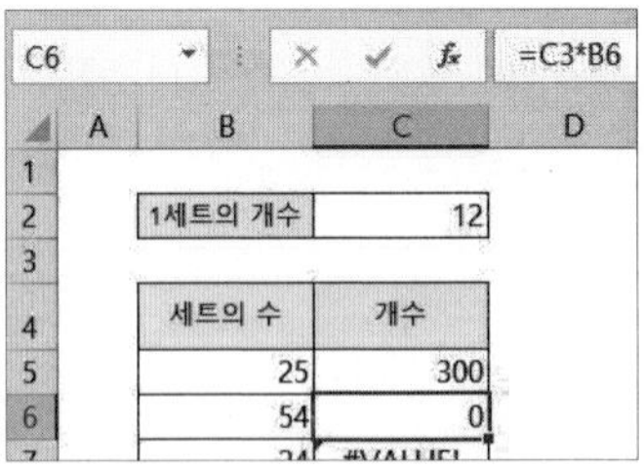

복사해도 셀 C2의 참조는 이동하지 않도록 하는 수식이 아래의 식입니다. 「C2」의 C와 2의 앞에 각각 「$」(달러마크)가 붙어 있습니다. 「$」가 붙으면 「$」의 바로 뒤의 참조는 복사를 해도 이동하지 않게 됩니다. 즉, 열을 나타내는 「C」의 앞과 행을 나타내는 「2」의 앞에 「$」을 붙임으로서 항상 셀 C2을 참조하도록 지정하게 됩니다.

이와 같이 열과 행의 앞에 「$」을 붙인 셀을 참조하는 것을 절대 참조라고 합니다. 반면에 행 앞에도 열 앞에도 「$」을 붙이지 않은 셀을 참조하는 것을 상대 참조라고 합니다. 또한 「$C2」과 같이 열에만 고정하거나 「C$2」와 같이 열에만 고정하는 참조 방법을 복합 참조하고 합니다.

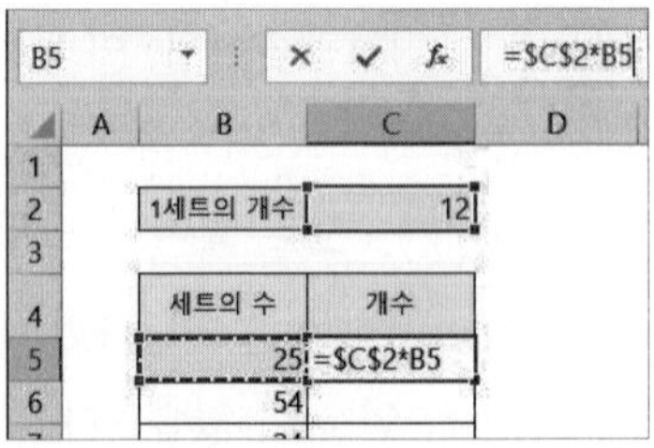

"$C$2*B5"

"셀 B5는 복사하면 이동하지만 셀 C2는 이동하지 않음"

◘ "상대 참조 =C2"

복사하는 방향으로 함께 이동하도록

◘ "절대 참조 =$C$2"

복사해도 C2로부터 움직이지 않도록

이 「$」 표시의 입력 방법에는 약간의 팁(tip)이 있습니다. 물론 C2와 입력하고서부터 C와 2의 앞에 커서를 두고 「$」로 입력을 해도 되지만, 이것도 귀찮은 일입니다. 「=」을 입력해서 셀 C2을 클릭한 상태에서, "F4" 키를 누르면 상대 참조의 「C2」가 절대 참조 「$C$2」로 변경이 됩니다. 더욱이 다시 1회 "F4" 키를 누르면 「C$2」으로 행만 고정된 복합 참조로 변경됩니다. 이와 같이 "F4" 키를 계속 누르게 되면, 「행렬 고정」 → 「행만 고정」 → 「열만 고정」 → 「행과 열 모두 고정하지 않음」의 순서로 참조 방법을 변경할 수가 있습니다.

항상 셀 C2을 참조하도록 「$C$2」으로 절대 참조된 상태에서 계속해서 수식 셀 B5을 상대 참조로 넣어 보도록 하겠습니다. 「=$C$2*B5」와 수식이 입력되면 「Enter」 키를 누릅니다. 셀 C3에 계산 결과가 표시되면 표의 맨 아래까지 수식을 복사합니다. 그러면 각 행도 올바른 계산이 됩니다.

◘ 「F4」 키를 누른다.

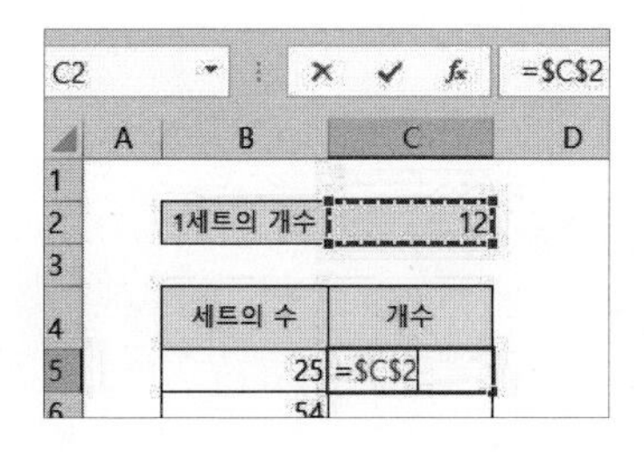

◘ 「$C$2」로 바뀌면 「*」을 입력해서 셀 B5을 클릭, 「Enter」 키를 누른다.

➡ 아래까지 복사

1세트의 개수	12

세트의 수	개수
25	300
54	648
24	288
12	144
8	96
25	300
55	660

➡ 올바르게 계산됩니다.

이와 같이 다른 셀에 복사하는 수식을 만들 때에 복사한 곳에서 어느 셀이 참조될까를 고려해서 상대 참조와 절대 참조를 분별해서 사용해야 합니다.

SECTION 2 IF 함수

2.1 IF 함수란?

「함수를 조합하자」을 위해서 반드시 기억해 둬야 할 함수가 IF 함수입니다. IF 함수를 사용하면 지정한 조건이 성립할 경우와 그렇지 않을 경우로 나눠서 처리 할 수 있습니다.

예를 들면 다음의 표에서 점수가 65점 이상이면 「PASS」, 65점 미만이면 「NON – PASS」로 표시하는 수식을 D 열에 입력을 합니다.

◘ 65점 이상이면 「PASS」, 65점 미만이면 「NON – PASS」로 표시

D3

	A	B	C	D
1				
2		이름	점수	PASS/NON-PASS
3		손윤철	70	
4		조준기	61	
5		김미진	85	
6		서웅길	70	
7		박춘봉	65	
8		박정순	77	
9		박미희	61	

IF 함수의 사용 방법을 알기 쉽게 보여주는 것이 순서도입니다. 순서도로 나타내면 조건에 의해서 처리가 분리되는 IF 함수식의 구조가 한 눈으로 알 수 있습니다. 순서도에서는 「◇」는 조건을 판단하는 것을 나타내면 「□」는 처리를 나타냅니다.

이 문제에서는 「65점 이상」라고 하는 조건이 성립할 경우와 성립하지 않을 경우로 처리를 나눕니다. 이 흐름을 순서도로 표시하면 다음과 같이 됩니다. 「◇」에 표시된 「65점 이상이다」라는 조건이 성립할 경우는 「PASS」, 성립하지 않을 경우는 「NON – PASS」로 처리하는 것을 나타내고 있습니다. 이 순서도가 IF 함수의 기본형이 됩니다.

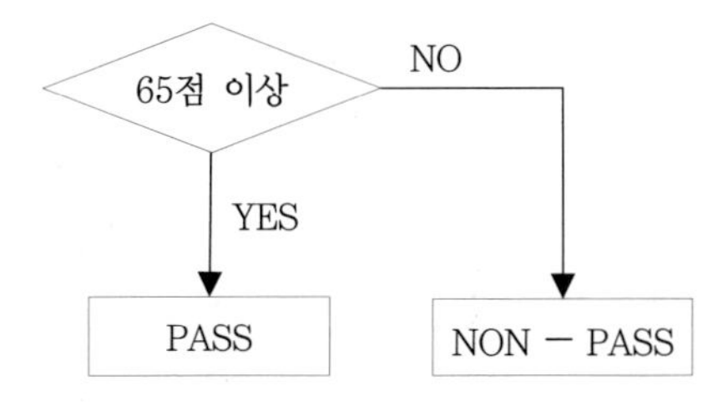

그럼, IF 함수의 서식을 살펴보도록 하겠습니다. IF 함수에서는 「논리식」, 「참인 경우」, 「거짓인 경우」의 3개의 인수를 지정합니다. 그 중에 처음의 인수 「논리식」에서 조건을 설정하며 순서도에서는 「◇」에 해당합니다.

「논리식」이란, 「참」 혹은 「거짓」을 반환하는 식을 말합니다. 즉, 수식이 성립할지 성립하지 않을지를 「YES」 혹은 「NO」로 판단할 수 있는 수식입니다. 예를 들면 「x=y」(x와 y는 동일?), 「x〉=y」(x는 y이상?) 등 「동일하다」를 나타내는 「=」, 「이상」과 「이하」을 나타내는 「〉=」과 「〈=」 등으로 표현되는 식이 그 대표적인 예시가 됩니다.

조건이 되는 「논리식」을 지정하면, 그 뒤로는 「참」 → 「YES」의 경우와 「거짓」 → 「NO」의 경우의 처리를 각각 2 번째, 3 번째 인수로 지정됩니다.

■ IF 함수

[서식] IF (논리식, 참인 경우, 거짓인 경우)

순서도와 IF 함수의 서식의 관계에 관해서 정리하면 다음의 그림과 같습니다.

• IF(논리식, 참인 경우, 거짓인 경우)

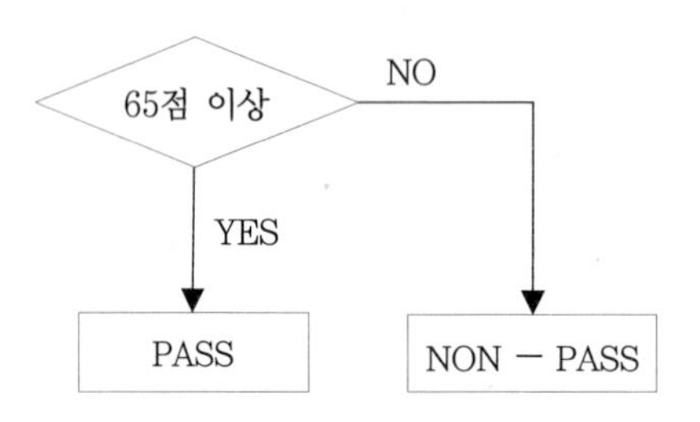

그럼, 실제로 IF 함수를 사용해서 표의 맨 처음 행의 자료로 수식을 만들어 보겠습니다.

먼저, 「셀 C3의 점수가 65점 이상이다」를 「논리식」으로 하면 「C3〉=65」이 됩니다.

◘ C3〉=65

	A	B	C	D
1				
2		이름	점수	PASS/NON-PASS
3		손윤철	70	
4		조주기	61	

◘ 조건 "셀 C3은 65 이상이다"이 성립할지 여부를 판단하는 논리식

	A	B	C	D
1				
2		이름	점수	PASS/NON-PASS
3		손윤철	70	=C3>=65
4		[illegible]	61	

셀 C3은 「70」이기 때문에 결과는 「YES」 즉 「참」이 됩니다. 이 식을 셀 D3에 입력해 보면 다음과 같이 「TRUE」가 표시됩니다.

조건 =C3>=65

판단 「참」 → 「TRUE」

D3 =C3>=65

	A	B	C	D
1				
2		이름	점수	PASS/NON-PASS
3		손윤철	70	TRUE
4		[illegible]	61	

엑셀에서는 「참」은 「TRUE」, 「거짓」은 「FALSE」로 표시됩니다. 엑셀에서의 표시와 일치하도록 하는 것이 알기 쉽기 때문에, 이 책에서는 「참」을 「TRUE」, 「거짓」을 「FALSE」라고 부릅니다.

「논리식」이 완성되면, 이전의 순서도를 IF 함수의 표기에 맞춰서 수정해 보도록 하겠습니다. 조건 판단 「◇」의 부분은 작성한 논리식 「C3>65」로 변경, 「YES」와 「NO」는 각각 「TRUE」와 「FALSE」로 변경합니다. 새롭게 수정한 순서도의 각 요소를 각각 대응하는 IF 함수의 인수에 넣으면, IF 함수식이 완성됩니다. 실제로 수식을 예제의 셀 D3에 넣으면 「PASS」 혹은 「NON – PASS」가 표시됩니다.

- IF(논리식, TRUE의 경우, FALSE의 경우)

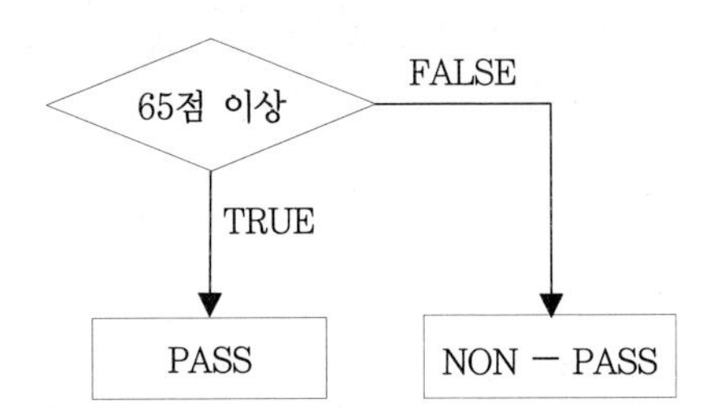

	A	B	C	D
1				
2		이름	점수	PASS/NON-PASS
3		손윤철	70	

C3 =IF(C3>=65,"PASS","NON-PASS")

	A	B	C	D	E	F
1						
2		이름	점수	PASS/NON-PASS		
3		손윤철	70	=IF(C3>=65,"PASS","NON-PASS")		

2.2 IF 함수식

=IF(C3>=65, "PASS", "NON – PASS")

「PASS」와 「NON – PASS」은 문자열이기 때문에 「""」으로 묶는 것을 잊어서는 안 됩니다.

◘ 마지막 행까지 복사

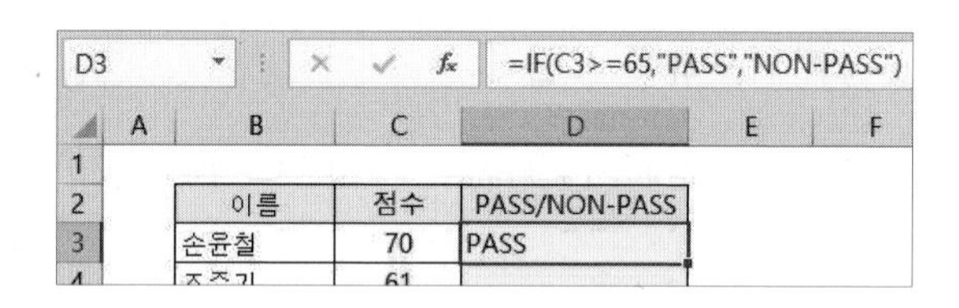

	A	B	C	D	E	F
1						
2		이름	점수	PASS/NON-PASS		
3		손윤철	70	PASS		

◘ 「PASS」 혹은 「NON – PASS」가 표시

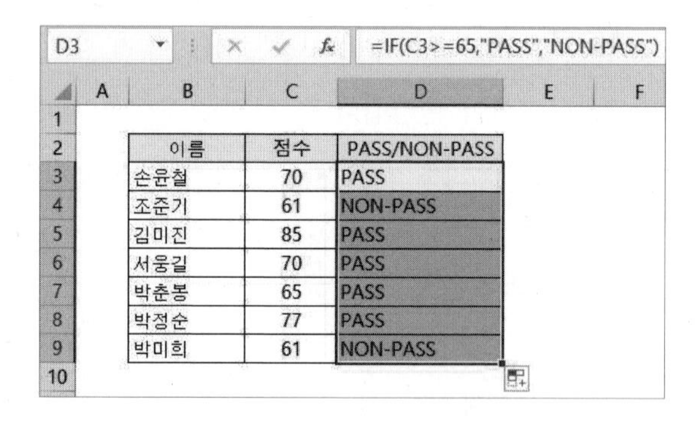

	A	B	C	D	E	F
1						
2		이름	점수	PASS/NON-PASS		
3		손윤철	70	PASS		
4		조준기	61	NON-PASS		
5		김미진	85	PASS		
6		서웅길	70	PASS		
7		박춘봉	65	PASS		
8		박정순	77	PASS		
9		박미희	61	NON-PASS		
10						

IF 함수의 사용법으로 어려움을 겪으면 순서도를 기억해서 수식을 만들면 됩니다.

2.3 AND 함수와 OR 함수

IF 함수를 사용해서 수식을 만들 경우, 복수의 조건을 설정해야 할 경우가 있습니다.

예를 들면, 다음과 같은 표에서, 국어와 수학의 점수를 조건으로 합격과 불합격을 결정할 경우를 생각해 보도록 하겠습니다. 다음의 2 가지의 기준에 대해서「합격」과「불합격」를 표시하는 식을 만들어 보겠습니다.

- 조건1 : 국어와 수학의 모두가 동시에 65점 이상이면「합격」, 어느 한 쪽이라도 65점 미만이면「불합격」
- 조건2 : 국어와 수학 중에 어느 한 쪽이 65점 이상이면「합격」, 양쪽 모두가 65점 미만이면「불합격」

	A	B	C	D	E
1					
2		이름	국어	수학	판정
3		손윤철	75	68	
4		강길원	85	71	
5		정석용	63	55	
6		정혜경	81	65	
7		정해용	88	95	
8		김준석	55	91	

위의 조건 모두 IF 함수의 논리식에 복수의 조건을 설정하게 됩니다. 순서도로 표현하면 다음과 같은 이미지가 됩니다. 두 가지의 판정 기준은 Ⓐ와 Ⓑ의 관계가 다르게 되어 있습니다.

- Ⓐ국어가 65점 이상 Ⓑ수학이 65점 이상
- IF(논리식, TRUE의 경우, FALSE의 경우)

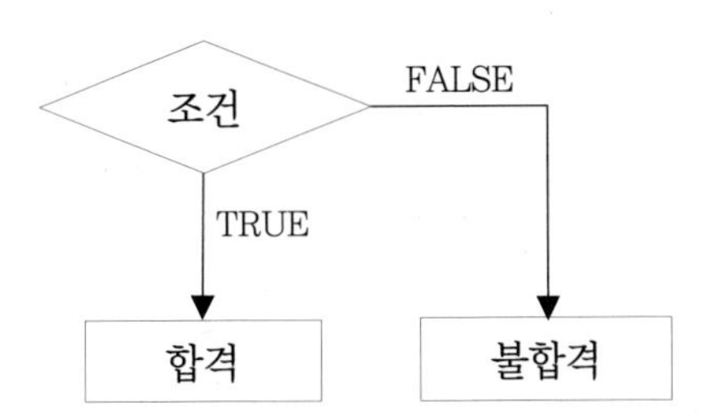

복수의 조건으로 논리식을 만들기 위해서는 AND 함수와 OR 함수를 사용합니다.

AND 함수는 인수에 지정한 논리식이 모두 성립할 경우에 TRUE, 지정한 논리식이 하나라도 성립되지 않으면 FALSE가 됩니다. 또 OR 함수는 인수에 지정한 논리식의 어느 한 쪽이든 성립하면 TRUE가 되는 함수이고 논리식이 모두 성립하지 않으면 FALSE가 됩니다.

■ AND 함수

[서식] AND (논리식 1, [논리식 2], ...)

■ OR 함수

[서식] OR (논리식 1, [논리식 2], ...)

위의 2 가지의 판정 기준에 관해서 각각 AND 함수와 OR 함수로 논리식을 만들고 IF 함수식으로 구성해 보도록 하겠습니다.

• 조건1 : 국어와 수학의 모두가 동시에 65점 이상이면 「합격」, 어느 한 쪽이라도 65점 미만이면 「불합격」

Ⓐ「국어가 65점 이상」 Ⓑ「수학이 65점 이상」의 조건의 "양쪽 모두"가 성립하는 조건이 되기 때문에 AND 함수를 사용해서 논리식 「AND(C3>=65,D3>=65)」을 만듭니다. 이 논리식을 조건으로 한 IF 함수식을 셀 E3에 넣으면 「합격」이 됩니다. 식을 아래 마지막 행까지 복사하면 각각의 점수에 대해서 「합격」과 「불합격」이 표시됩니다.

```
=IF(AND(C3>=65,D3>=65),"합격","불합격")
```

■ 마지막 행까지 복사

D3 =IF(AND(C3>=65,D3>=65),"합격","불합격")

이름	국어	수학	판정
손윤철	75	68	=IF(AND(C3>=65,D3>=65),"합격","불합격")
강길원	85	71	
정석용	63	55	
정혜경	81	65	
정해용	88	95	
김준석	55	91	

⇨

이름	국어	수학	판정
손윤철	75	68	합격
강길원	85	71	합격
정석용	63	55	불합격
정혜경	81	65	합격
정해용	88	95	합격
김준석	55	91	불합격

• 조건2 : 국어와 수학 중에 어느 한 쪽이 65점 이상이면 「합격」, 양쪽 모두가 65점 미만이면 「불합격」

Ⓐ「국어가 65점 이상」 Ⓑ「수학이 65점 이상」의 조건이 "어느 한 쪽"이 성립하는 조건이 되기 때문에 OR 함수를 사용해서 논리식 「OR(C3>=65,D3>=65)」을 만듭니다. 이 논리식을 조건으로 한 IF 함수식을 셀 E3에 넣으면 「불합격」이 됩니다. 식을 아래 마지막 행까지 복사하면 각각의 점수에 대해서 「합격」과 「불합격」이 표시됩니다.

```
=IF(OR(C3>=65,D3>=65),"합격","불합격")
```

■ 마지막 행까지 복사

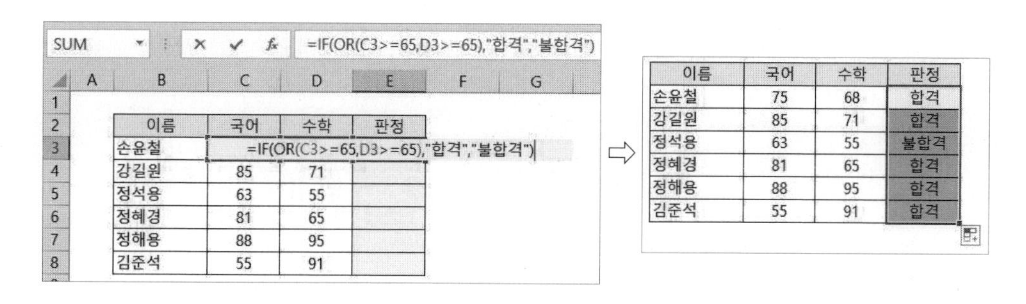

SUM =IF(OR(C3>=65,D3>=65),"합격","불합격")

이름	국어	수학	판정
손윤철	=IF(OR(C3>=65,D3>=65),"합격","불합격")		
강길원	85	71	
정석용	63	55	
정혜경	81	65	
정해용	88	95	
김준석	55	91	

⇨

이름	국어	수학	판정
손윤철	75	68	합격
강길원	85	71	합격
정석용	63	55	불합격
정혜경	81	65	합격
정해용	88	95	합격
김준석	55	91	합격

여기서 AND 함수와 OR 함수의 기본적인 사용법을 살펴보았습니다. 그러나 AND 함수와 OR 함수를 조합함으로서 더욱 복잡한 조건식을 만들 수 있습니다. 두 함수와 함께 조건식에는 없어서는 안 될 함수이기 때문에 반드시 기억해야 합니다.

2.4 IF 함수의 둥지

IF 함수를 사용해서 3 가지 조건으로 분리하는 방법을 살펴보도록 하겠습니다.

다음의 표에서 점수가 80점 이상이라면「합격」, 80점 미만이고 60점 이상이면「재시험」, 60점 미만이면「불합격」으로 표시하는 방법을 만들어 보도록 하겠습니다.

	A	B	C	D
1				
2		이름	점수	판정
3		김개똥	55	
4		박기철	98	
5		양승조	55	
6		박형수	85	
7		김영희	65	
8		김순자	60	
9		김기풍	54	

이 조건을 순서도로 나타낸 것이 (ㄱ)입니다. 지금까지 본 것과는 조금 다른 형태입니다. 조건을 나타내는「◇」이 2 개가 됩니다. 처음의「◇」에「80점 이상」이라고 하는 조건이 FALSE의 경우에, 다음의「◇」에「60점 이상」이라고 하는 조건을 판정하는 구조가 됩니다.

IF 함수식을 만들기 쉽게 하기 위해서 (ㄴ)과 같이 순서도를 조금 수정한 것입니다. 점선으로 나타낸 부분이 처음의 조건「80점 이상」을 기준으로 분리된 처리를 나타내고 있습니다. 처음의 조건이 FALSE의 경우에, 다음의 조건인 실선으로 표시한 부분인「60점 이상」이후의 순서 전체가 포함된 구조입니다.

여기서 그림의 형태를 보면, 실선으로 표시된 2 개의 조건「◇」이후는, IF 함수의 기본형으로 되어 있는 것을 알 수 있습니다. 또 점선만을 잘 살펴보면 여기에도 IF 함수의 기본형으로 되어 있습니다. 이것을 보면, IF 함수를 2 개 사용할 경우에 그렇게 된다는 것을 알 수 있습니다.

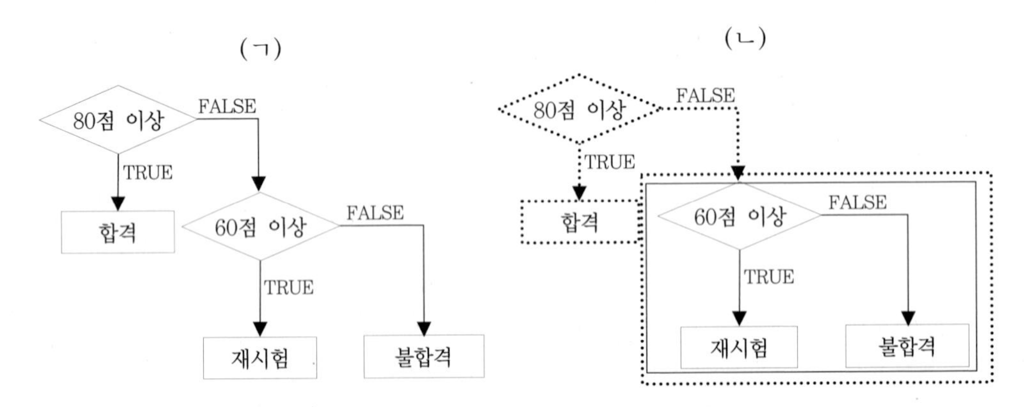

점선과 실선 모두 IF 함수의 기본형

그림 (ㄴ)의 순서도를 보면서 IF 함수식을 만들어 보겠습니다. 점선으로 표시된 첫 번째의 「◇」 처리를 나타내는 식이 Ⓐ이며, 실선으로 표시된 두 번째의 「◇」 처리를 나타내는 식이 Ⓑ입니다.

Ⓑ식의 전체가 (ㄱ) 식의 「FALSE」에 해당하기 때문에 Ⓐ식의 「FALSE」 부분을 Ⓑ식으로 바꿀 수 있습니다. 따라서 Ⓐ와 Ⓑ식이 조합된 Ⓐ+Ⓑ식이 됩니다. 완성된 Ⓐ+Ⓑ가 이 순서도의 전체를 나타내는 식이 됩니다. 이 식을 셀 D3에 넣으면 「불합격」이 됩니다. 더욱이 아래 행까지 복사하면 각각의 점수에 관해서 「합격」, 「재시험」 그리고 「불합격」 중의 어느 하나가 표시됩니다.

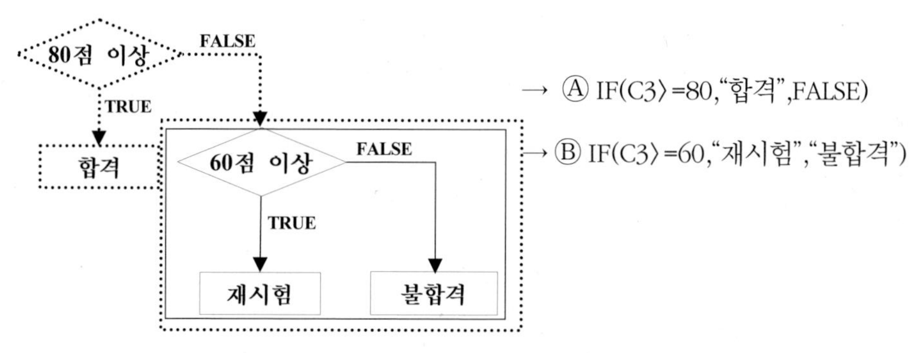

Ⓐ+Ⓑ = IF(C3〉=80,"합격",IF(C3〉=60,"재시험","불합격"))

D3 | =IF(C3>=80,"합격",IF(C3>=60,"재시험","불합격"))

	A	B	C	D	E	F	G	H
1								
2		이름	점수	판정				
3		김개똥	55	불합격				
4		박기철	98					

마지막 행까지 복사

	A	B	C	D
1				
2		이름	점수	판정
3		김개똥	55	불합격
4		박기철	98	합격
5		양승조	55	불합격
6		박형수	85	합격
7		김영희	65	재시험
8		김순자	60	재시험
9		김기풍	54	불합격
10				

하나의 IF 함수식 중에 추가로 하나의 IF 함수식을 넣음으로서 조건에 의해서 3 가지의 경우로 분리할 수 가 있습니다. 이와 같이 어떤 함수식 속에 동일한 함수로 만든 식을 더 조합해서 넣는 것을 「네스트」(nest)라고 합니다. 이 네스트도 일종의 식의 조합입니다. 완성된 식은 조금 복잡하게 보일 수 있지만, IF의 기본형이 2개 조합된 것 뿐이기 때문에 이해하기 어려우면 순서도를 기억하면 큰 도움이 될 것 입니다.

SECTION 3 함수 결합

3.1 함수 결합의 활용성

엑셀에서는 여러 가지 기능을 갖는 함수가 400개 이상 있습니다. 그러나 복수의 함수를 결합해서 사용하면 실현 가능한 범위가 더욱 넓어질 것입니다. 함수를 결합하면 어떠한 것이 가능할 것인지 살펴보겠습니다.

3과목 점수가 들어있는 다음의 표에서 각자의 평균을 계산해 보도록 하겠습니다. 단, 계산한 평균은 소수점 이하를 반올림합니다.

▶ 평균을 계산, 소수점 이하를 반올림

	A	B	C	D	E	F
1						
2		이름	국어	영어	수학	평균
3		김기철	72	65	85	
4		손윤철	67	85	90	
5		김길동	77	65	99	
6		이인숙	78	88	55	
7		김숙연	55	61	71	

엑셀에는 평균을 구하는 함수 「AVERAGE」와 반올림 하는 함수 「ROUND」가 있습니다. 안타깝게도 「평균을 내서 반올림을 한다」 함수는 없습니다. 따라서 「평균을 내다」 함수와 「반올림을 한다」 함수를 결합해서 사용하게 됩니다. AVERAGE 함수와 ROUND 함수의 상세한 사용법은 본서에서 설명하겠지만, 여기서는 각각의 계산 결과만을 살펴보겠습니다. 다음의 F열이 AVERAGE 함수를 사용해서 계산한 3과목 점수의 평균입니다.

이름	국어	영어	수학	총점	사사오입한 평균
김기철	72	65	85	74	
손윤철	67	85	90	80.66667	
김길동	77	65	99	80.33333	
이인숙	78	88	55	73.66667	
김숙연	55	61	71	62.33333	

다음은 ROUND 함수를 사용해서 F열의 평균치를 반올림 합니다.

이름	국어	영어	수학	총점	사사오입한 평균
김기철	72	65	85	74	74
손윤철	67	85	90	80.66667	81
김길동	77	65	99	80.33333	80
이인숙	78	88	55	73.66667	74
김숙연	55	61	71	62.33333	62

AVERAGE와 ROUND의 2개의 함수를 사용함으로서 평균을 구해서 반올림을 할 수가 있습니다. 이것으로 만든 2개의 함수식은 실제로 하나의 식으로 정리될 수가 있습니다. 소수점 이하가 표시된 평균은 필요하지 않기 때문에 다음과 같이 하나의 식으로 정리됩니다. 이것으로 「평균한 결과를 반올림 한다」라고 하는 계산을 하나의 식으로 처리할 수가 있습니다.

■ 두 개의 함수식을 하나로 정리

이름	국어	영어	수학	총점	사사오입한 평균
김기철	72	65	85	74	74
손윤철	67	85	90	80.66667	81
김길동	77	65	99	80.33333	80
이인숙	78	88	55	73.66667	74
김숙연	55	61	71	62.33333	62

⇩

F3 =ROUND(AVERAGE(C3:E3),0)

	A	B	C	D	E	F
1						
2		이름	국어	영어	수학	평균
3		김기철	72	65	85	74
4		손윤철	67	85	90	81
5		김길동	77	65	99	80
6		이인숙	78	88	55	74
7		김숙연	55	61	71	62
8						

이번의 예제는 그다지 복잡한 계산은 아니지만 하나의 함수만으로 제한된 계산밖에 할 수 없어도 그 밖의 함수와 결합해서 사용함으로서 보다 복잡한 계산과 처리에 대응할 수 있음을 알 수 있었습니다.

이번의 계산 과정을 나타낸 다음의 그림에서 알 수 있듯이, 「함수 결합」이라고 하는 처리의 기본적인 사고는 어떤 함수의 결과를 이용해서 거기다 추가로 별도의 함수로 결과를 추출하는 것입니다. 이 기본이 되는 처리를 여러 번 반복하거나 결합함으로서 보다 복잡한 계산도 가능하게 됩니다.

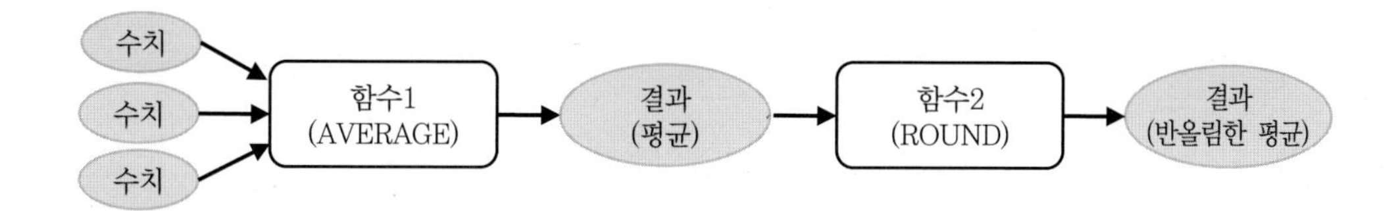

함수의 결합법에는 지금까지 본 것처럼 중간에 불필요한 결과를 하나의 식으로 정리하는 방법도 있지만 중간 과정의 함수식이 들어간 셀을 남겨두고 그 셀을 별도의 함수식 중에 참조하는 방법도 있습니다. 어느 쪽도 「함수 결합」의 처리는 「어떤 함수의 결과를 이용해서 추가로 별도의 함수로 결과를 추출한다」라고 하는 사고가 기본입니다.

3.2 함수 결합의 방법

함수를 결합할 때 고려해야 할 것에 관해서 살펴보도록 하겠습니다.

예를 들면 이전 문제에서는 두 개의 함수를 결합해서 답을 얻었습니다. 그러나 함수를 결합하기 전에 어느 함수를 어떤 순서로 사용해야 할지를 생각해야 합니다. 그 때에 포인트가 되는 것이 머릿속에서 계산 과정을 분리해서 고려하는 것입니다. 즉, 「과목별 점수」을 시작, 「소수점 이하를 반올림한 평균」을 목표로 하면, 목표에 도달한 과정 중에 「평균을 구하다」, 「반올림을 하다」라고 하는 두 단계의 처리가 필요한 것입니다. 따라서 먼저 「평균을 구하다」 함수와 「반올림을 하다」 함수를 사용해서 계산하면 된다는 것을 알 수 있습니다.

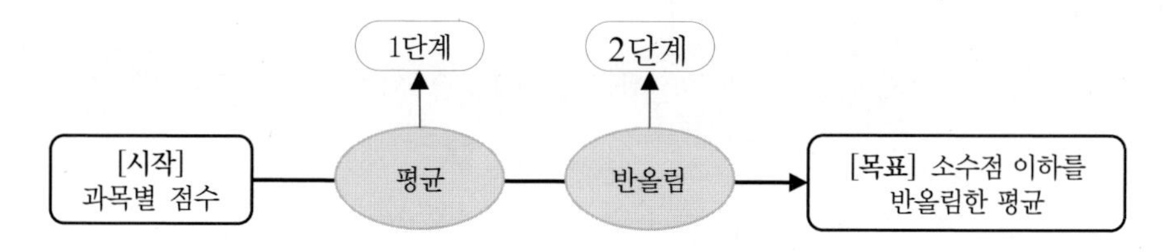

복잡한 계산과 처리에 망설일 경우, 먼저 전체의 과정을 몇 개의 단계로 나누어서 생각하면 됩니다. 각각의 단계에 포함된 함수를 선택해서 식을 만들고, 거기서부터 나온 결과를 다음의 단계로 연결합니다. 마치 시작할 때에 재료였던 수치와 문자열을 순서대로 가공해서 재료를 만들어 가는듯한 이미지입니다. 물론, 이 때 보다 많은 함수를 알고 있는 것이 쉽게 목표에 도달할 수 있습니다. 여기서 중요한 것은 「과정을 분리해서 처리한다」라고 하는 것입니다. 예를 들어 그다지 많은 함수를 알지 못한다고 할지라도 분리한 과정 별로 함수를 찾아서 그것을 사용한 식을 만드는 것을 반복하는 사이에 사용 가능한 함수의 수도 점점 늘어나기 마련입니다.

실제, 「평균을 반올림」과 같이 그다지 복잡하지 않은 계산은 「평균을 구하다」 → 「반올림을 하다」라고 하는 단계로 분리하는 것은 어려운 일이 아닙니다. 여기서 조금 복잡한 처리를 단계별로 분리하는 연습을 해보도록 하겠습니다. 다음의 문제에서 정답을 얻을 때까지의 순서를 고려해 보도록 하겠습니다.

8명의 「국어」, 「영어」, 「수학」의 점수표로부터 3과목의 총점이 높은 순서로 1위부터 3위까지의 이름을 빈 셀에 표시하세요.

어떻습니까? 정답이 떠오릅니까? 다음에 2가지의 정답 순서를 제시했습니다. 각각 실제로 식을 만들어서 계산한 것입니다. 이 중에는 최종적으로 하나로 정리된 식도 있습니다. 그러나 함수를 결합할 때 생각하는 방법을 보여주기 위해서 각 단계별 식으로 표시했습니다.

3과목 총점의 순위를 얻기 위해서 어느 쪽의 순서에도 먼저 1단계는 「각자의 점수를 합산한다」 입니다. 여기까지는 간단합니다. 다음 단계 이후, (ㄱ)에서는 1위부터 3위까지의 총점을 먼저 구해서 각 순위의 총점에 일치하는 사람의 이름을 검색합니다. 한편 (ㄴ)에서는 먼저 각자의 순위를 구하고서 1위부터 3위까지의 사람을 검색합니다.

• 정답 순서 (ㄱ)

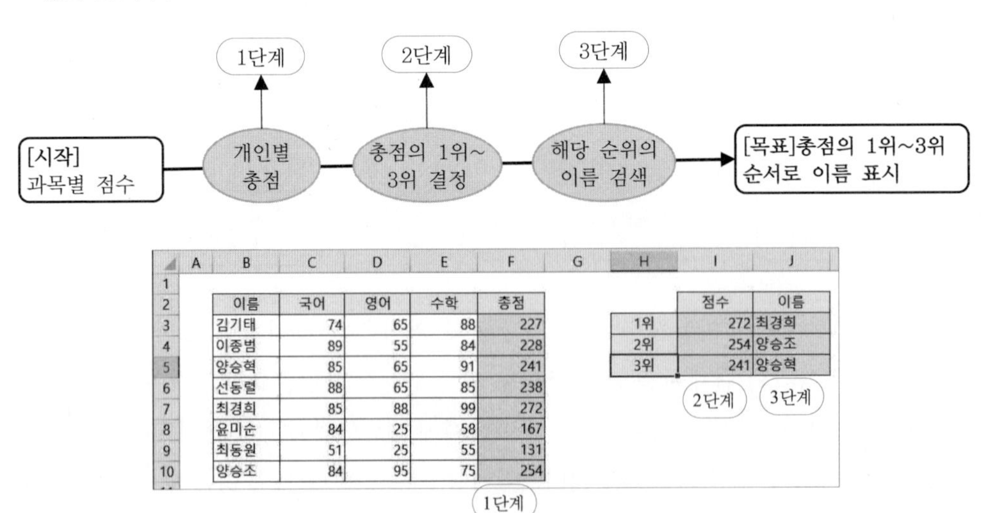

	A	B	C	D	E	F	G	H	I	J
1										
2		이름	국어	영어	수학	총점			점수	이름
3		김기태	74	65	88	227		1위	272	최경희
4		이종범	89	55	84	228		2위	254	양승조
5		양승혁	85	65	91	241		3위	241	양승혁
6		선동렬	88	65	85	238				
7		최경희	85	88	99	272				
8		윤미순	84	25	58	167				
9		최동원	51	25	55	131				
10		양승조	84	95	75	254				

• 정답 순서 (ㄴ)

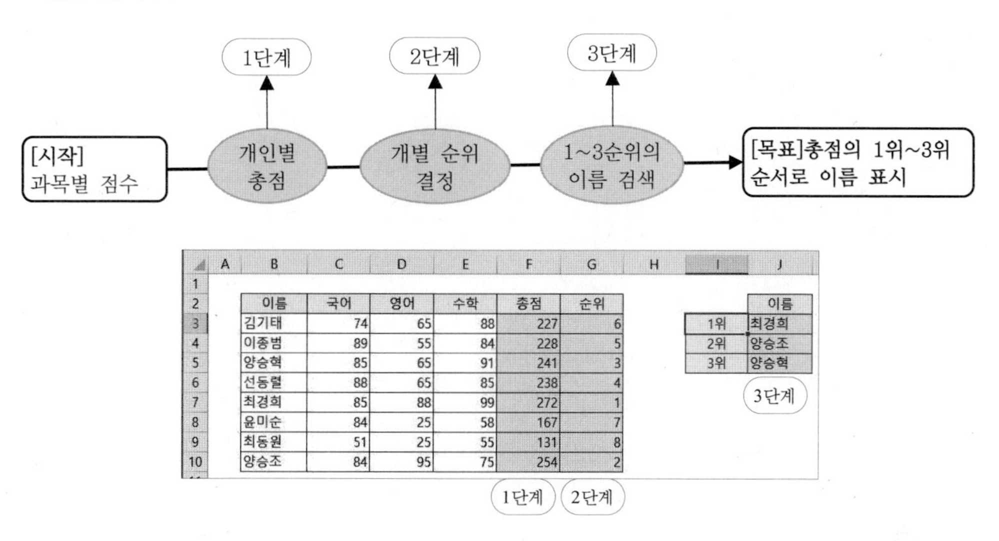

	A	B	C	D	E	F	G	H	I	J
1										
2		이름	국어	영어	수학	총점	순위			이름
3		김기태	74	65	88	227	6		1위	최경희
4		이종범	89	55	84	228	5		2위	양승조
5		양승혁	85	65	91	241	3		3위	양승혁
6		선동렬	88	65	85	238	4			
7		최경희	85	88	99	272	1			
8		윤미순	84	25	58	167	7			
9		최동원	51	25	55	131	8			
10		양승조	84	95	75	254	2			

유사한 사용 예시를 본서에서 소개하도록 하겠습니다. 여기서는 사용하는 함수와 식의 설명은 하지 않겠지만, (ㄱ)과 (ㄴ)에서는 2단계 이후가 다르지만 최종적으로 동일한 결과가 됩니다. 실제로 2단계에서는 (ㄱ)과 (ㄴ)에서 다른 함수를 사용하고 있습니다. 이와 같이 같은 문제라도 정답까지의 과정이 여러 가지로 고려되어지는 경우도 있습니다. 보다 많은 함수를 기억해서 순서를 고려하는 것에 익숙해지면 몇 가지 과정이 되는지가 예측할 수 있게 됩니다. 따라서 최종적으로 올바른 결과를 얻으면 어떠한 과정도 정답이 됩니다.

다음 장부터는 실제로 함수를 결합하는 예제를 살펴보겠지만 정답의 방법은 하나만 있다고 할 수 없는 것을 잊지 않아야 합니다.

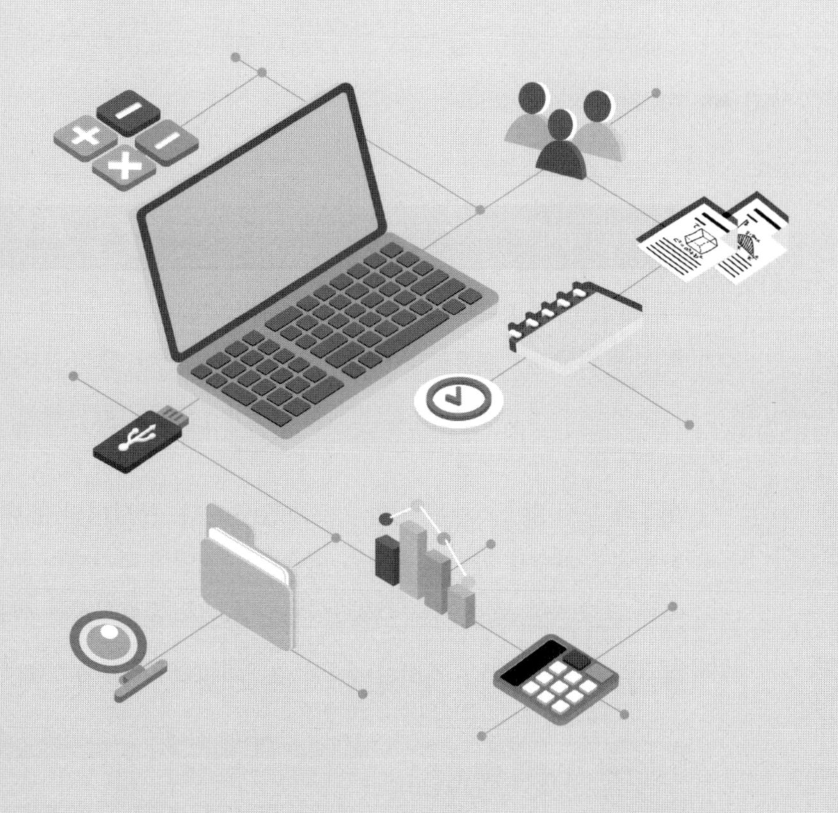

CHAPTER 7

문자열 함수의 결합

SECTION 1 정해진 문자수를 초과할 경우 그 초과한 문자수 반환

■ 사용 함수

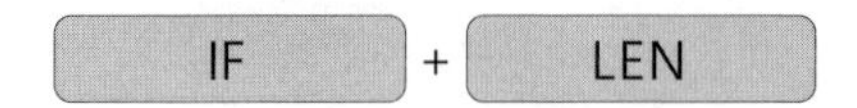

이름과 부서명이 기재된 명함 자료가 있습니다. 부서명의 문자수가 10자로 제한이 있기 때문에 문자수를 확인할 필요가 있습니다. C열의 부서명의 문자수가 10자를 초과할 경우에 그 초과한 문자수를 「○자 초과」의 형식으로 표사하는 식을 D열에 넣어주세요.

예 (부서) 게임개발부 캐릭터디자인 고객지원팀 → (문자수 체크) 8자 초과

명함 자료

이름	부서 (10문자이내)	문자수 체크
김기동	교무처 학사지원팀	
한상수	기획처 전산정보팀	
이동희	재활복지특성화본부 특성화평가팀	
곽순예	교무처 교무팀	
이민수	사무처 총무시설팀	
정혜경	자립통합생활관	
이민숙	장애학생지원센터	
김기숙	교육혁신평가본부 평가가회팀	

■ 결합 연습

이 문제를 해결하는 순서와 사용하는 함수를 살펴보도록 하겠습니다. 이번의 순서는 다음의 3단계가 됩니다. 순서를 보면서 어떠한 함수를 결합할 것인지를 생각해 보겠습니다.

- 1단계: 부서명의 문자수를 센다.
- 2단계: 1단계에서 조사한 문자수가 10보다 큰지 여부를 조사한다.
- 3단계: 2단계에서 10보다 크면 초과한 분량의 문자수를 표시한다.

■ 결합 연습 용지

	A	B	C	D	E	F	G
1							
2		명함 자료					
3		이름	부서 (10문자이내)	문자수 체크	부서명의 문자수	10문자 초과 여부	10문자 초과 한 경우 초과 한 문자수
4		김기동	교무처 학사지원팀				
5		한상수	기획처 전산정보팀				
6		이동희	재활복지특성화본부 특성화평가팀				
7		곽순예	교무처 교무팀				
8		이민수	사무처 총무시설팀				
9		정혜경	자립통합생활관				
10		이민숙	장애학생지원센터				
11		김기숙	교육혁신평가본부 평가가회팀				

[1단계] 부서명의 문자수 세기

먼저, 연습 용지의 E열을 이용해서 부서명의 문자수를 세도록 합니다. 문자열의 문자수를 세는 함수는 LEN입니다. LEN 함수를 이용해서 셀 C4의 「교무처 학사지원팀」의 문자수를 표시하는 식은 (ㄱ)이 됩니다. 이 식을 셀 E4에 넣습니다. 맞는 식이 들어가면 마지막 행까지 복사를 합니다.

➡ (ㄱ) = LEN(C4)

"셀 C4의 문자열의 문자수를 센다."

명함 자료			
이름	부서 (10문자이내)	문자수 체크	부서명의 문자수
김기동	교무처 학사지원팀		=LEN(C4)
한상수	기획처 전산정보팀		
이동희	재활복지특성화본부 특성화평가팀		

[사용함수] LEN 함수 → LEN(문자열)

[2단계] 1단계에서 조사한 문자수가 10보다 큰지 여부 판단

E열에는 1단계에서 조사한 부서명의 문자수가 표시되어 있습니다. 다음은 1단계의 결과를 이용해서 문자수가 10을 초과하는지를 판단합니다. 여기서 함수는 사용하지 않고 「셀의 값이 10보다 크다」라는 논리식을 넣습니다. 10보다 크면 「TRUE」가 10 이하이면 「FALSE」가 반환됩니다. 「셀 E4의 값이 10보다 크다」를 나타내는 논리식 (ㄴ)을 셀 F4에 넣습니다. 식이 올바르게 들어가면 마지막 행까지 복사합니다.

(ㄴ)=E4〉10

"셀 E4의 10보다 큰지 여부를 조사한다"

명함 자료

이름	부서 (10문자이내)	문자수 체크	부서명의 문자수	10문자 초과 여부	10 한
김기동	교무처 학사지원팀		9	=E4>10	
한상수	기획처 전산정보팀		9		
이동희	재활복지특성화본부 특성화평가팀		16		

[3단계] 2단계가 TRUE이면 초과한 분량의 문자수 표시

F열에는 2단계의 결과로서 TRUE 혹은 FALSE로 표시됩니다. 3단계에서는 TRUE의 경우만 초과분의 문자수를 표시합니다. TRUE의 경우와 FALSE의 경우에서 처리를 분리하는 함수는 IF 함수입니다. IF 함수를 이용해서 「셀 F4가 TRUE이면 셀 E4 빼기 10, FALSE이면 아무것도 표시하지 않는다」라는 식을 만들면 (ㄷ)이 됩니다. 이 식을 셀 G4에 넣습니다. 올바른 식이면 그 식을 마지막 행까지 복사합니다.

(ㄷ) =IF(F4, E4 − 10,"")

"셀 F4가 TRUE이면 문자수(셀 E4) − 15, FALSE이면 아무것도 표시하지 않는다"

명함 자료

이름	부서 (10문자이내)	문자수 체크	부서명의 문자수	10문자 초과 여부	10문자 초과한 경우 초과한 문자수
김기동	교무처 학사지원팀		9	FALSE	=IF(F4,E4-10,"")
한상수	기획처 전산정보팀		9	FALSE	
이동희	재활복지특성화본부 특성화평가팀		16	TRUE	
곽순예	교무처 교무팀		7	FALSE	
이민수	사무처 총무시설팀		9	FALSE	
정혜경	자립통합생활관		7	FALSE	
이민숙	장애학생지원센터		8	FALSE	
김기숙	교육혁신평가본부 평가가회팀		14	TRUE	

[사용함수] IF 함수 → IF(논리식, TRUE의 경우, FALSE의 경우)

■ **정답**

결합 연습에서는 연습 용지의 E~G열을 이용해서, 다음 3개의 단계로부터 초과분의 문자수를 표시하게 됩니다. 여기서는 문제에서 제시된 D열만을 이용해서 초과 문자수를 표시하는 식을 만들어 보겠습니다. 실제로 4행에 있는 맨 처음의 자료를 이용해서 다음의 (ㄱ)부터 (ㄷ)까지의 식을 결합하게 됩니다.

(ㄱ) 부서명의 문자수를 센다.

(ㄴ) (ㄱ)이 10을 초과하는지 여부를 조사한다.

(ㄷ) (ㄴ)가 TRUE이면 문자수와 10의 차이를 표시한다.

	A	B	C	D	E	F	G
1							
2		명함 자료					
3		이름	부서 (10문자이내)	문자수 체크	부서명의 문자수	10문자 초과 여부	10문자 초과한 경우 초과한 문자수
4		김기동	교무처 학사지원팀		9	FALSE	
5		한상수	기획처 전산정보팀		9	FALSE	
6		이동희	재활복지특성화본부 특성화평가팀		16	TRUE	6
7		곽순예	교무처 교무팀		7	FALSE	
8		이민수	사무처 총무시설팀		9	FALSE	
9		정혜경	자립통합생활관		7	FALSE	
10		이민숙	장애학생지원센터		8	FALSE	
11		김기숙	교육혁신평가본부 평가가회팀		14	TRUE	4
12							

↑ ↑ ↑
(ㄱ) (ㄴ) (ㄷ)

셀 E4에 (ㄱ)식, 셀 F4에 (ㄴ)식이 들어갑니다.

(ㄴ)식에서 E4를 참조하고 있기 때문에 (ㄴ)식의 「E4」를 (ㄱ)식에서 바꾸면 셀 F4의 식은 (ㄱ)+(ㄴ)이 됩니다. 또, (3)식에서 셀 E4와 F4를 참조하고 있기 때문에 「E4」를 (ㄱ)식에서 바꾸고 「F4」의 부분을 (ㄱ)+(ㄴ)의 식으로 바꾸면 (ㄱ)+(ㄴ)+(ㄷ)의 식이 됩니다.

(ㄱ)부터 (ㄷ)까지의 식을 결합할 수 있었기 때문에 문제의 표시대로 「○자 초과」의 형식으로 표시되도록 「&」를 이용해서 「자 초과」라는 문자열과 연결하면 정답이 됩니다. 완성된 식을 셀 D4에 넣습니다. 셀 C4의 「교무처 학사지원팀」은 10문자 이하이기 때문에 아무것도 표시되지 않습니다. 올바른 식이 확인되면 마지막 행까지 복사합니다. 정답은 다음과 같습니다.

셀 E4 (ㄱ)=LEN(C4)
셀 F4 (ㄴ)=E4>10 → (ㄱ)+(ㄴ)=LEN(C4)>10
(ㄷ)=IF(F4, E4-10,"") → (ㄱ)+(ㄴ)+(ㄷ)=IF(LEN(C4)>10, LEN(C4)-10,"")
"(「○자 초과」의 형식에) + &"자 초과","

⇩

```
=IF(LEN(C4)>10, LEN(C4) – 10 &"자 초과","")
```

■ 정답 용지

	A	B	C	D	E	F
1						
2		명함 자료				
3		이름	부서 (10문자이내)	문자수 체크		
4		김기동	교무처 학사지원팀	=IF(LEN(C4)>10, LEN(C4)-10 &"자 초과", "")		
5		한상수	기획처 전산정보팀			
6		이동희	재활복지특성화본부 특성화평가팀			
7		곽순예	교무처 교무팀			
8		이민수	사무처 총무시설팀			
9		정혜경	자립통합생활관			
10		이민숙	장애학생지원센터			
11		김기숙	교육혁신평가본부 평가가회팀			

=IF(LEN(C4)>10, LEN(C4) − 10 & "자 초과","")

■ 정리

셀 C4의 문자수가 지정한 문자수 a를 초과하면 「○자 초과」로 표시한다.

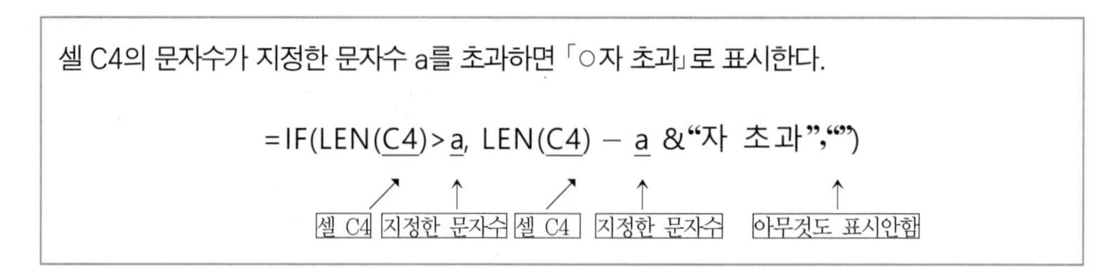

SECTION 2 제품 코드의 일부를 상품 번호의 일부로 변경

■ 사용 함수

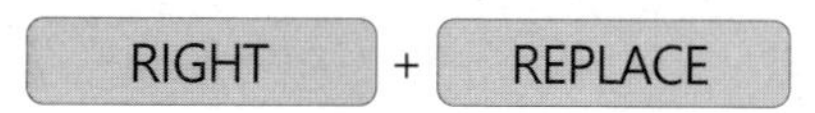

제품 코드와 상품 번호의 일람표가 있습니다. 제품 코드는 제품 기호(4문자) – 제품 번호(3자리 숫자) – 정리 기호(1문자)로 되어 있습니다. 제품 코드로 「000」로 되어 있는 제품 번호를 C열의 상품 번호의 맨 끝의 3자리 숫자로 바꿔서 상품 코드를 작성하는 식을 D열에 넣어 주세요.

예 (제품 코드) K670 – 000 – S, (상품 번호) NK43 – 560 → (상품 코드) K670 – 560 – S

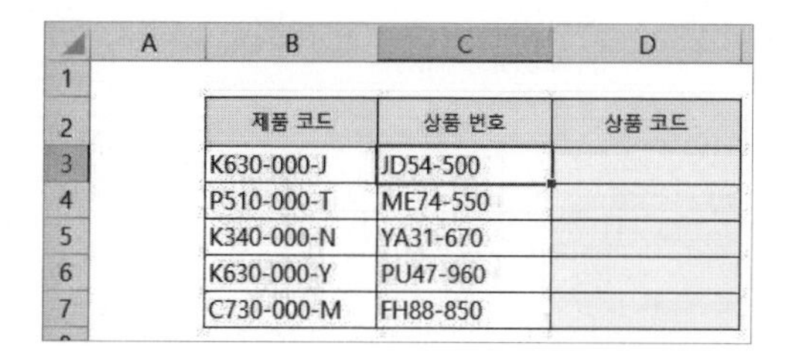

	A	B	C	D
1				
2		제품 코드	상품 번호	상품 코드
3		K630-000-J	JD54-500	
4		P510-000-T	ME74-550	
5		K340-000-N	YA31-670	
6		K630-000-Y	PU47-960	
7		C730-000-M	FH88-850	

■ 결합 연습

이 문제를 해결하는 순서와 사용하는 함수를 살펴보도록 하겠습니다. 다음의 2단계로 작성합니다. 순서를 보면서 어떠한 함수를 결합할 것인지를 생각해 보겠습니다.

- 1단계: 상품 번호의 맨 끝의 3자리 숫자를 뽑아낸다.
- 2단계: 제품 코드의 상품 번호를 1단계에서 얻은 3자리 숫자로 변경한다.

■ 결합 연습 용지

	A	B	C	D	E	F
1						
2		제품 코드	상품 번호	상품 코드	상품번호 맨끝의 3문자	상품 코드
3		K630-000-J	JD54-500			
4		P510-000-T	ME74-550			
5		K340-000-N	YA31-670			
6		K630-000-Y	PU47-960			
7		C730-000-M	FH88-850			

[1단계] 제품 번호의 맨 끝의 3자리 숫자 추출

처음에는 연습용지의 E열을 상품 번호의 맨 끝의 3자리 숫자를 뽑아냅니다. 문자열의 우측으로부터 일부를 뽑아내는 함수는 RIGHT 함수입니다. RIGHT 함수를 이용해서 셀 C3의 상품 번호 「JD54 – 500」의 우측으로부터 3문자를 뽑아내는 식은 (ㄱ)이 됩니다. 이 식을 셀 E3에 넣습니다. 맞는 식이 들어가면 마지막 행까지 복사를 합니다.

(ㄱ) = RIGHT(C3,3)

"셀 C3의 문자열의 우측으로부터 3문자 뽑아낸다"

	A	B	C	D	E	F
1						
2		제품 코드	상품 번호	상품 코드	상품번호 맨끝의 3문자	상품 코드
3		K630-000-J	JD54-500		=RIGHT(C3,3)	
4		P510-000-T	ME74-550			
5		K340-000-N	YA31-670			
6		K630-000-Y	PU47-960			
7		C730-000-M	FH88-850			

[사용함수] RIGHT 함수 → RIGHT(문자열, 문자수)

[2단계] 제품 코드의 상품 번호를 1단계에서 얻은 3자리 숫자로 변경

1단계에서는 B열의 제품 코드의 상품 번호(000)를 1단계에서 얻은 3문자로 변경합니다. 문자열을 부분적으로 변경하는 함수 REPLACE을 이용해서 셀 B3의 「000」의 부분을 셀 E3으로 변경하는 식은 아래의 그림 (ㄴ)과 같이 됩니다. 이 식을 셀 F3에 넣습니다. 식이 올바르게 들어가면 마지막 행까지 복사합니다.

(ㄴ) =REPLACE(B3,6,3,E3)

"셀 B3의 6번째 문자로부터 3문자를 셀 E3로 변경한다"

F3 =REPLACE(B3,6,3,E3)

	A	B	C	D	E	F
1						
2		제품 코드	상품 번호	품 코	상품번호 맨끝의 3문자	상품 코드
3		K630-000-J	JD54-500		500	=REPLACE(B3,6,3,E3)
4		P510-000-T	ME74-550		550	
5		K340-000-N	YA31-670		670	
6		K630-000-Y	PU47-960		960	
7		C730-000-M	FH88-850		850	

[사용함수] REPLACE 함수
REPLACE(문자열, 시작 위치, 문자수, 변경문자열)

■ **정답**

결합 연습에서는 연습용지의 E열과 F열을 이용해서, 다음 2개의 단계로부터 제품 코드를 만들었습니다. 여기서는 문제의 정답이 되도록 D열만을 이용해서 상품 코드를 만들어 보도록 하겠습니다. 실제로 3행에 있는 맨 처음 자료를 이용해서 (ㄱ)와 (ㄴ)의 식을 결합하게 됩니다.

(ㄱ) 상품 번호의 맨 끝의 3문자를 뽑아낸다.

(ㄴ) 제품 코드로부터 「000」을 뽑아낸 3문자로 변경한다.

	A	B	C	D	E	F
1						
2		제품 코드	상품 번호	상품 코드	상품번호 맨끝의 3문자	상품 코드
3		K630-000-J	JD54-500		500	K630-500-J
4		P510-000-T	ME74-550		550	P510-550-T
5		K340-000-N	YA31-670		670	K340-670-N
6		K630-000-Y	PU47-960		960	K630-960-Y
7		C730-000-M	FH88-850		850	C730-850-M
8						

↑ (ㄱ) ↑ (ㄴ)

셀 E3에 (ㄱ)식, 셀 F3에 (ㄴ)식이 들어갑니다.

(ㄴ)식에서 E3를 참조하고 있기 때문에 아래의 그림과 같이 (ㄴ)식의 「E3」를 (ㄱ)식에서 바꾸면 (ㄱ)+(ㄴ)식이 됩니다.

결합한 (ㄱ)+(ㄴ)식을 셀 D3에 넣습니다. 올바른 식이 확인되면 마지막 행까지 복사합니다. 정답은 다음과 같습니다.

셀 E3 (ㄱ)=RIGHT(C3,3)
셀 F3 (ㄴ)=REPLACE(B3,6,6,E3)

⇩

(ㄱ)+(ㄴ) =REPLACE(B3, 6, 3, RIGHT(C3,3))

■ 정답 용지

D3 =REPLACE(B3,6,3,RIGHT(C3,3))

	A	B	C	D	E
1					
2		제품 코드	상품 번호	상품 코드	
3		K630-000-J	JD54-500	=REPLACE(B3,6,3,RIGHT(C3,3))	
4		P510-000-T	ME74-550		
5		K340-000-N	YA31-670		
6		K630-000-Y	PU47-960		
7		C730-000-M	FH88-850		

⇨

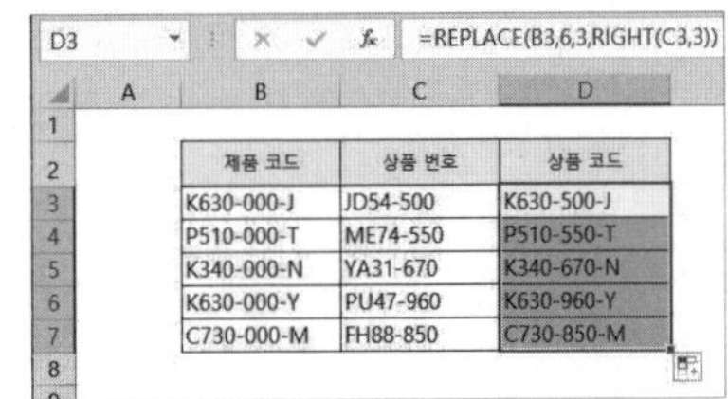

■ 정리

셀 B3의 a번째 문자로부터 문자수 b를 셀 C3의 우측 끝으로부터 문자수 c로 변경한다.

=REPLACE(B3, a, b, RIGHT(C3,c))

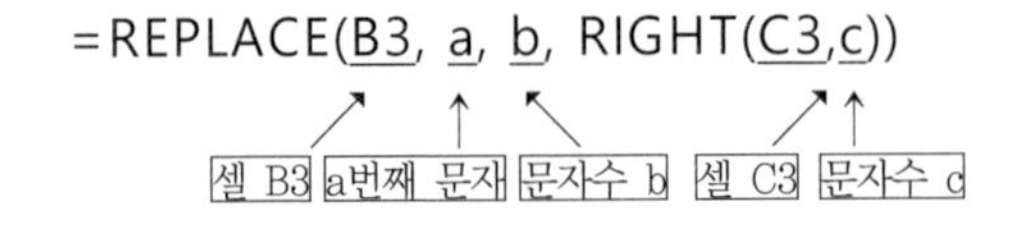

TIP : SUBSTITUTE 함수에서 공백(space) 제거

엑셀에서 문자열을 부분적으로 변경하는 함수는 REPLACE 함수 이외에 SUBSTITUTE 함수가 있습니다. REPLACE 함수에서는「○번째 문자로부터 문자수 □」와 같이 변경하는 문자의 위치를 지정하지만, SUBSTITUTE 함수에서는「○을 □으로 변경한다」와 같이 변경하는 문자 그 자체를 지정합니다. 구체적인 이용법을 살펴보면

```
=SUBSTITUTE(C3, "대한 민국", "한국")
```

라고 하는 식으로 셀 C3의 문자열 중의「대한 민국」를「한국」으로 변경할 수가 있습니다.
문자열 중의 문자를 다른 문자로 변경하는 것은 SUBSTITUTE 함수입니다. 그러나 이 함수의 편리한 점은 인수로 삭제하고 싶은 문자와「""」(큰따옴표)를 지정하는 것으로 문자열로부터 불필요한 문자를 한 번에 삭제할 수 있습니다.

SECTION 3 정해진 문자수보다 적은 숫자만큼 기호로 채우기

■ 사용 함수

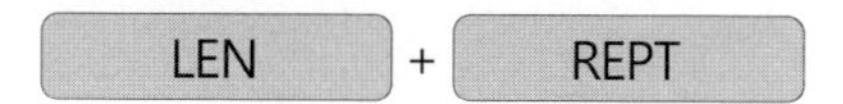

「성」과 「이름」이 알파벳으로 쓰인 일람표가 있습니다. 이것을 각각 「성」, 「이름」의 순서로 연결해서 「성명」을 만드는 식을 D열에 넣어주세요. 단, 「성」과 「이름」 각각 10문자씩으로 하고, 그 수보다 적은 숫자만큼은 「*」(작은별, 애스터리스크)로 채워서 연결하여 주세요.

예 (성) Kim (이름) Hyunmin → (성명) Kim*******Hyunmin***

	A	B	C	D
1				
2		성	명	성명
3		Kim	Houng	
4		Lee	Jaeheum	
5		An	Sukyeong	
6		Lee	Gisong	
7		Kim	Jihee	
8		Hwang	Daeseon	
9		Jeong	Minjeong	

■ 결합 연습

이 문제를 해결하는 순서와 사용하는 함수를 살펴보도록 하겠습니다. 이번의 순서는 다음의 3단계가 됩니다. 순서를 보면서 어떠한 함수를 결합할 것인지를 생각해 보겠습니다.

- 1단계: 성과 이름의 문자수를 세어서 기호로 채울 문자수를 구한다.
- 2단계: 1단계에서 얻은 수를 이용해서 기호 부분의 문자열을 만든다.
- 3단계: 2단계에서 만든 문자열을 이름과 성으로 연결해서 성명을 표시한다.

■ 결합 연습 용지

성	명	성명	기호로 채울 문자수(성)	기호로 채울 문자수(명)	(성)에 추가할 기호 표기	(명)에 추가할 기호 표기	문자열 연결
Kim	Houng						
Lee	Jaeheum						
An	Sukyeong						
Lee	Gisong						
Kim	Jihee						
Hwang	Daeseon						
Jeong	Minjeong						

[1단계] 성과 이름의 문자수를 세어서 기호로 채울 문자수 구하기

먼저, 연습용지의 E열과 F열 이용해서 「성」과 「이름」 각각의 문자수를 세고, 기호로 채울 문자수를 구합니다. 10보다 부족한 숫자만큼을 기호로 채울 수 있기 때문에 10에서 각각 셀 B3, C3의 문자수를 빼면 됩니다. 문자열의 문자수를 조사하는 함수 LEN을 이용해서 식을 만들면 (ㄱ)a와 (ㄱ)b가 됩니다. 완성된 식을 셀 E3과 F3에 넣어 각각 「7」과 「5」로 표시되면 마지막 행까지 복사를 합니다.

(ㄱ)a = 10 − LEN(B3)

"10에서 셀 B3의 문자열의 문자수를 뺀다"

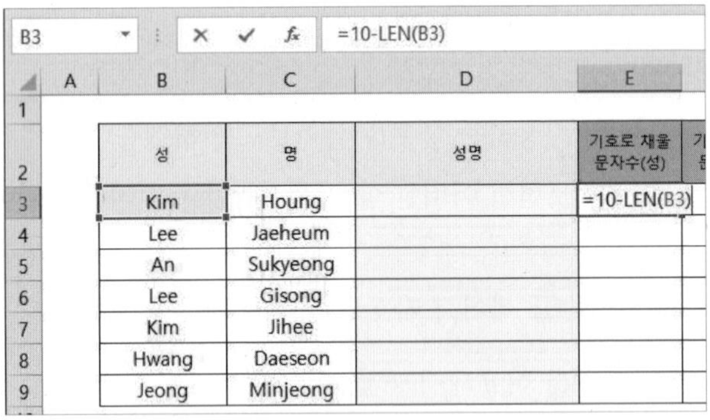

B3 =10-LEN(B3)

	A	B	C	D	E
1					
2		성	명	성명	기호로 채울 문자수(성)
3		Kim	Houng		=10-LEN(B3)
4		Lee	Jaeheum		
5		An	Sukyeong		
6		Lee	Gisong		
7		Kim	Jihee		
8		Hwang	Daeseon		
9		Jeong	Minjeong		

(ㄱ)b = 10 − LEN(C3)

"10에서 셀 C3의 문자열의 문자수를 뺀다"

F3 | =10-LEN(C3)

	A	B	C	D	E	F
1						
2		성	명	성명	기호로 채울 문자수(성)	기호로 채울 문자수(명)
3		Kim	Houng		7	=10-LEN(C3)
4		Lee	Jaeheum			
5		An	Sukyeong			
6		Lee	Gisong			
7		Kim	Jihee			
8		Hwang	Daeseon			
9		Jeong	Minjeong			

[사용함수] LEN 함수 → LEN(문자열)

[2단계] 1단계에서 얻은 문자수를 이용해서 기호 부분의 문자열 만들기

E열과 F열에는 「성」과 「명」에 관해서 10문자가 되도록 기호로 채우는 문자수가 표시됩니다. 그것을 이용해서 기호 부분의 문자열을 작성합니다. 문자열을 지정한 횟수만큼 반복해서 표시하는 함수 REPT를 이용해서 식을 만들면, (ㄱ)a와 (ㄱ)b가 됩니다. 각각의 식을 셀 G3과 H3에 넣으면 「*******」(*가 7문자), 「*****」(*가 5문자)로 표시됩니다. 올바른 식으로 확인되면 마지막 행까지 복사를 합니다.

(ㄱ)a = REPT("*", F3)

	A	B	C	D	E	F
1						
2		성	명	성명	기호로 채울 문자수(성)	기호로 채울 문자수(명)
3		Kim	Houng		7	5
4		Lee	Jaeheum		7	
5		An	Sukyeong		8	
6		Lee	Gisong		7	
7		Kim	Jihee		7	
8		Hwang	Daeseon		5	
9		Jeong	Minjeong		5	
10						

⇩

“‘*’를 셀 F3의 수만큼 반복”

	A	B	C	D	E	F	G
1							
2		성	명	성명	기호로 채울 문자수(성)	기호로 채울 문자수(명)	(성)에 추가할 기호 표기
3		Kim	Houng		7	5	*******
4		Lee	Jaeheum		7	3	*******
5		An	Sukyeong		8	2	********
6		Lee	Gisong		7	4	*******
7		Kim	Jihee		7	5	*******
8		Hwang	Daeseon		5	3	*****
9		Jeong	Minjeong		5	2	*****
10							

(ㄱ)b = REPT(“*”, E3)

	A	B	C	D	E	F
1						
2		성	명	성명	기호로 채울 문자수(성)	기호로 채울 문자수(명)
3		Kim	Houng		7	5
4		Lee	Jaeheum		7	3
5		An	Sukyeong		8	2
6		Lee	Gisong		7	4
7		Kim	Jihee		7	5
8		Hwang	Daeseon		5	3
9		Jeong	Minjeong		5	2
10						

⇩

“‘*’를 셀 E3의 수만큼 반복”

	A	B	C	D	E	F	G	H
1								
2		성	명	성명	기호로 채울 문자수(성)	기호로 채울 문자수(명)	(성)에 추가할 기호 표기	(명)에 추가할 기호 표기
3		Kim	Houng		7	5	*******	*****
4		Lee	Jaeheum		7	3	*******	***
5		An	Sukyeong		8	2	********	**
6		Lee	Gisong		7	4	*******	****
7		Kim	Jihee		7	5	*******	*****
8		Hwang	Daeseon		5	3	*****	***
9		Jeong	Minjeong		5	2	*****	**
10								

[사용함수] REPT 함수 → REPT(문자열, 반복 횟수)

[3단계] 2단계에서 만든 문자열을 "성"과 "명"을 연결해서 "성명"을 표시

G열과 H열에는 2단계에서 만든 기호 부분의 문자열이 표시되어 있습니다. 마지막에 "성", "명"과 기호의 문자열을 연결해서 성명을 표시합니다. 여기서는 함수를 사용하지 않고 문자열을 연결하는 「&」을 이용해서 성, 기호, 명, 기호의 순서로 연결합니다. 이것을 셀 I3에 넣으면 「성명」으로 표시됩니다. 이것을 마지막 행까지 복사합니다.

(ㄷ) =B3&G3&C3&H3

"문자열은 「&」으로 연결"

	A	B	C	D	E	F	G	H	I
1									
2		성	명	성명	기호로 채울 문자수(성)	기호로 채울 문자수(명)	(성)에 추가할 기호 표기	(명)에 추가할 기호 표기	문자열 연결
3		Kim	Houng		7	5	*******	*****	=B3&G3&C3&H3
4		Lee	Jaeheum		7	3	*******	***	
5		An	Sukyeong		8	2	********	**	
6		Lee	Gisong		7	4	*******	****	
7		Kim	Jihee		7	5	*******	*****	
8		Hwang	Daeseon		5	3	*****	***	
9		Jeong	Minjeong		5	2	*****	**	

⇩

	A	B	C	D	E	F	G	H	I
1									
2		성	명	성명	기호로 채울 문자수(성)	기호로 채울 문자수(명)	(성)에 추가할 기호 표기	(명)에 추가할 기호 표기	문자열 연결
3		Kim	Houng		7	5	*******	*****	Kim*******Houng*****
4		Lee	Jaeheum		7	3	*******	***	Lee*******Jaeheum***
5		An	Sukyeong		8	2	********	**	An********Sukyeong**
6		Lee	Gisong		7	4	*******	****	Lee*******Gisong****
7		Kim	Jihee		7	5	*******	*****	Kim*******Jihee*****
8		Hwang	Daeseon		5	3	*****	***	Hwang*****Daeseon***
9		Jeong	Minjeong		5	2	*****	**	Jeong*****Minjeong**
10									

■ 정답

결합 연습에서는 10문자에 충족하지 않은 부분을 「*」로 채워서 성명을 표시하는 것까지를 다음의 세 단계로 분리했습니다. 여기서는 문제의 정답이 되도록 D열만을 이용해서 성명을 작성하도록 하겠습니다. 실제로 3행에 있는 맨 처음의 자료를 이용해서 (ㄱ)부터 (ㄷ)까지의 식을 결합하게 됩니다.

(ㄱ) 성과 명의 문자수를 세어서 기호로 채울 문자수 구하기

(ㄴ) (ㄱ)에서 얻은 수만큼 「*」를 반복한 문자열 만들기

(ㄷ) 성, 명, 기호「*」의 문자열을 연결한 성명 표시

성	명	성명	기호로 채울 문자수(성)	기호로 채울 문자수(명)	(성)에 추가할 기호 표기	(명)에 추가할 기호 표기	문자열 연결
Kim	Houng		7	5	*******	*****	Kim*******Houng*****
Lee	Jaeheum		7	3	*******	***	Lee*******Jaeheum***
An	Sukyeong		8	2	********	**	An********Sukyeong**
Lee	Gisong		7	4	*******	****	Lee*******Gisong****
Kim	Jihee		7	5	*******	*****	Kim*******Jihee*****
Hwang	Daeseon		5	3	*****	***	Hwang*****Daeseon***
Jeong	Minjeong		5	2	*****	**	Jeong*****Minjeong**

↑ (ㄱ) ↑ (ㄴ) ↑ (ㄷ)

먼저, 「성」과 「명」 각각에 관해서 (ㄱ)와 (ㄴ)의 식을 결합합니다. 「성」에 관해서는 셀 E3에 (ㄱ), 셀 G3에 (ㄴ)식이 들어갑니다. (ㄴ)식에서 셀 E3을 참조하기 때문에 (ㄴ)식의 「E3」을 (ㄱ)식에서 변경하여 (ㄱ)+(ㄴ)식을 만듭니다.

유사하게 「명」에 관해서도 셀 H3에 들어간 식 (ㄴ)의 「F3」을 셀 F3에 들어간 (ㄱ)식에서 변경하여 (ㄱ)+(ㄴ)식을 만듭니다. 마지막으로 문자열을 연결하는 (ㄷ)식의 「G3」, 「H3」을 각각의 (ㄱ)+(ㄴ)식으로 변경하면, (ㄱ)+(ㄴ)+(ㄷ)식이 완성됩니다.

완성된 식을 셀 D3에 넣습니다. 「Kim*******Houng*****」으로 올바르게 표시되면 마지막 행까지 복사합니다.

(ㄷ)=B3&G3&C3&H3

[성]
셀 E3 **(ㄱ)=10 − LEN(B3)**
셀 G3 **(ㄴ)=REPT("*",E3)**
↓
(ㄱ)+(ㄴ)**=REPT("*",10 − LEN(B3)**

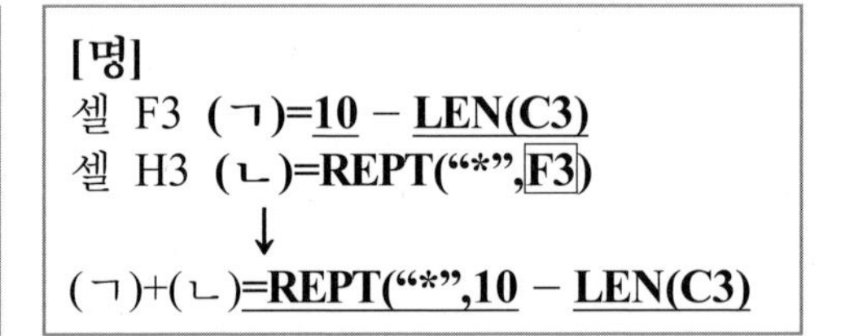
[명]
셀 F3 **(ㄱ)=10 − LEN(C3)**
셀 H3 **(ㄴ)=REPT("*",F3)**
↓
(ㄱ)+(ㄴ)**=REPT("*",10 − LEN(C3)**

⇩

(ㄱ)+(ㄴ)+(ㄷ) =B3&REPT("*",10 − LEN(B3))&C3&REPT("*",10 − LEN(C3))

■ 정답용지

=B3&REPT("*",10 − LEN(B3))&C3&REPT("*",10 − LEN(C3))

SUM | =B3&REPT("*",10-LEN(B3))&C3&REPT("*",10-LEN(C3))

	A	B	C	D	E	F
1						
2		성	명	성명		
3		Kim	Houng	=B3&REPT("*",10-LEN(B3))&C3&REPT("*",10-LEN(C3))		
4		Lee	Jaeheum			
5		An	Sukyeong			
6		Lee	Gisong			
7		Kim	Jihee			
8		Hwang	Daeseon			
9		Jeong	Minjeong			

⇩

D3 | =B3&REPT("*",10-LEN(B3))&C3&REPT("*",10-LEN(C3))

	A	B	C	D	E	F
1						
2		성	명	성명		
3		Kim	Houng	Kim*******Houng*****		
4		Lee	Jaeheum	Lee*******Jaeheum***		
5		An	Sukyeong	An********Sukyeong**		
6		Lee	Gisong	Lee*******Gisong****		
7		Kim	Jihee	Kim*******Jihee*****		
8		Hwang	Daeseon	Hwang*****Daeseon***		
9		Jeong	Minjeong	Jeong*****Minjeong**		
10						

■ 정리

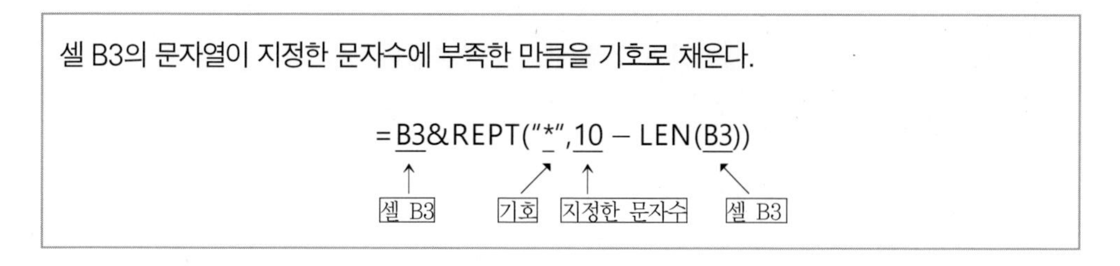

SECTION 4 제품 기호로부터 일정하지 않은 문자수의 코드 추출

■ 사용 함수

제품 기호의 일람표가 있습니다. 제품 기호는 문자수가 정해지지 않은 품별 코드와 2자리 숫자로 되어 있는 구분 번호가 붙임표(" – ", 하이픈)로 연결되어 있습니다. 각각의 제품 기호로부터 품별 코드와 구분 번호를 추출하는 식을 C열과 D열에 넣어주세요.

예 (제품 번호) A1234 – 56 → (품별 코드) A1234, (구분 번호) 56

	A	B	C	D
1				
2		제품 기호 (품별 코드-구분번호)	품별 코드	구분 번호
3		A1234-56		
4		R45678-24		
5		P3245-94		
6		P2500-57		
7		B325-12		
8		Q5556-34		

■ 결합 연습

이 문제를 해결하는 순서와 사용하는 함수를 살펴보도록 하겠습니다. 그 순서는 다음의 3단계가 됩니다. 순서를 보면서 어떠한 함수를 결합할 것인지를 생각해 보겠습니다.

1단계: 제품 기호로부터 우측 3자리의 구분 번호를 추출한다.

2단계: 제품 코드의 문자수를 구한다.

3단계: 2단계의 결과를 이용해서 제품 기호로부터 품별 코드를 추출한다.

■ 결합 연습 용지

	A	B	C	D	E	F	G
1							
2		제품 기호 (품별 코드-구분번호)	품별 코드	구분 번호	구분 번호	품별 코드의 문자수	품별 코드
3		A1234-56					
4		R45678-24					
5		P3245-94					
6		P2500-57					
7		B325-12					
8		Q5556-34					
9							

[1단계] 제품 기호로부터 우측 3자리의 구분 번호 추출

먼저, 연습용지의 E열과 F열 이용해서 제품 기호로부터 우측 2자리의 구분 번호를 추출하도록 하겠습니다. 문자열을 우측 끝에서부터 일부를 추출하는 것은 RIGHT 함수입니다. 셀 B3의 「A1234 – 56」의 우측 끝에서부터 2문자를 추출하는 식은 (ㄱ)이 됩니다. 이 식을 셀 E3에 넣어서 「56」이 표시되면 올바른 식이므로 마지막 행까지 복사합니다.

(ㄱ) =RIGHT(B3, 2)

"셀 B3의 문자열의 우측 끝에서부터 2문자 추출"

제품 기호 (품별 코드-구분번호)	품별 코드	구분 번호	구분 번호
A1234-56			=RIGHT(B3,2)
R45678-24			

⇩

제품 기호 (품별 코드-구분번호)	품별 코드	구분 번호	구분 번호
A1234-56			56
R45678-24			

[사용함수] RIGHT 함수 → RIGHT(문자열, 문자수)

[2단계] 품별 코드의 문자수 구하기

구분 번호는 2문자로 문자수가 정해져 있기 때문에 간단합니다. 그러나 품별 코드는 문자수가 정해져 있지 않습니다. 따라서 품별 코드의 문자수를 먼저 구해야 합니다. 제품 기호의 문자수로부터 구분 번호 2문자와 붙임표("–") 1문자를 포함해서 3문자를 빼서 품

별 코드의 문자수를 구하면 됩니다. 문자열의 문자수를 구하는 LEN 함수를 이용해서 식을 만들면 (ㄴ)이 됩니다. 이 식을 셀 F3에 넣어서 정확하게 「5」로 표시되면 이 식을 마지막 행까지 복사합니다.

(ㄴ) =LEN(B3) − 3

"셀 B3의 문자수로부터 3문자 빼기"

제품 기호 (품별 코드-구분번호)	품별 코드	구분 번호	구분 번호	품별 코드의 문자수
A1234-56			56	=LEN(B3)-3
R45678-24				

⇩

제품 기호 (품별 코드-구분번호)	품별 코드	구분 번호	구분 번호	품별 코드의 문자수
A1234-56			56	5
R45678-24				

[사용함수] LEN 함수 → LEN(문자열)

[3단계] 2단계의 결과를 이용해서 제품 기호로부터 품별 코드 추출

2단계에서 계산한 제품 코드의 문자수가 표시되어 있습니다. 3단계에서는 B열의 제품 기호의 좌측 끝에서부터 그 문자수만큼 품별 코드로서 추출합니다. 문자열의 좌측 끝에서부터 일부를 추출하는 것은 LEFT 함수입니다. 셀 B3의 문자열의 좌측 끝에서부터 셀 F3에 표시된 수의 문자수만큼 추출하는 식은 (ㄷ)이 됩니다. 이 식을 셀 G3에 넣어서 정확하게 「A1234」가 추출되면 이 식을 마지막 행까지 복사합니다.

(ㄷ) =LEFT(B3,F3)

"셀 B3의 문자열의 좌측 끝에서부터 셀 F3의 수의 문자수만큼 추출"

SUM | =LEFT(B3,F3)

	A	B	C	D	E	F	G
1							
2		제품 기호 (품별 코드-구분번호)	품별 코드	구분 번호	구분 번호	품별 코드의 문자수	품별 코드
3		A1234-56			56	5	=LEFT(B3,F3)
4		R45678-24			24	6	
5		P3245-94			94	5	
6		P2500-57			57	5	
7		B325-12			12	4	
8		Q5556-34			34	5	

G3 | =LEFT(B3,F3)

	A	B	C	D	E	F	G
1							
2		제품 기호 (품별 코드-구분번호)	품별 코드	구분 번호	구분 번호	품별 코드의 문자수	품별 코드
3		A1234-56			56	5	A1234
4		R45678-24			24	6	R45678
5		P3245-94			94	5	P3245
6		P2500-57			57	5	P2500
7		B325-12			12	4	B325
8		Q5556-34			34	5	Q5556

[사용함수] LEFT 함수 → LEFT(문자열, 문자수)

■ 정답

결합 연습에서는 다음의 세 단계로 분리해서 제품 기호로부터 구분 번호와 품별 코드를 추출했습니다. D열의 구분 번호에 관해서는 이미 (ㄱ)식만으로 추출이 가능했습니다만 C열만으로 품별 코드를 표시하기 위해서는 (ㄴ)과 (ㄷ)의 식을 결합할 필요가 있습니다. 그럼, 실제로 3행에 있는 맨 처음의 자료를 이용해서 (ㄴ)과 (ㄷ)의 식을 결합해서 정답을 만들어 보겠습니다.

(ㄱ) 제품 기호로부터 우측 2자리의 구분 번호 추출

(ㄴ) 각각의 제품 기호에서 품별 코드의 문자수 계산

(ㄷ) 2단계의 문자수를 이용해서 제품 기호로부터 품별 코드 추출

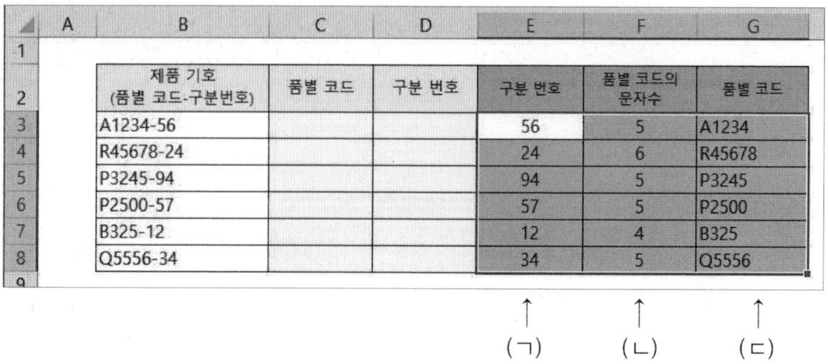

	A	B	C	D	E	F	G
1							
2		제품 기호 (품별 코드-구분번호)	품별 코드	구분 번호	구분 번호	품별 코드의 문자수	품별 코드
3		A1234-56			56	5	A1234
4		R45678-24			24	6	R45678
5		P3245-94			94	5	P3245
6		P2500-57			57	5	P2500
7		B325-12			12	4	B325
8		Q5556-34			34	5	Q5556

↑ (ㄱ) ↑ (ㄴ) ↑ (ㄷ)

먼저, 셀 E3에 포함되어 있는 (ㄱ)식에서 구분 번호를 표시할 수 있기 때문에 (ㄱ)식을 그대로 셀 D3에 넣습니다. 다음에 품별 코드에 관해서는 셀 F3에 (ㄴ)식이 들어 있어서 (ㄷ)식으로 셀 F3을 참조하고 있기 때문에 (ㄷ)식의 「F3」를 (ㄴ)식으로 변경할 수가 있습니다. 변경하면 두 개의 식이 조합되어 (ㄴ)+(ㄷ)의 식이 됩니다. 완성된 식을 셀 C3에 넣으면 제품 코드 「A1234」가 표시됩니다. 이것으로 C열과 D열에 품별 코드와 구분 번호를 추출하는 식이 들어가게 됩니다. 두 개의 식을 모두 마지막 행까지 드래그해서 복사하면 정답이 완성됩니다.

셀 F3 (ㄴ)=LEFT(B3,3)-3 (ㄱ) **=RIGHT(C3,2)**

셀 G3 (ㄷ)=LEFT(B3,F3)

⇩

(ㄴ)+(ㄷ) **=LEFT(B3, LEN(B3)-3)**

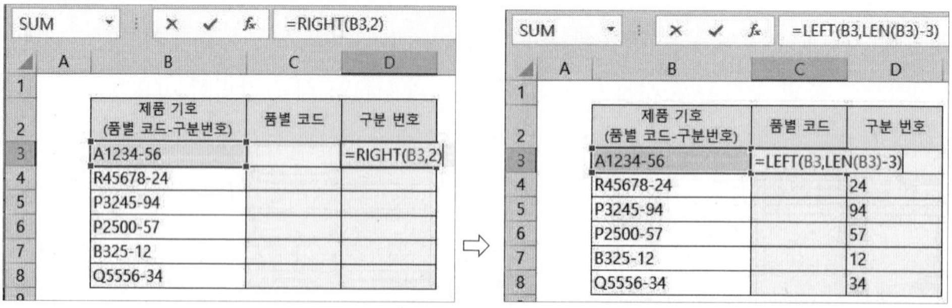

SUM =RIGHT(B3,2)

	A	B	C	D
1				
2		제품 기호 (품별 코드-구분번호)	품별 코드	구분 번호
3		A1234-56		=RIGHT(B3,2)
4		R45678-24		
5		P3245-94		
6		P2500-57		
7		B325-12		
8		Q5556-34		

⇨

SUM =LEFT(B3,LEN(B3)-3)

	A	B	C	D
1				
2		제품 기호 (품별 코드-구분번호)	품별 코드	구분 번호
3		A1234-56	=LEFT(B3,LEN(B3)-3)	
4		R45678-24		24
5		P3245-94		94
6		P2500-57		57
7		B325-12		12
8		Q5556-34		34

■ 정답용지

“D3=RIGHT(B3,3)” / “C3=LEFT(B3, LEN(B3) − 3)”

	A	B	C	D
1				
2		제품 기호 (품별 코드-구분번호)	품별 코드	구분 번호
3		A1234-56	A1234	56
4		R45678-24	R45678	24
5		P3245-94	P3245	94
6		P2500-57	P2500	57
7		B325-12	B325	12
8		Q5556-34	Q5556	34

■ 정리

B3의 문자열로부터 우측 끝에서부터 a문자를 삭제한 문자열을 추출한다.

=LEFT(B3, LEN(B3) − a)

B3 → 셀 B3, B3 → 셀 B3, a → a문자

SECTION 5 부서명을 공백 전후에서 부명과 팀명으로 분리

■ 사용 함수

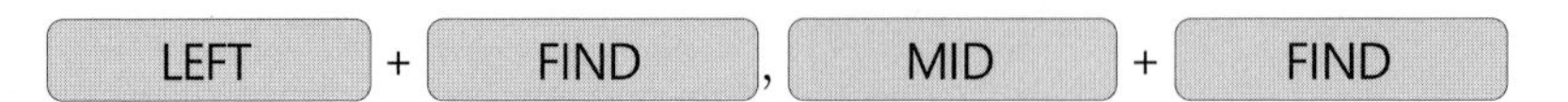

부명과 팀명의 사이에 공백으로 구분된 부서명의 일람표가 있습니다. 각 부서명으로부터 부명과 팀명을 추출하는 식을 C열, 팀명을 추출하는 식을 D열에 넣어주세요.

예 (부서명) 교무처 학사팀 → (부명) 교무처 (팀명) 학사팀

부서명	부명	팀명
교무처 학사팀		
입학처 입학지원팀		
인재개발처 학생장학팀		
사무처 시설관리팀		
기획처 전산운영팀		
교무처 교무팀		

■ 결합 연습

이 문제를 해결하는 순서와 사용하는 함수를 살펴보도록 하겠습니다. 그 순서는 다음의 3단계가 됩니다. 순서를 보면서 어떠한 함수를 결합할 것인지를 생각해 보겠습니다.

1단계: 부서명 중에서 공백이 몇 번째에 있는지 확인한다.

2단계: 부서명의 좌측 끝에서부터 1단계에서 구한 수의 1문자 앞까지 추출한다.

3단계: 1단계에서 구한 수의 1문자 뒤에서부터 부서명의 끝에까지 추출한다.

■ 결합 연습 용지

부서명	부명	팀명	공백은 몇 번째 문자?	부명(연습용)	팀명(연습용)
교무처 학사팀					
입학처 입학지원팀					
인재개발처 학생장학팀					
사무처 시설관리팀					
기획처 전산운영팀					
교무처 교무팀					

[1단계] 부서명 중에서 공백이 몇 번째에 있는지 조사

먼저, 연습용지의 E열을 이용해서 부서명에 포함된 공백이 몇 번째에 있는지 살펴봅니다. 여기에서는 지정한 문자가 문자열 중에서 몇 번째에 있는지를 조사하는 것은 FIND 함수입니다. 셀 B3의 문자열부터 공백의 위치를 구하는 식을 만들어 보면 (ㄱ)과 같은 식이 됩니다. 이 식을 「4」가 표시되면 올바른 식이므로 마지막 행까지 복사합니다.

(ㄱ) =FIND(" ", B3) ← (1) 큰 따옴표의 사이에 실제 공백을 입력
(2) 맨 처음부터 검색하기 때문에 시작 위치는 생략 가능
(3) 셀 B3의 문자열 중에서 공백이 몇 번째인지 조사

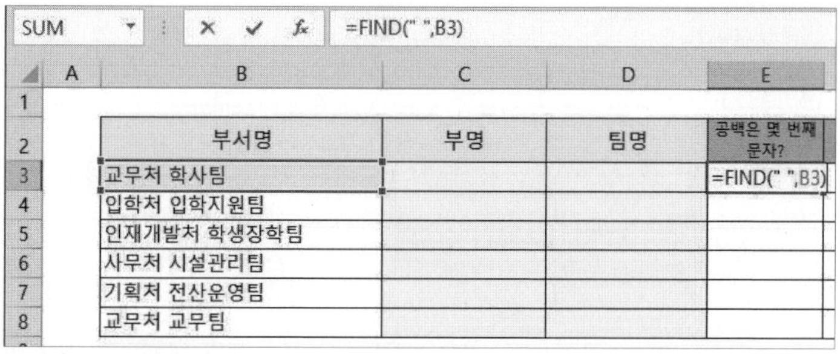

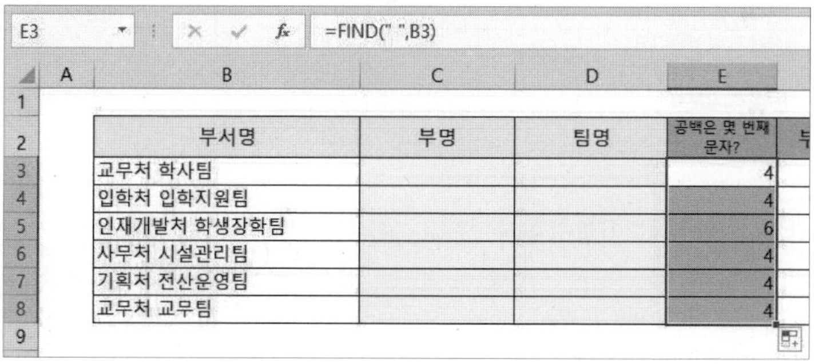

SUM | =FIND(" ",B3)

	A	B	C	D	E
1					
2		부서명	부명	팀명	공백은 몇 번째 문자?
3		교무처 학사팀			=FIND(" ",B3)
4		입학처 입학지원팀			
5		인재개발처 학생장학팀			
6		사무처 시설관리팀			
7		기획처 전산운영팀			
8		교무처 교무팀			

⇩

E3 | =FIND(" ",B3)

	A	B	C	D	E
1					
2		부서명	부명	팀명	공백은 몇 번째 문자?
3		교무처 학사팀			4
4		입학처 입학지원팀			4
5		인재개발처 학생장학팀			6
6		사무처 시설관리팀			4
7		기획처 전산운영팀			4
8		교무처 교무팀			4
9					

[사용함수] FIND 함수 → FIND(검색 문자열, 대상, [시작 위치])

[2단계] 부서명의 좌측 끝에서부터 1단계에서 조사한 수의 1문자 앞까지 추출

E열에는 1단계의 결과로 부서명 중에 공백의 위치가 표시되어 있습니다. 다음에 그 결과를 이용해서 부서명의 맨 처음부터 공백의 1문자 앞까지 추출합니다. 문자열을 좌측 끝에서부터 일부분을 추출하는 함수는 LEFT입니다. LEFT 함수를 사용해서 식을 만들면

(ㄴ)과 같이 됩니다. 이 식을 셀 F3에 넣어서 정확하게 「교무처」로 표시되면 이 식을 마지막 행까지 복사합니다.

(ㄴ) =LEFT(B3,E3 − 1)

"셀 B3의 좌측 끝에서부터 E3의 수치 빼기 1문자 추출"

SUM | =LEFT(B3,E3-1)

	A	B	C	D	E	F
1						
2		부서명	부명	팀명	공백은 몇 번째 문자?	부명(연습용)
3		교무처 학사팀			4	=LEFT(B3,E3-1)
4		입학처 입학지원팀			4	
5		인재개발처 학생장학팀			6	
6		사무처 시설관리팀			4	
7		기획처 전산운영팀			4	
8		교무처 교무팀			4	

⇩

F3 | =LEFT(B3,E3-1)

	A	B	C	D	E	F
1						
2		부서명	부명	팀명	공백은 몇 번째 문자?	부명(연습용)
3		교무처 학사팀			4	교무처
4		입학처 입학지원팀			4	입학처
5		인재개발처 학생장학팀			6	인재개발처
6		사무처 시설관리팀			4	사무처
7		기획처 전산운영팀			4	기획처
8		교무처 교무팀			4	교무처
9						

[사용함수] LEFT 함수 → LEFT(문자열, 문자수)

[3단계] 1단계의 구한 수의 1문자 뒤에서부터 부서명의 마지막까지 추출

F열에 추출한 부명이 표시됩니다. 2단계에서는 부서명의 공백의 뒤로부터 남은 문자열을 모두 추출합니다. 지정한 위치로부터 문자열을 추출하는 것은 MID 함수입니다. 이전과 유사한 방법으로 셀 E3의 숫자를 이용해서 B3으로부터 팀명을 추출하는 식은 (ㄷ)과 같습니다. 여기서 중요한 것은 문자열 전체의 문자수보다 큰 수치를 인수 「문자수」로 지정하는 것입니다. 식을 마지막 행까지 복사할 것을 고려해서 어느 부서명의 문자수보다도 큰 수를 지정해야 합니다. 여기서는 99로 설정하겠습니다. 완성된 식을 셀 G3에 넣어서 정확하게 「학사팀」로 표시되면 마지막 행까지 복사합니다.

(ㄷ) =MID(B3,E3+1, 99) ←

(1) 문자수에 문자열 전체의 문자수를 초과한 수치를 지정하면 문자열의 마지막까지를 추출 가능

(2) 셀 B3의 문자열을 셀 E3의 숫자 더하기 1문자 번째까지 추출

SUM | =MID(B3,E3+1, 99)

	A	B	C	D	E	F	G
1							
2		부서명	부명	팀명	공백은 몇 번째 문자?	부명(연습용)	팀명(연습용)
3		교무처 학사팀			4	교무처	=MID(B3,E3+1, 99)
4		입학처 입학지원팀			4	입학처	
5		인재개발처 학생장학팀			6	인재개발처	
6		사무처 시설관리팀			4	사무처	
7		기획처 전산운영팀			4	기획처	
8		교무처 교무팀			4	교무처	

⇩

G3 | =MID(B3,E3+1, 99)

	A	B	C	D	E	F	G
1							
2		부서명	부명	팀명	공백은 몇 번째 문자?	부명(연습용)	팀명(연습용)
3		교무처 학사팀			4	교무처	학사팀
4		입학처 입학지원팀			4	입학처	입학지원팀
5		인재개발처 학생장학팀			6	인재개발처	학생장학팀
6		사무처 시설관리팀			4	사무처	시설관리팀
7		기획처 전산운영팀			4	기획처	전산운영팀
8		교무처 교무팀			4	교무처	교무팀
9							

[사용함수] MID 함수 → MID(문자열, 시작 위치, 문자수)

■ 정답

결합 연습에서는 다음의 세 단계로 분리해서 부명과 팀명을 추출했습니다. 지금부터는 문제의 해답이 되도록 C열과 D열만으로 부명과 팀명을 표시하는 식을 만들어 보도록 하겠습니다. 실제로 3행에 있는 맨 처음의 자료를 이용해서 (ㄱ)에서 (ㄷ)까지의 식을 결합해서 정답을 만들어 보겠습니다.

(ㄱ) 부서명 중에서 공백이 몇 번째에 있는지 조사

(ㄴ) 부서명의 좌측 끝에서부터 (ㄱ)에서 구해진 공백의 위치의 1문자 앞까지를 추출

(ㄷ) (ㄱ)에서 구한 공백의 1문자 뒤에서부터 부서명의 끝까지 추출

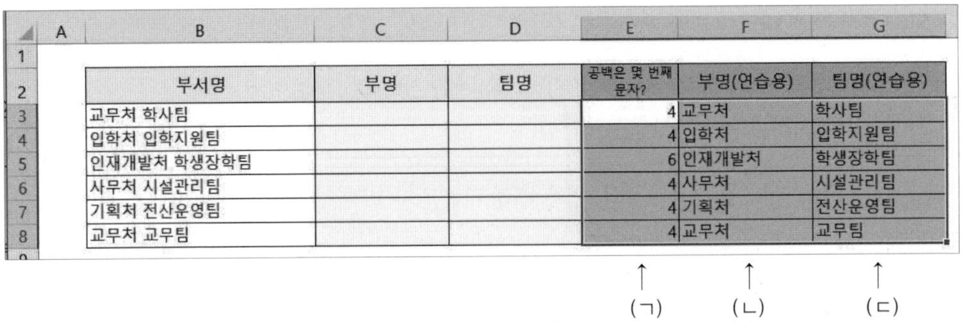

	A	B	C	D	E	F	G
1							
2		부서명	부명	팀명	공백은 몇 번째 문자?	부명(연습용)	팀명(연습용)
3		교무처 학사팀			4	교무처	학사팀
4		입학처 입학지원팀			4	입학처	입학지원팀
5		인재개발처 학생장학팀			6	인재개발처	학생장학팀
6		사무처 시설관리팀			4	사무처	시설관리팀
7		기획처 전산운영팀			4	기획처	전산운영팀
8		교무처 교무팀			4	교무처	교무팀

↑ (ㄱ) ↑ (ㄴ) ↑ (ㄷ)

먼저, (ㄱ)과 (ㄴ)의 식을 결합해서 「부명」를 표시하는 식을 만듭니다. 셀 E3에는 식 (ㄱ)이 들어있으며, 식 (ㄴ)에서 셀 E3을 참조하고 있기 때문에 아래의 식과 같이 식 (ㄴ)의 「E3」을 식 (ㄱ)으로 변경하면 식 (ㄱ)+(ㄴ)이 됩니다. 같은 방식으로 「팀명」을 추출한 식 (ㄷ)에서도 셀 E3을 참조하고 있기 때문에 여기에서도 「E3」를 식 (ㄱ)으로 변경하면 식 (ㄱ)+(ㄷ)이 되고 하나의 식으로 결합될 수 있습니다.

완성된 두 개의 식을 각각 셀 C3과 D3에 넣습니다. 올바르게 「교무처」과 「학사팀」으로 표시되면, 그 두 식을 마지막 행까지 드래그 복사하면 완성됩니다.

셀 E3 (ㄱ)=FIND(" ",B3)

〖부명〗
(ㄴ)=LEFT(B3,E3 − 1)
↓
(ㄱ)+(ㄴ)
=LEFT(B3,FIND(" ",B3) − 1)

〖팀명〗
(ㄴ)=MID(B3,E3+1,99)
↓
(ㄱ)+(ㄷ)
=MID(B3,FIND(" ",B3)+1,99)

■ 정답용지

"C3=LEFT(B3,FIND(" ",B3) − 1)"

SUM | =LEFT(B3,FIND(" ",B3)-1)

	A	B	C	D
1				
2		부서명	부명	팀명
3		교무처 학사팀	=LEFT(B3,FIND(" ",B3)-1)	
4		입학처 입학지원팀		
5		인재개발처 학생장학팀		
6		사무처 시설관리팀		
7		기획처 전산운영팀		
8		교무처 교무팀		

"D3=MID(B3,FIND(" ",B3)+1,99)"

SUM | =MID(B3,FIND(" ",B3)+1,99)

	A	B	C	D	E
1					
2		부서명	부명	팀명	
3		교무처 학사팀	교무처	=MID(B3,FIND(" ",B3)+1,99)	
4		입학처 입학지원팀	입학처		
5		인재개발처 학생장학팀	인재개발처		
6		사무처 시설관리팀	사무처		
7		기획처 전산운영팀	기획처		
8		교무처 교무팀	교무처		

D3 | =MID(B3,FIND(" ",B3)+1,99)

	A	B	C	D
1				
2		부서명	부명	팀명
3		교무처 학사팀	교무처	학사팀
4		입학처 입학지원팀	입학처	입학지원팀
5		인재개발처 학생장학팀	인재개발처	학생장학팀
6		사무처 시설관리팀	사무처	시설관리팀
7		기획처 전산운영팀	기획처	전산운영팀
8		교무처 교무팀	교무처	교무팀

■ **정리**

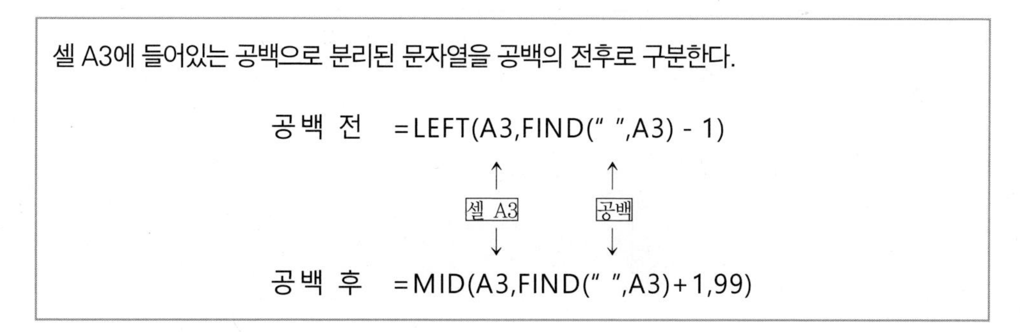
셀 A3에 들어있는 공백으로 분리된 문자열을 공백의 전후로 구분한다.

공백 전 =LEFT(A3,FIND(" ",A3) - 1)

셀 A3 공백

공백 후 =MID(A3,FIND(" ",A3)+1,99)

TIP : 수치를 문자열로 입력하는 방법

숫자를 문자열로 입력할 경우가 있습니다. 예를 들면 「000123」이라 하는 상품 코드를 엑셀에 입력하려고 하면 엑셀은 알아서 「123」라는 숫자로 변환하게 됩니다. 적어도 「000123」이라고 하는 6문자로 이용하고 싶기 때문에 그대로는 상품 코드로 사용할 수 없습니다.

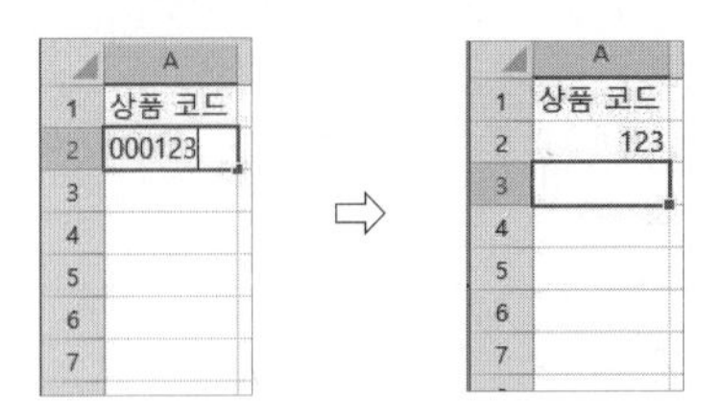

숫자를 문자열로 입력하는 방법은 몇 가지 있습니다. 그러나 상품 코드와 같이 많은 셀에 입력하고 싶은 경우는 입력하고 싶은 셀 범위에 미리 표기 형식을 설정해 두는 방법이 편리합니다. A2로부터 A7까지의 셀에 상품 코드를 입력하고 싶은 경우는 다음의 그림과 같이 셀 범위를 선택한 상태에서 우측 마우스 클릭해서 「셀 서식」을 선택합니다. 셀의 서식 설정 화면이 나타나면 「표시 형식」 탭에서 「텍스트」을 선택하고 「OK」를 클릭하면, A2로부터 A7까지의 셀 범위의 표기 형식이 문자열에 설정됩니다.

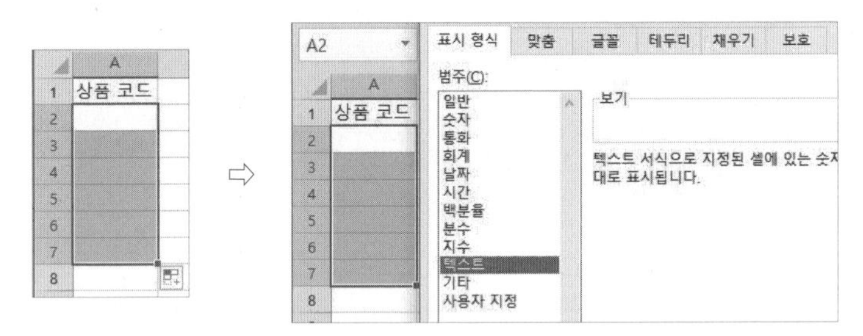

표시 형식을 문자열로 설정하면, 다시 한 번 셀 A2에 「000123」을 입력합니다. 올바르게 문자열 「000123」이 표시됩니다.

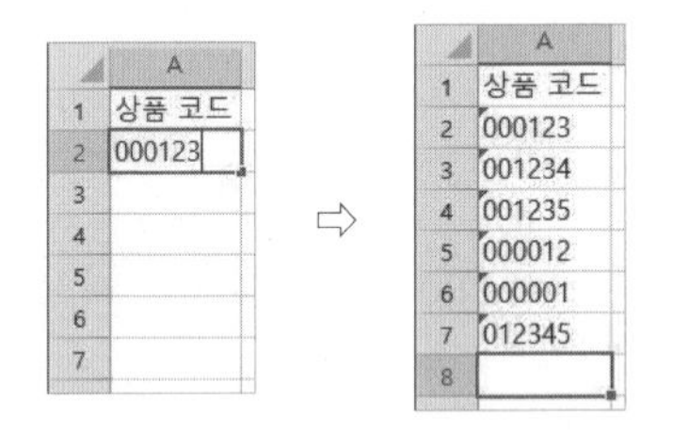

이 방법으로 입력하면 「12 − 25」와 같이 붙임표(하이픈, “ − ”)이 사이에 포함된 숫자를 입력해도 「12월25일」와 날짜로 변환시키지 않고 입력할 수 있습니다.

CHAPTER 8

날짜 및 시간 함수의 결합

SECTION 1 토요일에는 「♠」, 일요일에는 「∞」를 표시

■ 사용 함수

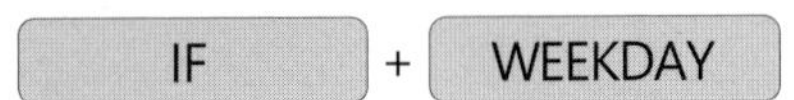

연월일이 입력된 표가 있습니다. 각각의 날짜에 대해서 토요일이면 「♠」, 일요일이면 「∞」으로 표시하는 식을 C열에 넣어주세요.

	A	B	C
1			
2		년월일	♠:토 ∞:일
3		2017-05-01	
4		2017-05-02	
5		2017-05-03	
6		2017-05-04	
7		2017-05-05	
8		2017-05-06	
9		2017-05-07	
10		2017-05-08	
11		2017-05-09	

■ 결합 연습

이 문제를 해결하는 순서와 사용하는 함수를 살펴보도록 하겠습니다. 우선 IF 함수와의 결합입니다. 아래의 3개의 단계로 순서를 작성하게 됩니다. 순서를 보면서 어떠한 함수를 결합할 것인지를 생각해 보겠습니다.

[1단계] 날짜의 요일을 조사한다.

[2단계] 토요일이면 「♠」를 표시한다.

[3단계] 일요일이면 「∞」를 표시한다.

■ 결합 연습용 시트

	A	B	C	D	E	F
1						
2		년월일	♠:토 ∞:일	요일을 나타내는 숫자	토요일이면 ♠	일요일이면 ∞
3		2017-05-01				
4		2017-05-02				
5		2017-05-03				
6		2017-05-04				
7		2017-05-05				
8		2017-05-06				
9		2017-05-07				
10		2017-05-08				
11		2017-05-09				

[1단계] 날짜의 요일 조사

연습 용지의 D열을 이용해서 날짜의 요일을 조사합니다. 날짜로부터 요일을 조사하는 함수는 WEEKDAY입니다. WEEKDAY 함수를 이용해서 셀 B3의 날짜의 요일을 조사하는 식은 (ㄱ)이 됩니다. 이 식을 셀 D3에 넣습니다. 「2017/5/1」은 월요일, 인수(종류)를 생략했기 때문에 「2」로 표시되어 올바른 식이 확인되었음으로 마지막 행까지 복사를 합니다.

(ㄱ) =WEEKDAY(B3)

"셀 B3의 날짜의 요일 조사"

인수(종류)	일	월	화	수	목	금	토
1 혹은 생략	1	2	3	4	5	6	7

⇩

년월일	♠:토 ∞:일	요일을 나타내는 숫자	토
2017-05-01		2	
2017-05-02		3	
2017-05-03		4	
2017-05-04		5	
2017-05-05		6	
2017-05-06		7	
2017-05-07		1	
2017-05-08		2	
2017-05-09		3	

[사용함수] WEEKDAY 함수 → WEEKDAY(날짜, [종류])

[2단계] 토요일이면 「♠」로 표시

D열에는 요일을 표시하는 숫자가 표시되어 있습니다. 2 단계에서는 요일이 토요일이면 「♠」를 표시하는 식에 IF 함수를 이용합니다. 셀 D3이 토요일을 나타내는 숫자 7이면 「♠」을 표시하는 식은 (ㄴ)과 같습니다. 셀 D3은 7이 아니기 때문에 이 식을 셀 E3에 넣으면 「FALSE」로 표시됩니다. 맞는 식이 들어가면 마지막 행까지 복사합니다.

(ㄴ) =IF(D3=7,"♠")
"셀 D3이 7이면 「♠」을 표시"

년월일	♠:토 ∞:일	요일을 나타내는 숫자	토요일이면 ♠	일
2017-05-01		=IF(D3=7,"♠")		
2017-05-02		3		
2017-05-03		4		
2017-05-04		5		
2017-05-05		6		
2017-05-06		7		
2017-05-07		1		
2017-05-08		2		
2017-05-09		3		

⇨

년월일	♠:토 ∞:일	요일을 나타내는 숫자	토요일이면 ♠	일
2017-05-01		2	FALSE	
2017-05-02		3	FALSE	
2017-05-03		4	FALSE	
2017-05-04		5	FALSE	
2017-05-05		6	FALSE	
2017-05-06		7	♠	
2017-05-07		1	FALSE	
2017-05-08		2	FALSE	
2017-05-09		3	FALSE	

[사용함수] IF 함수 → IF(논리식, TRUE의 경우, FALSE의 경우)

[3단계] 일요일이면 「∞」로 표시

E열에는 요일이 토요일이면 「♠」, 토요일 이외이면 「FALSE」로 표시되어 있습니다. 다음은 또 하나의 조건인 「일요일이면 ∞」를 표시하는 것입니다. 2 단계와 같은 방법으로 셀 D3이 일요일(숫자 1)이며 「∞」를 표시하는 식은 (ㄷ)이 됩니다. 이 식을 셀 F3에 넣어서 「FALSE」로서 올바른 결과가 나오면 그 식을 마지막 행까지 복사합니다.

(ㄷ) =IF(D3=1,"∞")

"셀 D3이 1이면 「∞」를 표시"

	A	B	C	D	E	F
1						
2		년월일	♠:토 ∞:일	요일을 나타내는 숫자	토요일이면 ♠	일요일이면 ∞
3		2017-05-01		2		=IF(D3=1,"∞")
4		2017-05-02		3	FALSE	
5		2017-05-03		4	FALSE	
6		2017-05-04		5	FALSE	
7		2017-05-05		6	FALSE	
8		2017-05-06		7	♠	
9		2017-05-07		1	FALSE	
10		2017-05-08		2	FALSE	
11		2017-05-09		3	FALSE	

⇩

	A	B	C	D	E	F
1						
2		년월일	♠:토 ∞:일	요일을 나타내는 숫자	토요일이면 ♠	일요일이면 ∞
3		2017-05-01		2	FALSE	FALSE
4		2017-05-02		3	FALSE	FALSE
5		2017-05-03		4	FALSE	FALSE
6		2017-05-04		5	FALSE	FALSE
7		2017-05-05		6	FALSE	FALSE
8		2017-05-06		7	♠	FALSE
9		2017-05-07		1	FALSE	∞
10		2017-05-08		2	FALSE	FALSE
11		2017-05-09		3	FALSE	FALSE

[사용함수] IF 함수 → IF(논리식, TRUE의 경우, FALSE의 경우)

■ 정답

결합 연습에서는 다음 3개의 단계로 분리해서 토요일이면 「♠」, 일요일이면 「∞」를 표시했습니다. 여기서부터는 문제의 정답으로 C열만을 이용해서 토요일이면 「♠」, 일요일이면 「∞」를 나타내 보도록 하겠습니다. 그럼, 3행에 있는 맨 처음의 자료를 이용해서 식 (ㄱ)부터 (ㄷ)의 결합해 보도록 하겠습니다.

(ㄱ) 날짜의 요일을 조사한다.
(ㄴ) (ㄱ)이 토요일이면 「♠」를 표시한다.
(ㄷ) (ㄴ)가 일요일이면 「∞」를 표시한다.

	A	B	C	D	E	F
1						
2		년월일	♠:토 ∞:일	요일을 나타내는 숫자	토요일이면 ♠	일요일이면 ∞
3		2017-05-01		2	FALSE	FALSE
4		2017-05-02		3	FALSE	FALSE
5		2017-05-03		4	FALSE	FALSE
6		2017-05-04		5	FALSE	FALSE
7		2017-05-05		6	FALSE	FALSE
8		2017-05-06		7	♠	FALSE
9		2017-05-07		1	FALSE	∞
10		2017-05-08		2	FALSE	FALSE
11		2017-05-09		3	FALSE	FALSE

↑ (ㄱ) ↑ (ㄴ) ↑ (ㄷ)

먼저 식 (ㄱ)을 각각 (ㄴ)과 (ㄷ)의 식과 결합시킵니다. 식 (ㄴ)과 (ㄷ)에 관해서는 결합 연습에서 생략했던 FALSE를 표기합니다.

셀 D3 (ㄱ)=WEEKDAY(B3)

〖토요일이면 「♠」〗
(ㄴ)=IF(D3=7,"♠",FALSE)
↓
(ㄱ)+(ㄴ)
=IF(WEEKDAY(B3)=7,"♠",FALSE)

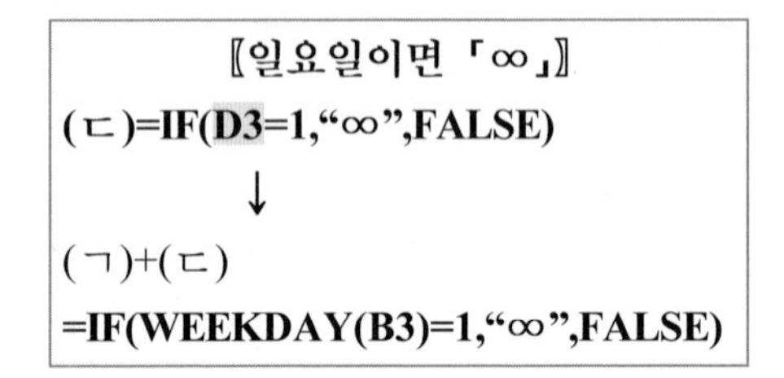
〖일요일이면 「∞」〗
(ㄷ)=IF(D3=1,"∞",FALSE)
↓
(ㄱ)+(ㄷ)
=IF(WEEKDAY(B3)=1,"∞",FALSE)

여기서는 순서도를 이용해서 처리를 보면서 두 개의 IF 함수를 조합해 보도록 하겠습니다. (ㄱ)+(ㄴ)의 식이 FALSE의 경우, (ㄱ)+(ㄷ)의 식이 적용됩니다. 식 (ㄱ)+(ㄴ)의 FALSE를 (ㄱ)+(ㄷ)의 식으로 변경하게 됩니다. 그러나 (ㄱ)+(ㄷ)이 FALSE의 경우는 아무것도 표시하지 않기 때문에 「“”」으로 변경합니다. 이러한 과정을 통해서 (ㄱ)+(ㄴ)과 (ㄱ)+(ㄷ)의 식을 결합해서 (ㄱ)+(ㄴ)+(ㄷ)의 식이 만들어 집니다. 이 식을 셀 C3에 넣어서 마지막 행까지 복사를 하면 정답이 됩니다.

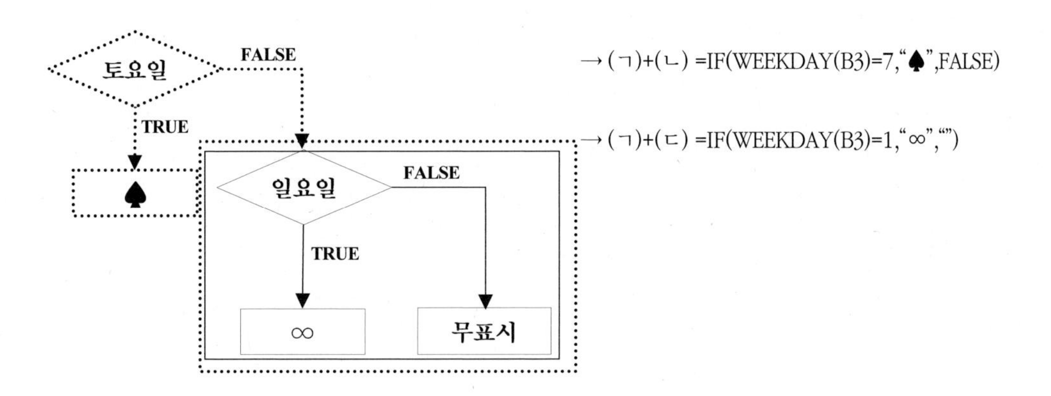

■ **정답 용지**

(ㄱ)+(ㄴ)+(ㄷ) =IF(WEEKDAY(B3)〉=7,“♠”,IF(WEEKDAY(B3)=1,“∞”,“”)

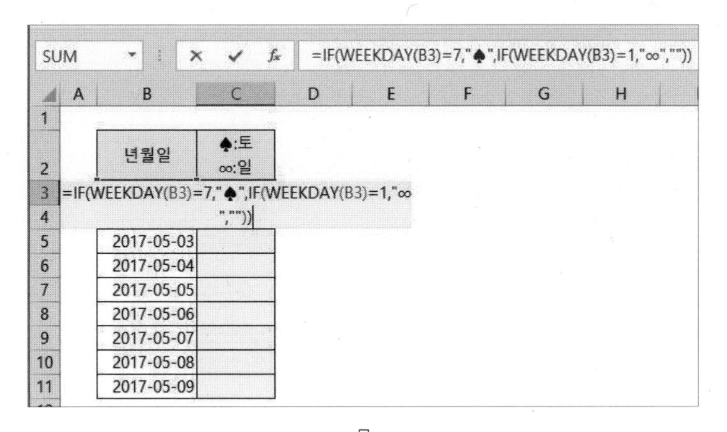

⇩

	A	B	C
1			
2		년월일	♠:토 ∞:일
3		2017-05-01	
4		2017-05-02	
5		2017-05-03	
6		2017-05-04	
7		2017-05-05	
8		2017-05-06	♠
9		2017-05-07	∞
10		2017-05-08	
11		2017-05-09	
12			

■ 정리

셀 C3에 들어있는 날짜가 토요일이면「♠」, 일요일이면「∞」로 표시한다.

=IF(WEEKDAY(C3)>=7,"♠",IF(WEEKDAY(C3)=1,"∞",""))

↑ 셀 C3 ↑ 셀 C3

SECTION 2 시간별, 분별 설정된 단가로 수당 계산

■ 사용 함수

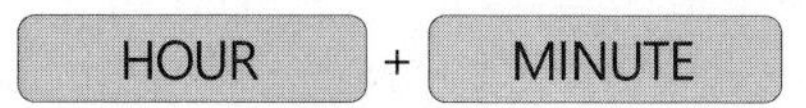

1시간 단위로 3,000원, 1시간 미만은 1분 단위로 500원의 요금이 발생하는 업무가 있습니다. C열에 「시간:분」의 형식으로 근무 시간의 합계가 기록되어 있습니다. 근무 시간에 대응하는 수당이 D열에 표시되도록 식을 입력하여 주세요.

	A	B	C	D
1				
2		년월일	근무시간합계 (시간 : 분)	수당
3		5-13	7:22	
4		5-14	6:51	
5		5-15	5:21	
6		5-16	8:13	
7		5-17	6:11	
8		5-18	7:12	
9		5-19	6:21	

■ 결합 연습

이 문제를 해결하는 순서와 사용하는 함수를 살펴보도록 하겠습니다. 다음의 3개의 단계로 순서를 작성합니다. 순서를 보면서 어떠한 함수를 결합할 것인지를 생각해 보겠습니다.

[1단계] 근무 시간으로부터 「시간」을 얻는다.

[2단계] 근무 시간으로부터 「분」을 얻는다.

[3단계] 1~2단계의 결과를 이용해서 수당을 계산한다.

■ 결합 연습 시트

	A	B	C	D	E	F	G
1							
2		년월일	근무시간합계 (시간 : 분)	수당	시간	분	수당계산
3		5-13	7:22				
4		5-14	6:51				
5		5-15	5:21				
6		5-16	8:13				
7		5-17	6:11				
8		5-18	7:12				
9		5-19	6:21				

[1단계] 근무 시간으로부터 「시간」 생성

처음에는 결합 연습 시트의 E열을 이용해서 작업 시간의 합계 데이터로부터 「○시간」 부분만을 추출합니다. 시간의 데이터로부터 「시」만을 추출하는 것은 HOUR 함수입니다. HOUR 함수를 이용해서 셀 C3으로부터 「○시간」를 추출하는 식은 (ㄱ)이 됩니다. 이 식을 셀 E3에 넣어서 「7」이 되면 올바른 식이므로 마지막 행까지 복사를 합니다.

(ㄱ) = HOUR(C3)

"셀 C3으로부터 「시간」만을 추출"

SUM | =HOUR(C3)

	A	B	C	D	E	F	G
1							
2		년월일	근무시간합계 (시간 : 분)	수당	시간	분	수당계산
3		5-13	7:22		=HOUR(C3)		
4		5-14	6:51				
5		5-15	5:21				
6		5-16	8:13				
7		5-17	6:11				
8		5-18	7:12				
9		5-19	6:21				

⇩

E3 | =HOUR(C3)

	A	B	C	D	E	F	G
1							
2		년월일	근무시간합계 (시간 : 분)	수당	시간	분	수당계산
3		5-13	7:22		7		
4		5-14	6:51		6		
5		5-15	5:21		5		
6		5-16	8:13		8		
7		5-17	6:11		6		
8		5-18	7:12		7		
9		5-19	6:21		6		

[사용함수] HOUR 함수 → HOUR(시간)

[2단계] 근무 시간으로부터 「분」 생성

E열에는 1단계에서 얻은 「시간」이 표시되어 있습니다. 다음은, 동일한 근무 시간으로부터 「분」만을 추출해 봅니다. 시간으로부터 「분」을 추출하는 것은 MINUTE 함수입니다. MINUTE 함수를 이용해서 셀 C3으로부터 「분」를 추출하는 식은 (ㄴ)이 됩니다. 이 식을 셀 F3에 넣어서 「22」로 표시되면 올바른 식이므로 이 식을 마지막 행까지 복사를 합니다.

(ㄴ) =MINUTE(C3)

"셀 C3으로부터 「분」만을 추출"

SUM | =MINUTE(C3)

	A	B	C	D	E	F	G
1							
2		년월일	근무시간합계 (시간 : 분)	수당	시간	분	수당계산
3		5-13	7:22		7	=MINUTE(C3)	
4		5-14	6:51		6		
5		5-15	5:21		5		
6		5-16	8:13		8		
7		5-17	6:11		6		
8		5-18	7:12		7		
9		5-19	6:21		6		

⇩

F3 | =MINUTE(C3)

	A	B	C	D	E	F	G
1							
2		년월일	근무시간합계 (시간 : 분)	수당	시간	분	수당계산
3		5-13	7:22		7	22	
4		5-14	6:51		6	51	
5		5-15	5:21		5	21	
6		5-16	8:13		8	13	
7		5-17	6:11		6	11	
8		5-18	7:12		7	12	
9		5-19	6:21		6	21	

[사용함수] MINUTE 함수 → MINUTE(시간)

[3단계] 1~2단계의 결과를 이용해서 수당 계산

E열과 F열에 「시간」과 「분」이 추출되어 있습니다. 3단계에서는 그 「시간」과 「분」을 이용해서 근무 시간을 계산합니다. 여기서 함수는 사용하지 않고 계산식을 넣습니다. 셀 E3과 F3에 각각의 단위(1시간=3,000원과 1시간 미만 1분=500원)를 곱해서 합산하는 식을 만들면 (ㄷ)이 됩니다. 이 식을 셀 G3에 넣어서 3000×7+500×22원의 결과 「32,000」로 표시되면 올바른 식이므로 이 식을 마지막 행까지 복사를 합니다.

▶ (ㄷ) =3,000*E3+500*F3

"3000×셀 E3과 500*셀 F3을 합산"

SUM | =3000*E3+500*F3

	A	B	C	D	E	F	G	H
1								
2		년월일	근무시간합계 (시간 : 분)	수당	시간	분	수당계산	
3		5-13	7:22		7	22	=3000*E3+500*F3	
4		5-14	6:51		6	51		
5		5-15	5:21		5	21		
6		5-16	8:13		8	13		
7		5-17	6:11		6	11		
8		5-18	7:12		7	12		
9		5-19	6:21		6	21		

⇩

G3 | =3000*E3+500*F3

	A	B	C	D	E	F	G
1							
2		년월일	근무시간합계 (시간 : 분)	수당	시간	분	수당계산
3		5-13	7:22		7	22	32,000
4		5-14	6:51		6	51	43,500
5		5-15	5:21		5	21	25,500
6		5-16	8:13		8	13	30,500
7		5-17	6:11		6	11	23,500
8		5-18	7:12		7	12	27,000
9		5-19	6:21		6	21	28,500

■ 정답

결합 연습에서는 다음 3개의 단계로 분리해서 수당을 계산했습니다. 여기서는 문제의 정답이 되도록 D열만을 이용해서 수당을 계산해 보도록 하겠습니다. 실제로 3행의 데이터를 이용해서 (ㄱ)~(ㄷ)의 식을 결합하는 것입니다.

(ㄱ) 근무 시간의 합계로부터 「시간」을 추출한다.

(ㄴ) 근무 시간의 합계로부터 「분」을 추출한다.

(ㄷ) (ㄱ)과 (ㄴ)을 이용해서 수당을 계산한다.

	A	B	C	D	E	F	G
1							
2		년월일	근무시간합계 (시간 : 분)	수당	시간	분	수당계산
3		5-13	7:22		7	22	32,000
4		5-14	6:51		6	51	43,500
5		5-15	5:21		5	21	25,500
6		5-16	8:13		8	13	30,500
7		5-17	6:11		6	11	23,500
8		5-18	7:12		7	12	27,000
9		5-19	6:21		6	21	28,500

↑ (ㄱ) ↑ (ㄴ) ↑ (ㄷ)

연습 시트의 셀 E3에는 식 (ㄱ), 셀 F3에는 식 (ㄴ)이 들어있습니다. 또, (ㄷ)의 식에서 셀 E3과 셀 F3을 참조하고 있기 때문에 식 (ㄷ)의 「E3」과 「F3」을 각각 (ㄱ)과 (ㄴ)의 식으로 변경하면 (ㄱ)+(ㄴ)+(ㄷ)의 식이 되고 모든 식을 결합할 수가 있습니다.

완성된 (ㄱ)+(ㄴ)+(ㄷ)의 식을 셀 D3에 넣어서 「32,000」이 되면 올바른 식이므로 이 식을 마지막 행까지 복사를 합니다.

셀 E3 (ㄱ)=HOUR(C3)　　　　셀 F3 (ㄴ)=MINUTE(C3)

(ㄷ)=3,000*E3+500*F3

⇩

(ㄱ)+(ㄴ)+(ㄷ) **=3,000*HOUR(C3)+500*MINUTE(C3)**

SUM　×　✓　fx　=3000*HOUR(C3)+500*MINUTE(C3)

	A	B	C	D	E	F	G
1							
2		년월일	근무시간합계 (시간 : 분)	수당			
3		5-13	7:22	=3000*HOUR(C3)+500*MINUTE(C3)			
4		5-14	6:51				
5		5-15	5:21				
6		5-16	8:13				
7		5-17	6:11				
8		5-18	7:12				
9		5-19	6:21				

■ 정답 시트

D3 =3000*HOUR(C3)+500*MINUTE(C3)

	A	B	C	D	E	F	G
1							
2		년월일	근무시간합계 (시간 : 분)	수당			
3		5-13	7:22	32,000			
4		5-14	6:51	43,500			
5		5-15	5:21	25,500			
6		5-16	8:13	30,500			
7		5-17	6:11	23,500			
8		5-18	7:12	27,000			
9		5-19	6:21	28,500			

■ 정리

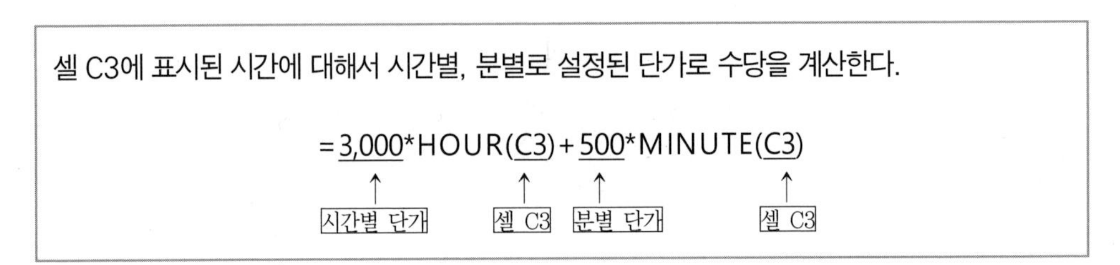

SECTION 3 8자리 숫자를 날짜로 변경

■ 사용 함수

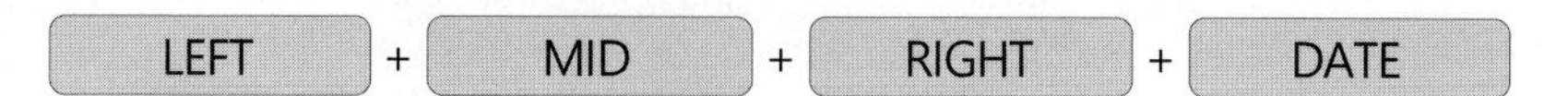

날짜를 나타내는 8자리 숫자의 일람표입니다. 좌측 4자리가 「년」, 다음의 2자리가 「월」, 우측의 2자리가 「일」을 나타내고 있습니다. C열에 식을 넣어서 숫자의 데이터를 날짜로 변환하세요.

예 20170513 → 2017/05/13

	A	B	C
1			
2		날짜(숫자)	날짜
3		20170513	
4		20130301	
5		20111225	
6		20020301	
7		20160523	
8		20170801	
9		20230505	

■ 결합 연습

이 문제를 해결하는 순서와 사용하는 함수를 살펴보도록 하겠습니다. 다음의 4개의 단계로 순서를 작성합니다. 순서를 보면서 어떠한 함수를 결합할 것인지를 생각해 보겠습니다.

[1단계] 8자리 숫자로부터 「년」을 나타내는 좌측 4자리를 추출한다.

[2단계] 8자리 숫자로부터 「월」을 나타내는 다음의 2자리를 추출한다.

[3단계] 8자리 숫자로부터 「일」을 나타내는 우측 2자리를 추출한다.

[4단계] 추출한 「년」, 「월」, 「일」을 이용해서 날짜 데이터를 만든다.

■ 결합 연습 시트

	A	B	C	D	E	F	G
1							
2		날짜(숫자)	날짜	년	월	일	날짜 변환
3		20170513					
4		20130301					
5		20111225					
6		20020301					
7		20160523					
8		20170801					
9		20230505					

[1단계] 8자리 숫자로부터 「년」을 나타내는 4자리 추출

먼저 연습 시트의 D열을 이용해서 8자리의 숫자로부터 「년」을 나타내는 우측 4자리를 추출합니다. 여기서는 좌측부터 문자열을 추출하는 LEFT 함수를 사용합니다. 8자리 숫자는 문자열은 아니지만 함수식을 넣으면 정확하게 첫머리부터 4자리가 추출됩니다. 셀 B3의 좌측으로부터 4문자를 추출하는 식 (ㄱ)을 셀 D3에 넣어서 「2017」이 되면 이 식은 올바른 식이므로 마지막 행까지 복사를 합니다.

(ㄱ) = LEFT(B3,4)

"셀 B3의 좌측으로부터 4문자 추출"

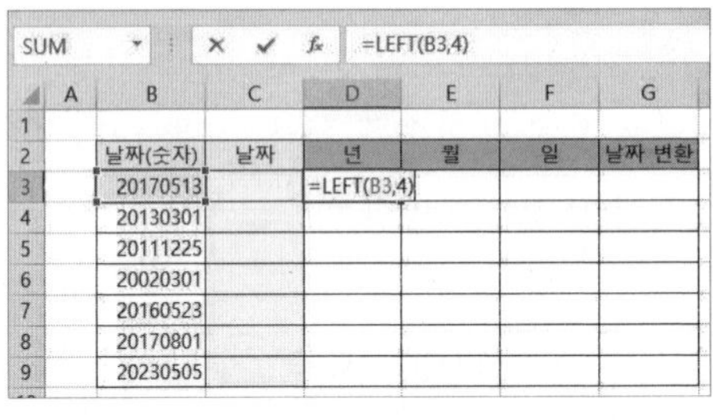

SUM | =LEFT(B3,4)

	A	B	C	D	E	F	G
1							
2		날짜(숫자)	날짜	년	월	일	날짜 변환
3		20170513		=LEFT(B3,4)			
4		20130301					
5		20111225					
6		20020301					
7		20160523					
8		20170801					
9		20230505					

D9 | =LEFT(B9,4)

	A	B	C	D	E	F	G
1							
2		날짜(숫자)	날짜	년	월	일	날짜 변환
3		20170513		2017			
4		20130301		2013			
5		20111225		2011			
6		20020301		2002			
7		20160523		2016			
8		20170801		2017			
9		20230505		2023			

[사용함수] LEFT 함수 → LEFT(문자열,문자수)

[2단계] 8자리 숫자로부터 「월」을 나타내는 다음의 2자리 추출

D열에는 1단계에서 얻은 「년」을 나타내는 문자열이 표시되어 있습니다. 다음은 「월」을 나타내는 2자리를 추출하겠습니다. 문자열을 중간에서부터 일부를 추출하는 함수는 자주 이용되고 있는 MID 함수입니다. MID 함수를 이용해서 셀 B3의 5번째 문자부터 2문자를 추출하는 식 (ㄴ)을 셀 E3에 넣어서 「05」로 표시되면 이 식은 올바른 식이므로 마지막 행까지 복사를 합니다.

(ㄴ) =MID(B3,5,2)

"셀 B3의 5번째 문자부터 2문자 추출"

SUM | =MID(B3,5,2)

	A	B	C	D	E	F	G
1							
2		날짜(숫자)	날짜	년	월	일	날짜 변환
3		20170513		2017	=MID(B3,5,2)		
4		20130301		2013			
5		20111225		2011			
6		20020301		2002			
7		20160523		2016			
8		20170801		2017			
9		20230505		2023			

⇩

E3 | =MID(B3,5,2)

	A	B	C	D	E	F	G
1							
2		날짜(숫자)	날짜	년	월	일	날짜 변환
3		20170513		2017	05		
4		20130301		2013	03		
5		20111225		2011	12		
6		20020301		2002	03		
7		20160523		2016	05		
8		20170801		2017	08		
9		20230505		2023	05		

[사용함수] MID 함수 → MID(문자열,시작 위치, 문자수)

[3단계] 8자리 숫자로부터 「일」을 나타내는 우측 2자리 추출

이전 단계까지 「년」과 「일」이 추출되었습니다. 3단계에서는 동일한 방법으로 8자리 숫자로부터 「일」을 추출합니다. 우측 2자리를 추출해야 되기 때문에 문자열을 우측으로부터 추출하는 RIGHT 함수를 이용해서 셀 B3의 우측 2문자를 추출하는 식 (ㄷ)을 셀 F3에 넣어서 「13」로 표시되면 올바른 식이므로 이 식을 마지막 행까지 복사를 합니다.

(ㄷ) =RIGHT(B3,2)

"셀 B3의 우측 2자리 추출"

SUM | =RIGHT(B3,2)

	A	B	C	D	E	F	G
1							
2		날짜(숫자)	날짜	년	월	일	날짜 변환
3		20170513		2017	05	=RIGHT(B3,2)	
4		20130301		2013	03		
5		20111225		2011	12		
6		20020301		2002	03		
7		20160523		2016	05		
8		20170801		2017	08		
9		20230505		2023	05		

⇩

F3 | =RIGHT(B3,2)

	A	B	C	D	E	F	G
1							
2		날짜(숫자)	날짜	년	월	일	날짜 변환
3		20170513		2017	05	13	
4		20130301		2013	03	01	
5		20111225		2011	12	25	
6		20020301		2002	03	01	
7		20160523		2016	05	23	
8		20170801		2017	08	01	
9		20230505		2023	05	05	

[사용함수] RIGHT 함수 → RIGHT(문자열,문자수)

[4단계] 추출한「년」,「월」,「일」을 이용해서 날짜 데이터 작성

3단계까지「년」,「월」,「일」이 모두 추출되었습니다. 4단계에서는 얻어진「년」,「월」,「일」로부터 날짜 데이터를 만듭니다. 년·월·일로부터 날짜 데이터를 만드는 함수는 DATE 함수입니다. (ㄹ)의 식에서 셀 D3, E3, F3을 연월일로 하는 날짜 데이터를 만들 수 가 있습니다. 완성된 식을 셀 G3에 넣어서「2017 – 05 – 13」로 표시되면 올바른 식이므로 이 식을 마지막 행까지 복사를 합니다.

(ㄷ) =DATE(D3,,E3,F3)

"셀 D3을「년」, E3을「월」, F3을「일」로 하는 날짜 데이터 생성"

SUM | =DATE(D3,E3,F3)

	A	B	C	D	E	F	G	H
1								
2		날짜(숫자)	날짜	년	월	일	날짜 변환	
3		20170513		2017	05	13	=DATE(D3,E3,F3)	
4		20130301		2013	03	01		
5		20111225		2011	12	25		
6		20020301		2002	03	01		
7		20160523		2016	05	23		
8		20170801		2017	08	01		
9		20230505		2023	05	05		

⇩

G3 | =DATE(D3,E3,F3)

	A	B	C	D	E	F	G
1							
2		날짜(숫자)	날짜	년	월	일	날짜 변환
3		20170513		2017	05	13	2017-05-13
4		20130301		2013	03	01	2013-03-01
5		20111225		2011	12	25	2011-12-25
6		20020301		2002	03	01	2002-03-01
7		20160523		2016	05	23	2016-05-23
8		20170801		2017	08	01	2017-08-01
9		20230505		2023	05	05	2023-05-05

[사용함수] DATE 함수 → DATE(년,월,일)

■ 정답

결합 연습에서는 다음 4개의 단계로 분리해서 날짜 데이터로 변환하였습니다. 여기서는 문제의 정답이 되도록 C열만을 이용해서 8자리 숫자로부터 날짜 데이터로 직접 변환합니다.

(ㄱ) 8자리 숫자로부터 좌측 4자리 「년」을 추출한다.
(ㄴ) 8자리 숫자로부터 다음의 2자리 「월」을 추출한다.
(ㄷ) 8자리 숫자로부터 우측 2자리 「일」을 추출한다.
(ㄹ) 「년」, 「월」, 「일」로부터 날짜 데이터를 만든다.

	A	B	C	D	E	F	G
1							
2		날짜(숫자)	날짜	년	월	일	날짜 변환
3		20170513		2017	05	13	2017-05-13
4		20130301		2013	03	01	2013-03-01
5		20111225		2011	12	25	2011-12-25
6		20020301		2002	03	01	2002-03-01
7		20160523		2016	05	23	2016-05-23
8		20170801		2017	08	01	2017-08-01
9		20230505		2023	05	05	2023-05-05

↑ (ㄱ) ↑ (ㄴ) ↑ (ㄷ) ↑ (ㄷ)

다음의 그림과 같이 실제로 3행의 데이터를 이용해서 (ㄱ)부터 (ㄹ)의 식을 결합하면 (ㄱ)+(ㄴ)+(ㄷ)+(ㄹ)의 식이 됩니다. 완성된 식을 셀 C3에 넣어서 「2017-05-13」이 되면 올바른 식이므로 이 식을 마지막 행까지 복사를 합니다.

셀 D3 (ㄱ)=LEFT(B3,4)　　셀 E3 (ㄴ)=MID(B3,5,2)　　셀 F3 (ㄷ)=RIGHT(B3,2))

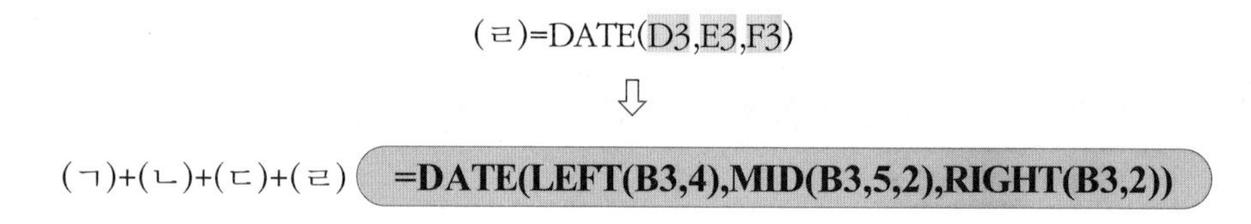

■ 정답 시트

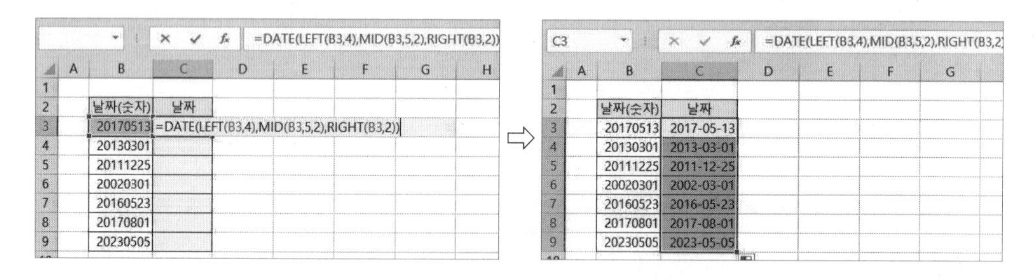

■ 정리

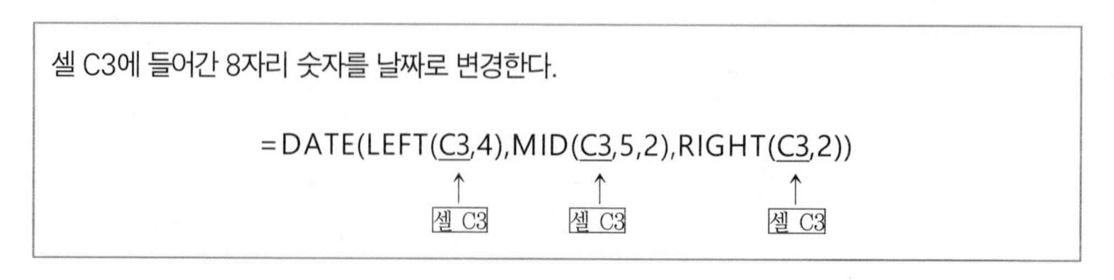

SECTION 4 근속 연수를 계산하여 「♡년 ♧개월」로 표시

■ 사용 함수

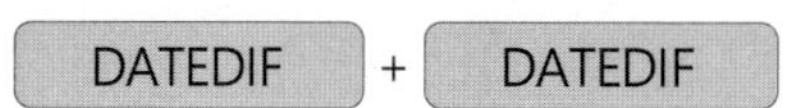

입사 연월일과 퇴사 연월일의 보기표입니다. 각각의 근속 년수를 「♡년 ♧개월」로 표시하는 식을 D열에 입력하세요.

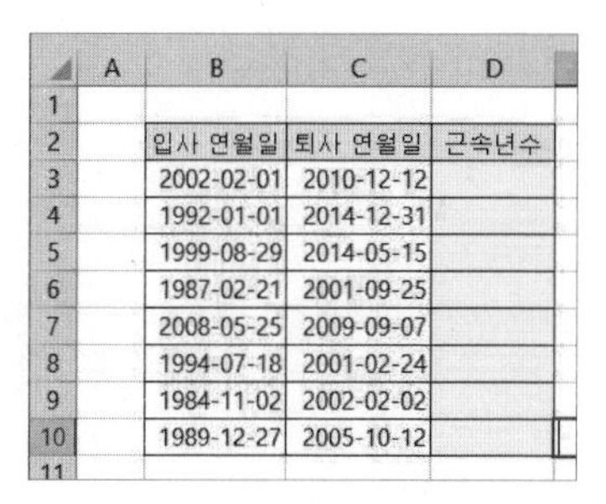

	A	B	C	D
1				
2		입사 연월일	퇴사 연월일	근속년수
3		2002-02-01	2010-12-12	
4		1992-01-01	2014-12-31	
5		1999-08-29	2014-05-15	
6		1987-02-21	2001-09-25	
7		2008-05-25	2009-09-07	
8		1994-07-18	2001-02-24	
9		1984-11-02	2002-02-02	
10		1989-12-27	2005-10-12	
11				

■ 결합 연습

이 문제를 해결하는 순서와 사용하는 함수를 살펴보도록 하겠습니다. 다음의 3개의 단계로 순서를 작성합니다. 순서를 보면서 어떠한 함수를 결합할 것인지를 생각해 보겠습니다.

[1단계] 근속 만 햇수를 구한다.

[2단계] 근속 기간 중, 1년이 되지 않은 달수를 구한다.

[3단계] 문자열을 연결해서 「♡년 ♧개월」의 형식으로 표시한다.

■ 결합 연습 시트

	A	B	C	D	E	F	G
1							
2		입사 연월일	퇴사 연월일	근속년수	근속 만 햇수	1년이 되지 않은 달수	♡년 ♧개월
3		2002-02-01	2010-12-12				
4		1992-01-01	2014-12-31				
5		1999-08-29	2014-05-15				
6		1987-02-21	2001-09-25				
7		2008-05-25	2009-09-07				
8		1994-07-18	2001-02-24				
9		1984-11-02	2002-02-02				
10		1989-12-27	2005-10-12				
11							

[1단계] 근속 만 햇수 구하기

먼저 연습 시트의 E열을 이용해서 근속 만 햇수를 계산합니다. 두 개의 날짜 사이의 기간을 구하는 함수 DATEDIF을 이용합니다. 그러나 만 햇수를 구하기 때문에 계산 단위의 인수로 「"Y"」을 지정합니다. 입사 연월일을 시작일, 퇴직 연월일을 종료일로 하는 만 햇수를 구하는 식을 구하면 (ㄱ)과 같습니다. 이 식을 셀 E3에 넣어서 「8」이 표시되면 이 식은 올바른 식이므로 마지막 행까지 복사를 합니다.

(ㄱ) = DATEDIF(B3,C3,"Y")

"셀 B3을 개시일, 셀 C3을 종료일로 하는 만 햇수를 구한다."

SUM | =DATEDIF(B3,C3,"Y")

	A	B	C	D	E	F	G
1							
2		입사 연월일	퇴사 연월일	근속년수	근속 만 햇수	1년이 되지 않은 달수	♡년 ♧개월
3		2002-02-01	2010-12-12		=DATEDIF(B3,C3,"Y")		
4		1992-01-01	2014-12-31				
5		1999-08-29	2014-05-15				
6		1987-02-21	2001-09-25				
7		2008-05-25	2009-09-07				
8		1994-07-18	2001-02-24				
9		1984-11-02	2002-02-02				
10		1989-12-27	2005-10-12				

⇩

E3 | =DATEDIF(B3,C3,"Y")

	A	B	C	D	E	F	G
1							
2		입사 연월일	퇴사 연월일	근속년수	근속 만 햇수	1년이 되지 않은 달수	♡년 ♧개월
3		2002-02-01	2010-12-12		8		
4		1992-01-01	2014-12-31		22		
5		1999-08-29	2014-05-15		14		
6		1987-02-21	2001-09-25		14		
7		2008-05-25	2009-09-07		1		
8		1994-07-18	2001-02-24		6		
9		1984-11-02	2002-02-02		17		
10		1989-12-27	2005-10-12		15		

[사용함수] DATEDIF 함수 → DATEDIF(시작일, 종료일, 계산 단위)

[2단계] 근속 기간 중에 1년이 되지 않은 달수 구하기

E열에는 「♡년 ♧개월」의 「♡년」에 해당하는 숫자가 표시되어 있습니다. 다음은 「♧개월」을 해당하는 달수를 구합니다. 여기에서도 DATEDIF 함수를 이용하며 계산 단위로 「YM」을 지정합니다. 근속 기간 중에 1년이 되지 않은 달수를 구하는 식은 (ㄴ)과 같습니다. 이 식을 셀 F3에 넣어서 「10」으로 표시되면 이 식은 올바른 식이므로 마지막 행까지 복사를 합니다.

(ㄴ) = DATEDIF(B3,C3,"YM")

"셀 B3을 개시일, 셀 C3을 종료일로 하는 기간 중에 1년이 되지 않은 달수를 구한다."

SUM | =DATEDIF(B3,C3,"YM")

	A	B	C	D	E	F	G
1							
2		입사 연월일	퇴사 연월일	근속년수	근속 만 햇수	1년이 되지 않은 달수	♡년 ♧개월
3		2002-02-01	2010-12-12		8	=DATEDIF(B3,C3,"YM")	
4		1992-01-01	2014-12-31		22		
5		1999-08-29	2014-05-15		14		
6		1987-02-21	2001-09-25		14		
7		2008-05-25	2009-09-07		1		
8		1994-07-18	2001-02-24		6		
9		1984-11-02	2002-02-02		17		
10		1989-12-27	2005-10-12		15		

⇩

F3 | =DATEDIF(B3,C3,"YM")

	A	B	C	D	E	F	G
1							
2		입사 연월일	퇴사 연월일	근속년수	근속 만 햇수	1년이 되지 않은 달수	♡년 ♧개월
3		2002-02-01	2010-12-12		8	10	
4		1992-01-01	2014-12-31		22	11	
5		1999-08-29	2014-05-15		14	8	
6		1987-02-21	2001-09-25		14	7	
7		2008-05-25	2009-09-07		1	3	
8		1994-07-18	2001-02-24		6	7	
9		1984-11-02	2002-02-02		17	3	
10		1989-12-27	2005-10-12		15	9	

[3단계] 문자열을 연결해서 「♡년 ♧개월」의 형식 표기

2단계까지 근속 만 햇수와 달수가 숫자로 얻어 졌습니다. 3단계에서는 함수는 사용하지 않고 문자열을 연결해서 「♡년 ♧개월」의 형식으로 표시합니다. 셀 E3, F3을 각각 "년", "개월"의 문자열과 「&」을 이용해서 연결하는 형식 「♡년 ♧개월」으로 표시하는 식은 (ㄷ)과 같습니다. 이 식을 셀 G3에 넣어서 「8년 10개월」로 표시되면 올바른 식이므로 이 식을 마지막 행까지 복사를 합니다.

(ㄷ) =E3&"년"&F3&"개월")

"[셀 E3]년 [셀 F3]개월의 문자열을 만든다."

SUM | =E3&"년 "&F3&"개월"

	A	B	C	D	E	F	G	H
1								
2		입사 연월일	퇴사 연월일	근속년수	근속 만 햇수	1년이 되지 않은 달수	♡년 ♧개월	
3		2002-02-01	2010-12-12		8	10	=E3&"년 "&F3&"개월"	
4		1992-01-01	2014-12-31		22	11		
5		1999-08-29	2014-05-15		14	8		
6		1987-02-21	2001-09-25		14	7		
7		2008-05-25	2009-09-07		1	3		
8		1994-07-18	2001-02-24		6	7		
9		1984-11-02	2002-02-02		17	3		
10		1989-12-27	2005-10-12		15	9		

⇩

G3 | =E3&"년 "&F3&"개월"

	A	B	C	D	E	F	G
1							
2		입사 연월일	퇴사 연월일	근속년수	근속 만 햇수	1년이 되지 않은 달수	♡년 ♧개월
3		2002-02-01	2010-12-12		8	10	8년 10개월
4		1992-01-01	2014-12-31		22	11	22년 11개월
5		1999-08-29	2014-05-15		14	8	14년 8개월
6		1987-02-21	2001-09-25		14	7	14년 7개월
7		2008-05-25	2009-09-07		1	3	1년 3개월
8		1994-07-18	2001-02-24		6	7	6년 7개월
9		1984-11-02	2002-02-02		17	3	17년 3개월
10		1989-12-27	2005-10-12		15	9	15년 9개월

■ 정답

결합 연습에서는 근속 년수를 계산해서 「♡년 ♧개월」의 형식으로 표시하는 것을 다음의 3개의 단계로 나누었습니다. 여기서는 문제의 정답이 되도록 D열만을 이용해서 동일한 형식으로 근속 년수를 표시하는 식을 만들어 봅니다. 실제로 3행의 데이터를 이용해서 (ㄱ)부터 (ㄷ)의 식으로 결합하는 것입니다.

(ㄱ) 근속 만 햇수를 구한다.
(ㄴ) 근속 기간 중, 1년이 되지 않은 달수를 구한다.
(ㄷ) 문자열을 연결해서 「♡년 ♧개월」의 형식으로 표시한다.

	A	B	C	D	E	F	G
1							
2		입사 연월일	퇴사 연월일	근속년수	근속 만 햇수	1년이 되지 않은 달수	♡년 ♧개월
3		2002-02-01	2010-12-12		8	10	8년 10개월
4		1992-01-01	2014-12-31		22	11	22년 11개월
5		1999-08-29	2014-05-15		14	8	14년 8개월
6		1987-02-21	2001-09-25		14	7	14년 7개월
7		2008-05-25	2009-09-07		1	3	1년 3개월
8		1994-07-18	2001-02-24		6	7	6년 7개월
9		1984-11-02	2002-02-02		17	3	17년 3개월
10		1989-12-27	2005-10-12		15	9	15년 9개월

↑ (ㄱ) ↑ (ㄴ) ↑ (ㄷ)

연습 시트의 셀 E3에 (ㄱ)의 식이 들어있고 셀 F3에는 (ㄴ)의 식이 들어가 있습니다. 문자열을 연결한 (ㄷ)의 식에서는 셀 E3과 F3을 참조하고 있기 때문에 식 (ㄷ)의 「E3」을 식 (ㄱ)으로 변경하고 「F3」을 식 (ㄴ)으로 변경합니다. 결과적으로 (ㄱ)+(ㄴ)+(ㄷ)과 같은 식이 되며 세 개의 식을 하나로 결합할 수가 있습니다.

완성된 식을 셀 D3에 넣어서 「8년 10개월」로 표시되면 올바른 식이므로 이 식을 마지막 행까지 복사를 합니다.

셀 E3 (ㄱ)=DATEDIF(B3,C3,"Y")   셀 F3 (ㄴ)=DATEDIF(B3,C3,"YM")

(ㄷ)=E3&"년 "&F3&"개월"

⇩

(ㄱ)+(ㄴ)+(ㄷ) **=DATEDIF(B3,C3,"Y")&"년 "&DATEDIF(B3,C3,"YM")&"개월"**

■ **정답 시트**

SUM | =DATEDIF(B3,C3,"Y")&"년 "&DATEDIF(B3,C3,"YM")&"개월

	A	B	C	D	E	F	G	H
1								
2		입사 연월일	퇴사 연월일	근속년수				
3		2002-02-01	2010-12-12	=DATEDIF(B3,C3,"Y")&"년 "&DATEDIF(B3,C3,"YM")&"개월"				
4		1992-01-01	2014-12-31					
5		1999-08-29	2014-05-15					
6		1987-02-21	2001-09-25					
7		2008-05-25	2009-09-07					
8		1994-07-18	2001-02-24					
9		1984-11-02	2002-02-02					
10		1989-12-27	2005-10-12					

⇩

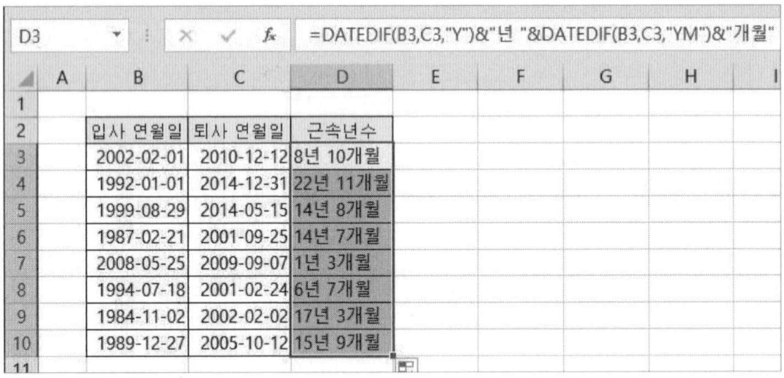

D3 | =DATEDIF(B3,C3,"Y")&"년 "&DATEDIF(B3,C3,"YM")&"개월"

	A	B	C	D	E	F	G	H
1								
2		입사 연월일	퇴사 연월일	근속년수				
3		2002-02-01	2010-12-12	8년 10개월				
4		1992-01-01	2014-12-31	22년 11개월				
5		1999-08-29	2014-05-15	14년 8개월				
6		1987-02-21	2001-09-25	14년 7개월				
7		2008-05-25	2009-09-07	1년 3개월				
8		1994-07-18	2001-02-24	6년 7개월				
9		1984-11-02	2002-02-02	17년 3개월				
10		1989-12-27	2005-10-12	15년 9개월				

■ **정리**

셀 B3을 시작일, 셀 C3을 종료일로 하는 기간 「♡년 ♧개월」로 표시한다.

=DATEDIF(B3,C3,"Y")&"년"&DATEDIF(B3,C3,"YM")&"개월"

B3: 셀 B3, C3: 셀 C3, "Y": 만 햇수를 구하는 인수 / B3: 셀 B3, C3: 셀 C3, "YM": 1년이 되지 않은 달수

SECTION 5 접수된 시간에 의해서 다른 출하일 표시

■ 사용 함수

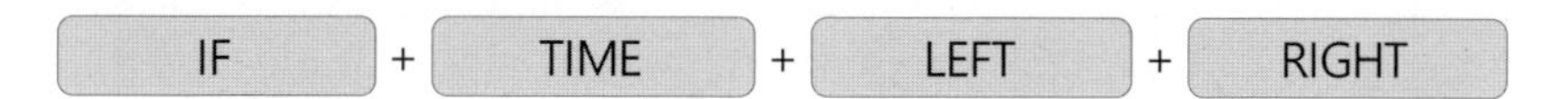

접수일, 마감 시간, 접수 시간이 기재된 출하 관리표가 있습니다. 접수 시간은 날짜마다 다른 시간이 설정되어 있고, 시간은 4자리 숫자로 표기되어 있습니다(예시 13:35 ⇒ 13시 35분). 마감 시간까지 접수된 것에 대해서는 접수일의 이튿날에 출하하고, 접수 시간을 지나서부터 접수된 것에 대해서는 사흗날에 출하하는 것으로 되어 있습니다. E열에 출하일을 표시하는 식을 넣어주세요.

	A	B	C	D	E
1					
2		접수일	마감 시간	접수 시간	출하일
3		2017-05-05	1200	16:17	
4		2017-05-06	1530	10:50	
5		2017-05-07	1300	11:20	
6		2017-05-08	1530	11:20	
7		2017-05-09	1400	14:39	
8		2017-05-10	1630	14:42	
9		2017-05-11	1400	18:17	
10		2017-05-12	1200	11:28	

■ 결합 연습

이 문제를 해결하는 순서와 사용하는 함수를 살펴보도록 하겠습니다. 다음의 3개의 단계로 순서를 작성합니다. 순서를 보면서 어떠한 함수를 결합할 것인지를 생각해 보겠습니다.

[1단계] 마감 시간의 「시」와 「분」을 구한다.

[2단계] 마감 시간의 「시」와 「분」을 시간 데이터로 변환한다.

[3단계] 접수 기간과 시간 데이터로 되어 있는 마감 시간을 비교해서 출하일을 구한다.

■ 결합 연습 시트

	A	B	C	D	E	F	G	H	I
1									
2		접수일	마감 시간	접수 시간	출하일	접수 시간 (시)	접수 시간 (분)	마감 시간 (시간 데이터)	출하일
3		2017-05-05	1200	16:17					
4		2017-05-06	1530	10:50					
5		2017-05-07	1300	11:20					
6		2017-05-08	1530	11:20					
7		2017-05-09	1400	14:39					
8		2017-05-10	1630	14:42					
9		2017-05-11	1400	18:17					
10		2017-05-12	1200	11:28					

[1단계] 마감 시간의 「시」와 「분」 구하기

먼저 연습 시트의 F열과 G열을 이용해서 4자리 숫자로 표시된 마감 시간에서 「시」와 「분」을 추출합니다. 「시」을 나타내는 앞쪽 2자리를 LEFT 함수, 「분」을 나타내는 뒤쪽 2자리를 RIGHT 함수로 추출하는 식은 각각 (ㄱ)a, (ㄴ)b와 같습니다. 이 식들을 셀 F3과 G3에 넣어서 「12」과 「00」이 표시되면 이들 식은 올바른 식이므로 C열과 D열의 마지막 행까지 복사를 합니다.

(ㄱ)a = LEFT(C3,2)

"셀 C3의 좌측 끝에서부터 2문자 추출한다"

SUM | × ✓ fx | =LEFT(C3,2)

	A	B	C	D	E	F	G
1							
2		접수일	마감 시간	접수 시간	출하일	접수 시간 (시)	접수 시간 (분)
3		2017-05-05	1200	16:17		=LEFT(C3,2)	
4		2017-05-06	1530	10:50			

(ㄱ)b = RIGHT(C3,2)

"셀 C3의 우측 끝에서부터 2문자 추출한다"

SUM | × ✓ fx | =RIGHT(C3,2)

	A	B	C	D	E	F	G
1							
2		접수일	마감 시간	접수 시간	출하일	접수 시간 (시)	접수 시간 (분)
3		2017-05-05	1200	16:17		12	=RIGHT(C3,2)
4		2017-05-06	1530	10:50		15	

⇩

G3 =RIGHT(C3,2)

	A	B	C	D	E	F	G
1							
2		접수일	마감 시간	접수 시간	출하일	접수 시간 (시)	접수 시간 (분)
3		2017-05-05	1200	16:17		12	00
4		2017-05-06	1530	10:50		15	30
5		2017-05-07	1300	11:20		13	00
6		2017-05-08	1530	11:20		15	30
7		2017-05-09	1400	14:39		14	00
8		2017-05-10	1630	14:42		16	30
9		2017-05-11	1400	18:17		14	00
10		2017-05-12	1200	11:28		12	00

[2단계] 마감 시간의 「시」와 「분」을 시간 데이터로 변환

F열과 G열에는 마감 시간의 「시」와 「분」이 표시되어 있습니다. 2단계에서는 이것을 이용해서 시간 데이터의 마감 시간을 만듭니다. 시 · 분 · 초로부터 시간 데이터를 만드는 것은 TIME 함수입니다. 셀 F3을 「시」, G3을 「분」으로 해서 시간 데이터를 만드는 식은 (ㄴ)이 됩니다. TIME 함수에는 인수 「초」도 생략할 수 없기 때문에 여기서는 0초를 지정합니다. 이 식을 셀 H3에 넣어서 「12:00」로 표시되면 이 식은 올바른 식이므로 마지막 행까지 복사를 합니다.

(ㄴ) = TIME(F3,G3,0)

"셀 F3을 개시일, 셀 C3을 「시」, G3을 「분」으로 하는 마감 시간을 시간 데이터로 한다"

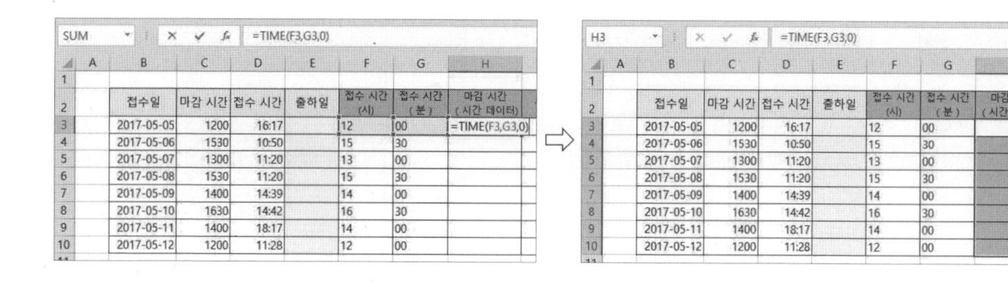

[사용함수] TIME 함수 → TIME(시, 분, 초)

[3단계] 접수 시간과 마감 시간을 비교해서 출하일 구하기

3단계에서는 시간 데이터로 변환된 마감 시간과 접수 시간을 비교해서 접수 시간이 마감 시간에 맞는지를 판단해서 출하일을 구합니다. 조건에 일치하지 않는 경우에 분리하는 함수는 IF입니다. 「접수 시간 〈= 마감 시간」이면 출하일은 「접수일 + 1」, 그 이외는 「접수일 + 2」로 하는 식은 (ㄷ)이 됩니다. 이 식을 셀 I3에 넣어서 「2017-05-07」로 표시되면 올바른 식이므로 이 식을 마지막 행까지 복사를 합니다.

▶ (ㄷ) =IF(D3〈=H3,B3+1,B3+2)

"셀 D3〈=셀 H3이면 '셀 B3+1'일, 그렇지 않으면 '셀 B3+2'일"

SUM | =IF(D3<=H3,B3+1,B3+2)

	A	B	C	D	E	F	G	H	I	J
1										
2		접수일	마감 시간	접수 시간	출하일	접수 시간 (시)	접수 시간 (분)	마감 시간 (시간 데이터)	출하일	
3		2017-05-05	1200	16:17		12	00	12:00	=IF(D3<=H3,B3+1,B3+2)	
4		2017-05-06	1530	10:50		15	30	15:30		
5		2017-05-07	1300	11:20		13	00	13:00		
6		2017-05-08	1530	11:20		15	30	15:30		
7		2017-05-09	1400	14:39		14	00	14:00		
8		2017-05-10	1630	14:42		16	30	16:30		
9		2017-05-11	1400	18:17		14	00	14:00		
10		2017-05-12	1200	11:28		12	00	12:00		

⇩

I3 | =IF(D3<=H3,B3+1,B3+2)

	A	B	C	D	E	F	G	H	I
1									
2		접수일	마감 시간	접수 시간	출하일	접수 시간 (시)	접수 시간 (분)	마감 시간 (시간 데이터)	출하일
3		2017-05-05	1200	16:17		12	00	12:00	2017-05-07
4		2017-05-06	1530	10:50		15	30	15:30	2017-05-07
5		2017-05-07	1300	11:20		13	00	13:00	2017-05-08
6		2017-05-08	1530	11:20		15	30	15:30	2017-05-09
7		2017-05-09	1400	14:39		14	00	14:00	2017-05-11
8		2017-05-10	1630	14:42		16	30	16:30	2017-05-11
9		2017-05-11	1400	18:17		14	00	14:00	2017-05-13
10		2017-05-12	1200	11:28		12	00	12:00	2017-05-13

[사용함수] IF 함수 → IF(논리식,TRUE의 경우, FALSE의 경우)

■ 정답

결합 연습에서는 아래의 세 개의 단계로 분리해서 출하일을 구했습니다. 여기서부터는 문제의 정답이 되도록 E열만을 이용해서 출하일을 구합니다. 실제로 3행에 있는 처음 데이터를 이용해서 (ㄱ)부터 (ㄷ)의 식을 결합합니다.

(ㄱ) 마감 시간의 「시」와 「분」을 구한다.
(ㄴ) 마감 시간을 시간 데이터로 변환한다.
(ㄷ) 접수 기간과 시간 데이터로 되어 있는 마감 시간을 비교해서 출하일을 구한다.

	A	B	C	D	E	F	G	H	I
1									
2		접수일	마감 시간	접수 시간	출하일	접수 시간 (시)	접수 시간 (분)	마감 시간 (시간 데이터)	출하일
3		2017-05-05	1200	16:17		12	00	12:00	2017-05-07
4		2017-05-06	1530	10:50		15	30	15:30	2017-05-07
5		2017-05-07	1300	11:20		13	00	13:00	2017-05-08
6		2017-05-08	1530	11:20		15	30	15:30	2017-05-09
7		2017-05-09	1400	14:39		14	00	14:00	2017-05-11
8		2017-05-10	1630	14:42		16	30	16:30	2017-05-11
9		2017-05-11	1400	18:17		14	00	14:00	2017-05-13
10		2017-05-12	1200	11:28		12	00	12:00	2017-05-13
11									

↑ (ㄱ) ↑ (ㄴ) ↑ (ㄷ)

연습 시트의 셀 F3에는 식 (ㄱ)a, 셀 G3에는 식 (ㄱ)b가 들어있습니다. 식 (ㄴ)에서 셀 F3과 G3을 참조하고 있기 때문에 식 (ㄴ)의 「F3」을 식 (ㄱ)a로 「G3」을 식 (ㄱ)b로 변경하면 셀 식 H3에 들어있는 식 (ㄴ)이 식 (ㄱ)+(ㄴ)으로 됩니다.

다음에 식 (ㄷ)에서는 셀 H3을 참조하고 있기 때문에 식 (ㄷ)의 「H3」을 식 (ㄱ)+(ㄴ)으로 변경하면 식 (ㄱ)+(ㄴ)+(ㄷ)이 되고, (ㄱ)부터 (ㄷ)까지를 하나로 결합시킬 수 있습니다.

완성된 식을 셀 E3에 넣어서 「2017 – 05 – 07」로 표시되면 올바른 식이므로 이 식을 마지막 행까지 복사를 합니다.

셀 F3 (ㄱ)a=LEFT(C3,2)　　셀 F3 (ㄱ)b=RIGHT(C3,2)

셀 H3 (ㄴ)=TIME(F3,G3,0)

⇒(ㄱ)+(ㄴ)=TIME(LEFT(C3,2),RIGHT(C3,2),0)

(ㄷ)=IF(D3〈=H3,B3+1,B3+2)

⇩

(ㄱ)+(ㄴ)+(ㄷ) **=IF(D3<=TIME(LEFT(C3,2),RIGHT(C3,2),0),B3+1,B3+2)**

■ **정답 시트**

SUM　× ✓ fx　=IF(D3<=TIME(LEFT(C3,2),RIGHT(C3,2),0),B3+1,B3+2)

	A	B	C	D	E	F	G	H	I
1									
2		접수일	마감 시간	접수 시간	출하일				
3		2017-05-05	1200	16:17	=IF(D3<=TIME(LEFT(C3,2),RIGHT(C3,2),0),B3+1,B3+2)				
4		2017-05-06	1530	10:50					
5		2017-05-07	1300	11:20					
6		2017-05-08	1530	11:20					
7		2017-05-09	1400	14:39					
8		2017-05-10	1630	14:42					
9		2017-05-11	1400	18:17					
10		2017-05-12	1200	11:28					

⇩

E3　× ✓ fx　=IF(D3<=TIME(LEFT(C3,2),RIGHT(C3,2),0),B3+1,B3+2)

	A	B	C	D	E	F	G	H
1								
2		접수일	마감 시간	접수 시간	출하일			
3		2017-05-05	1200	16:17	2017-05-07			
4		2017-05-06	1530	10:50	2017-05-07			
5		2017-05-07	1300	11:20	2017-05-08			
6		2017-05-08	1530	11:20	2017-05-09			
7		2017-05-09	1400	14:39	2017-05-11			
8		2017-05-10	1630	14:42	2017-05-11			
9		2017-05-11	1400	18:17	2017-05-13			
10		2017-05-12	1200	11:28	2017-05-13			
11								

■ 정리

셀 C3에 들어있는 4자리 숫자로 표시된 시간을 시간 데이터로 변환

=TIME(LEFT(C3,2),RIGHT(C3,2),0)

TIP : 날짜와 시간 데이터

엑셀에서 날짜가 입력된 셀을 복사할 경우, 「12345」와 같은 숫자가 되는 경우가 있습니다. 실제로는 엑셀 내부에서는 날짜의 데이터는 이와 같은 숫자로 관리되고 있습니다. 이 숫자는 시리얼 값이라 불리는 것으로 이것이 원래의 날짜 데이터의 정체입니다.

시리얼 값의 방식은 1900년 1월 1일을 「1」로 하고, 이후 하루 하나씩 더해 갑니다. 실험적으로 「1」로 숫자를 입력해서 셀 서식의 설정 화면에서 표시 형식을 날짜로 변경해 보면 다음과 같이 「1900/1/1」로 표시됩니다. 즉, 엑셀의 내부에서는 「1900/1/1」라고 하는 날짜는 값 1로서 저장되어 있고 표시 형식으로는 겉으로 보기에 날짜에 지나지 않습니다. 이 방식을 이해하면 날짜 셀에 3을 더해서 3일 후의 날짜가 구해지거나, 날짜가 들어있는 셀끼리의 계산이 가능하다는 것을 알 수 있습니다.

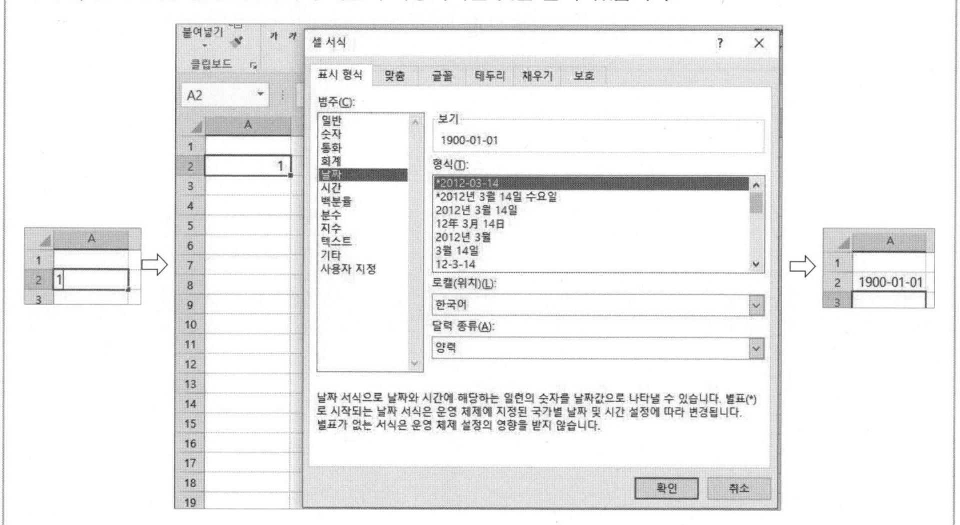

시간 데이터도 실제로는 이 시리얼 값으로 관리되고 있습니다. 위에서 1900년 1월 1일을 「1」로 하다고 했지만 정확하게 말하면 1900년 1월 1일 0시를 「1」로 합니다. 하루, 즉 24시간을 「1」로 다루기 때문에 시리얼 값 0.5는 12시간이 됩니다.

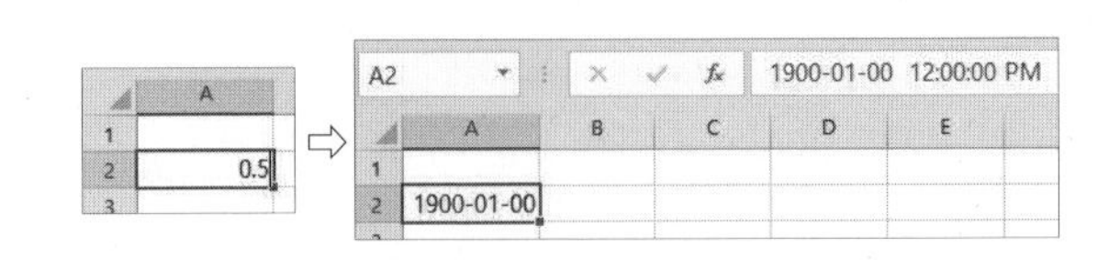

이번에는 셀에 「0.5」로 숫자를 입력해서 표시 형식을 「시간」으로 변경하면 다음과 같이 12시를 나타내는 표시가 됩니다. 또, 셀에 「=1/24」라고 하는 계산식을 넣으면 계산 결과는 「0.041666…」이 되지만 표시 형식을 「시간」으로 변경하면 「1:00:00」이 됩니다. 다시 말해서 시리얼 값은 정수 부분으로 날짜를 소수점 이하의 부분으로 시간을 관리하고 있습니다.

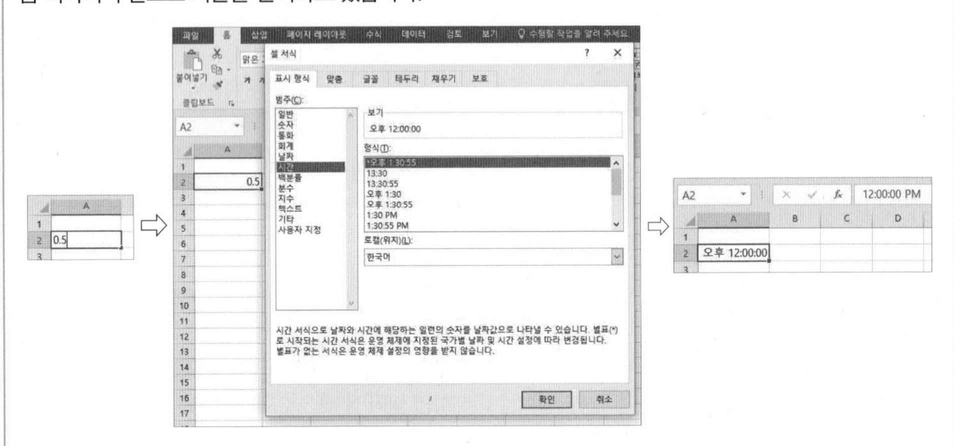

시리얼 값의 방식을 이용한 엑셀의 날짜·시간 데이터는 매우 편리하기 때문에 적극적으로 이용할 필요가 있습니다.

CHAPTER 9

차트 만들기

CHECK 알아두기

1. [차트 도구]의 [디자인] 탭

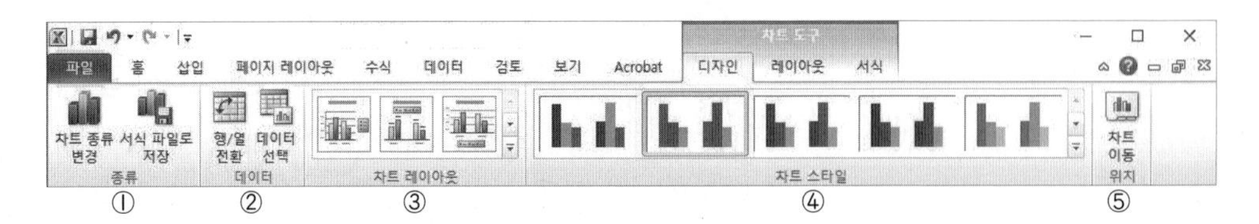

① [종류] 그룹 : 차트 종류를 변경하고 서식 파일로 저장합니다.

② [데이터] 그룹 : 원본 데이터를 행/열을 전환하고, 데이터를 선택합니다.

③ [차트 레이아웃] 그룹 : 차트 전체의 레이아웃을 변경할 수 있습니다.

④ [차트 스타일] 그룹 : 차트에서 다양한 스타일을 적용합니다.

⑤ [위치] 그룹 : 새 워크시트나 기존 워크시트로 이동할 수 있습니다.

2. [차트 도구]의 [레이아웃] 탭

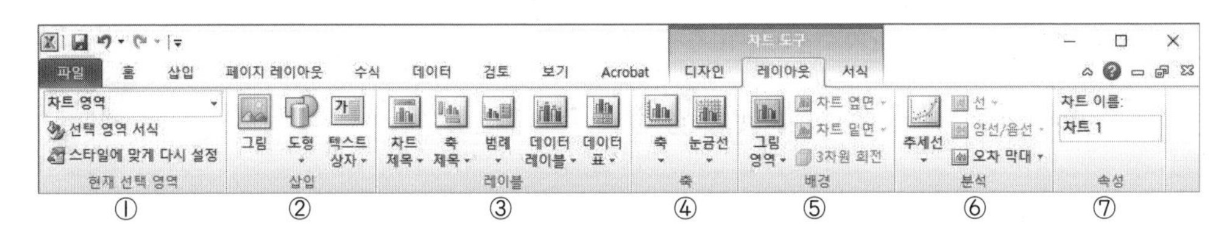

① [현재 선택 영역] 그룹 : 차트의 서식을 변경할 수 있습니다.

② [삽입] 그룹 : 그림, 도형, 텍스트 상자를 삽입할 수 있습니다.

③ [레이블] 그룹 : 차트제목, 축제목, 범례, 데이터레이블, 데이터표의 위치와 서식 등을 설정할 수 있습니다.

④ [축] 그룹 : 가로, 세로 축 및 눈금선을 표시하거나 해제합니다.

⑤ [배경] 그룹 : 차트의 그림 영역 서식을 지정하거나 3차원 차트일 때 차트 옆면, 밑면, 3차원 회전이 활성화되고 서식을 설정합니다.

⑥ [분석] 그룹 : 차트의 종류에 따라 데이터 변화 추세, 오차 막대 등을 표시합니다.

⑦ [속성] 그룹 : 시트에서 개체 순서를 지정하거나 VBA 작성시 참조하도록 이름을 지정합니다.

3. [차트 도구]의 [서식] 탭

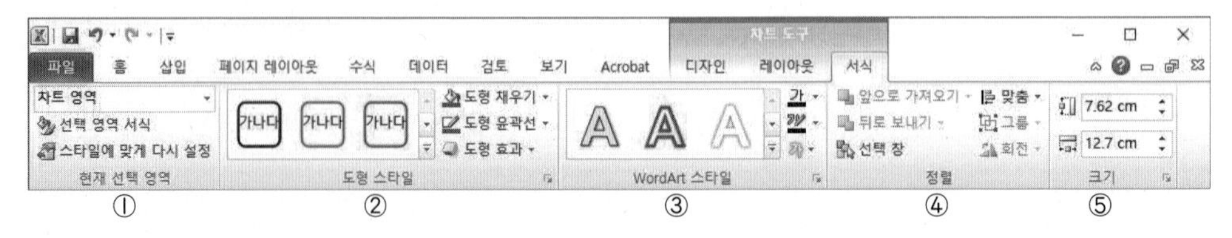

① [현재 선택 영역] 그룹 : 차트의 서식을 변경할 수 있습니다.

② [도형 스타일] 그룹 : 도형의 색 채우기나 윤곽선 지정, 도형 효과를 적용할 수 있습니다.

③ [WordArt 스타일] 그룹 : 차트 텍스트의 색 채우기나 윤곽선, 텍스트 효과를 적용할 수 있습니다.

④ [정렬] 그룹 : 개체의 순서를 앞, 뒤로 정렬하고 개체 맞춤과 개체 그룹, 개체 회전을 할 수 있습니다.

⑤ [크기] 그룹 : 개체의 가로, 세로의 크기를 지정합니다.

4. 〔그리기〕 도구의 〔서식〕 탭

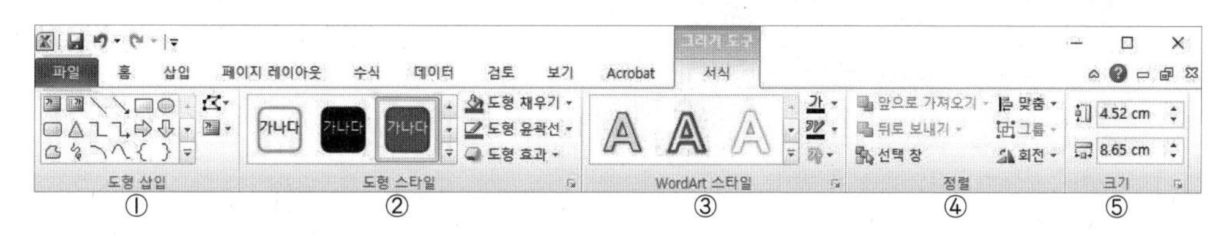

① [도형 삽입] 그룹 : 선, 기본 도형, 화살표, 수식 도형, 순서도 도형, 별, 현수막 및 설명 선 등을 이용해 다양한 도형이나 텍스트를 추가할 수 있습니다.

② [도형 스타일] 그룹 : 도형의 색 채우기나 윤곽선 지정, 도형 효과를 적용할 수 있습니다.

③ [WordArt] 스타일 그룹 : 차트 텍스트의 색 채우기나 윤곽선, 텍스트 효과를 적용할 수 있습니다.

④ [정렬] 그룹 : 개체의 순서를 앞, 뒤로 정렬하고 개체 맞춤과 개체 그룹, 개체 회전을 할 수 있습니다.

⑤ [크기] 그룹 : 개체의 가로, 세로의 크기를 지정합니다.

5. 〔그림 도구〕의 〔서식〕 탭

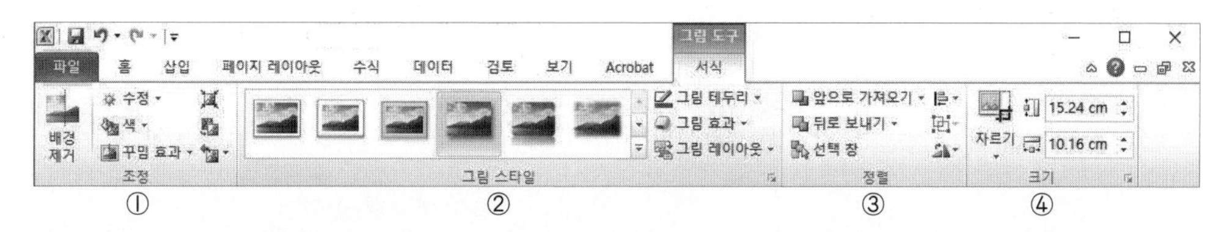

① [조정] 그룹 : 그림 배경 제거, 색, 꾸밈 효과를 적용하여 수정하고 그림 압축 등을 하여 변경한 그림 서식을 제거하여 원래대로 지정할 수 있습니다.

② [그림 스타일] 그룹 : 그림의 테두리 및 모양 등의 표시 스타일을 선택합니다.

③ [정렬] 그룹 : 선택한 개체의 순서를 앞, 뒤로 정렬하고 개체 맞춤과 개체 그룹, 개체 회전을 할 수 있습니다.

④ [크기] 그룹 : 선택한 개체를 자르거나 가로, 세로의 크기를 지정합니다.

CHECK 알아두기

6. 차트의 구성 요소

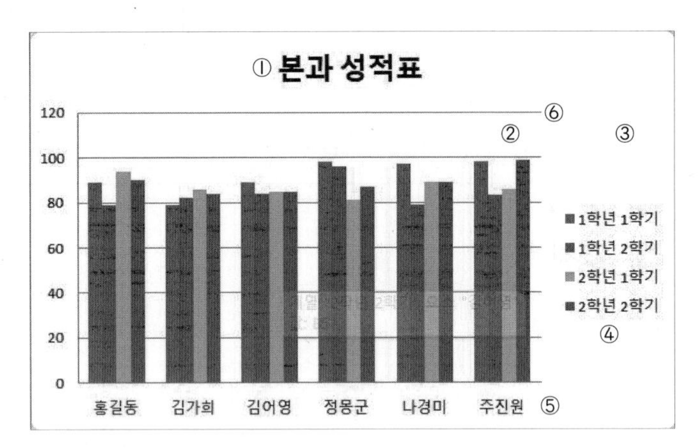

① [차트 제목] : 차트의 내용이 가지고 있는 제목을 입력합니다.

② [그림 영역] : 차트가 실제 나타나 있는 그래픽 영역 부분입니다. 모든 데이터는 이 영역에 표시됩니다.

③ [차트 영역] :차트 전체의 영역을 의미합니다. 차트 모든 요소를 이 영역에 표시됩니다.

④ [범례] : 차트의 데이터 계열이 가진 데이터를 바로 식별할 수 있게 해주는 표시 부분입니다. 위치는 상하좌우, 모서리에 자유롭게 설정할 수 있으며 계열의 내용이 많을수록 꼭 구분을 위해야 하기에 범례는 필수 부분입니다.

⑤ [데이터 계열] : 차트가 표시하는 모든 데이터 영역 부분입니다. 데이터 계열별로 다른 색으로 설정할 수 있으며, 계열 실제 값들을 표시할 수도 있습니다.

⑥ [눈금선] : X 축과 Y 축의 가로, 세로선을 의미합니다. 데이터는 연속적인 데이터를 표현하기 때문에 어느 부분의 값을 정확히 표현되기 위해 필요한 선으로 봅니다.

SECTION 1 차트 만들기

1.1 2차원 차트

01 CH9-1-1.xlsx 파일을 불러옵니다.

02 차트로 지정할 부분을 드래그하고 [삽입] 탭 – [차트] 그룹에서 차트 형식을 차례로 지정해 손쉽게 차트를 만들 수 있습니다.

03 [삽입] – [차트] – [세로막대형] – [2차원 세로 막대형] – [묶은 세로 막대형]을 선택하면 차트가 삽입됩니다.

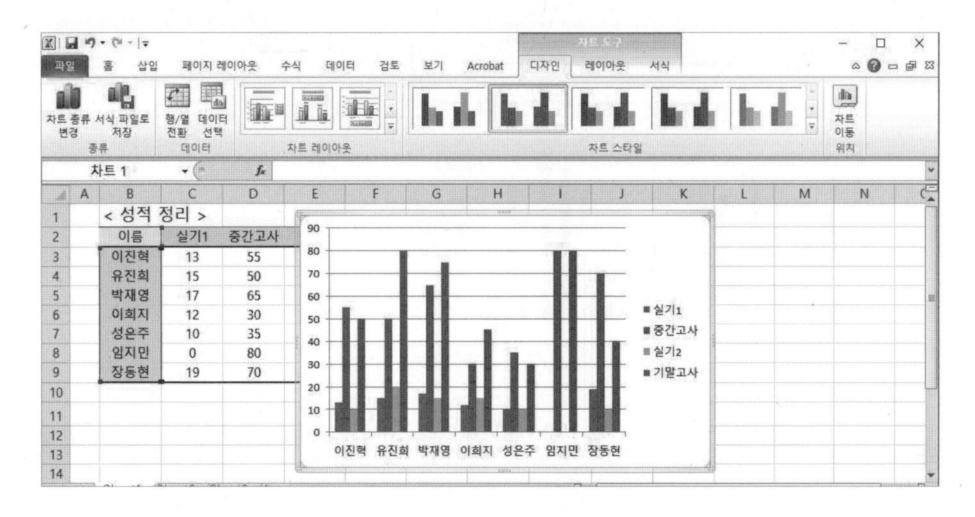

04 차트가 선택된 상태에서 [차트 도구]의 [레이아웃] 탭 – [레이블] 그룹 – [차트 제목]을 클릭하여 제목 서식을 지정할 수 있습니다.

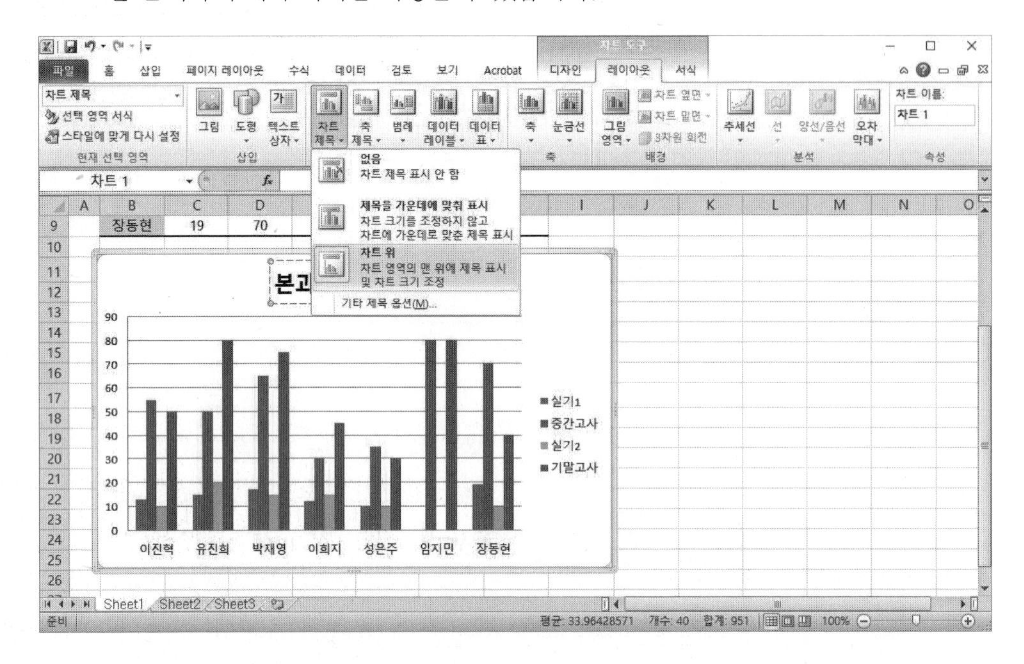

05 차트 제목이 나타나면 [차트 도구]의 [레이아웃] 탭 – [레이블] 그룹 – [축 제목]을 클릭하여 가로 – 세로 축 제목을 설정 할 수 있습니다.

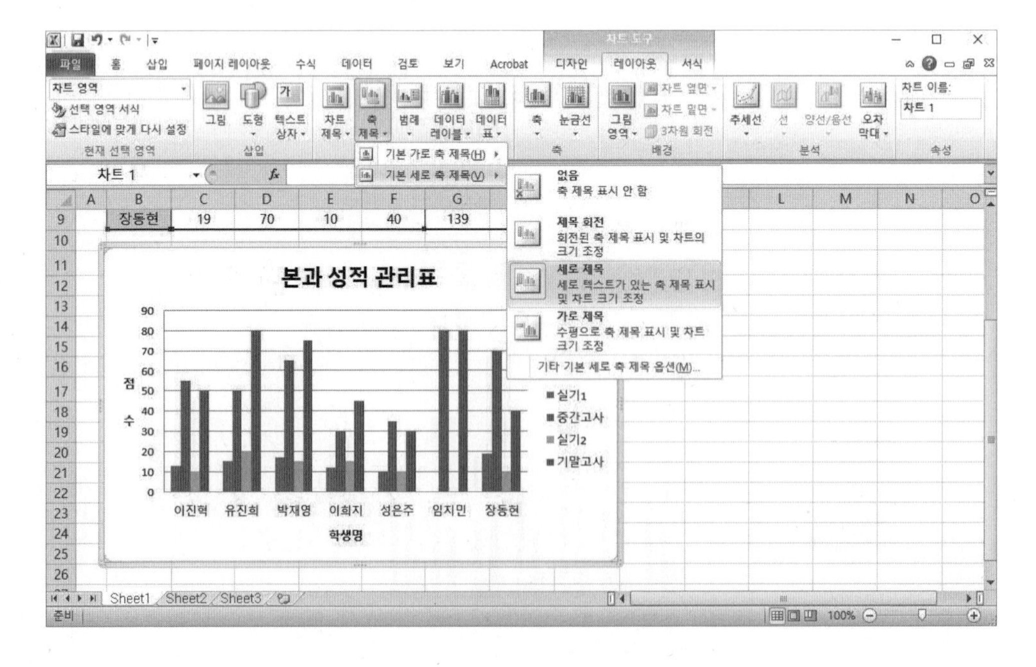

06 차트의 제목을 선택하고 [차트 도구]의 [서식] 탭 – [WordArt 스타일] 그룹에서 제목의 스타일을 변경 할 수 있습니다.

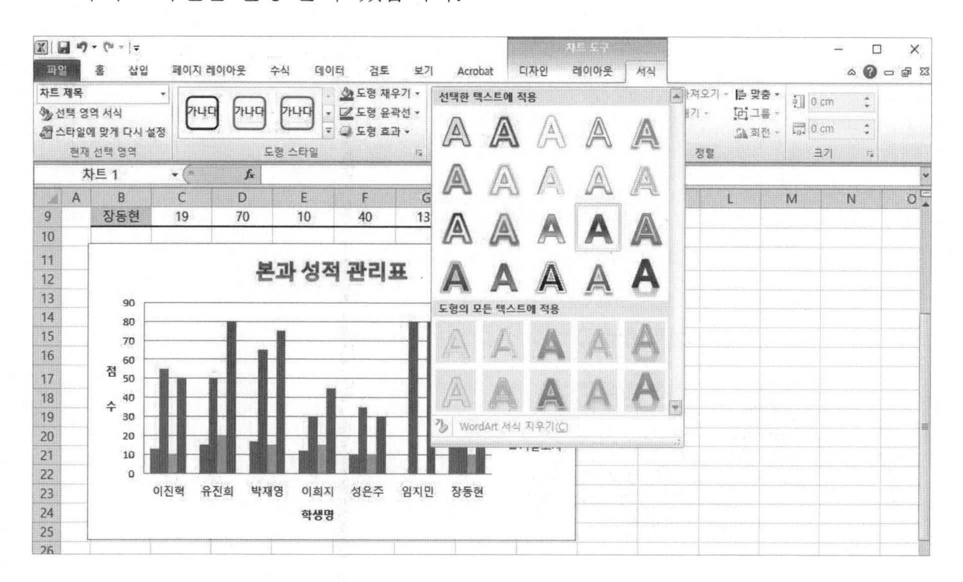

1.2 3차원 차트

01 CH9-1-2.xlsx 파일을 불러옵니다.

02 차트로 작성할 부분을 드래그하고 [삽입] 탭 – [차트] 그룹 – [가로 막대형]을 클릭하여 [3차원 가로 막대형] – [3차원 묶은 가로 막대형]을 선택하여 3차원 차트를 만들 수 있습니다.

03 삽입된 차트의 레이아웃을 [차트 도구]의 [디자인] 탭 – [차트 레이아웃] 그룹에서 변경해보고, [차트 도구]의 [레이아웃] 탭 – [배경] 그룹 – [차트 밑면]을 클릭하여 [기타 밑면 옵션]을 선택합니다.

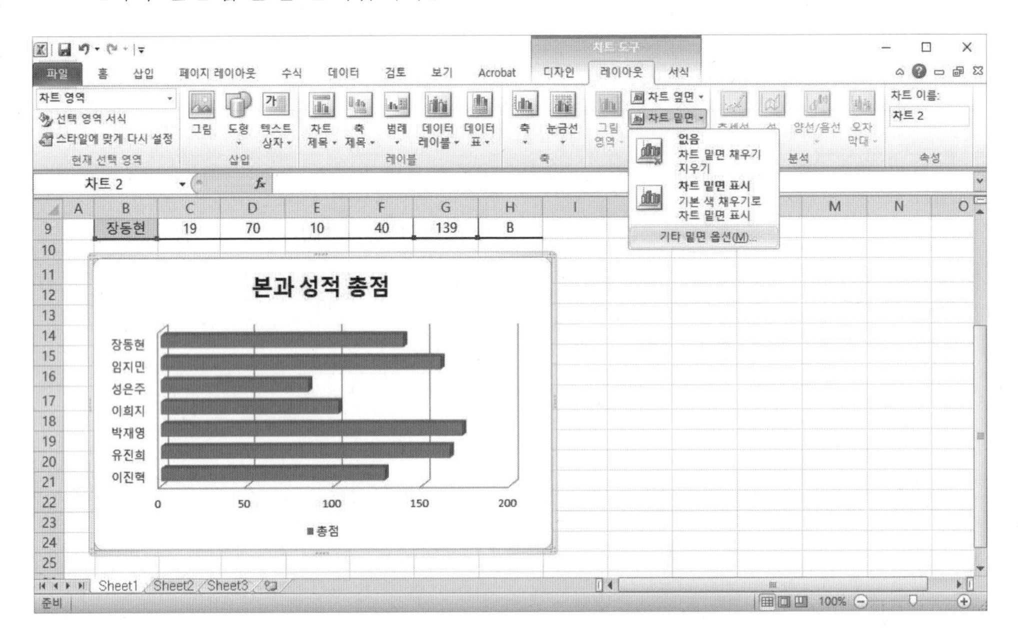

04 [밑면 서식] 대화 상자에서 다양한 서식을 지정 할 수 있습니다.

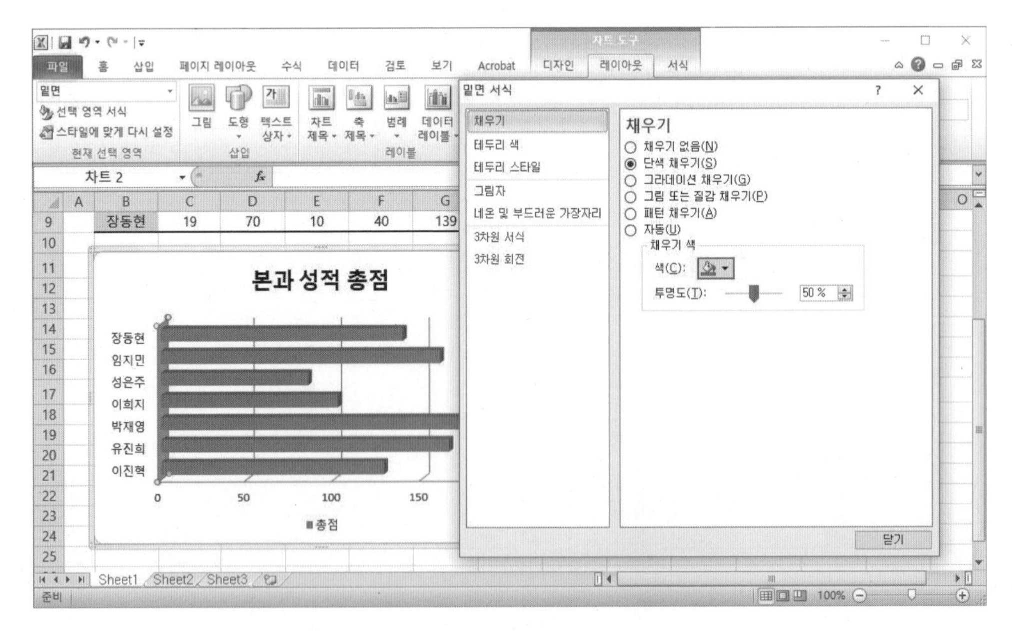

05 차트를 선택하고 [차트 도구]의 [레이아웃] 탭 – [배경] 그룹 – [3차원 회전]을 클릭하면 [차트 영역 서식] 대화 상자가 나타납니다. [차트 영역 서식] 대화 상자는 차트의 배경이나 축의 회전 등 다양한 서식을 지정할 수 있습니다.

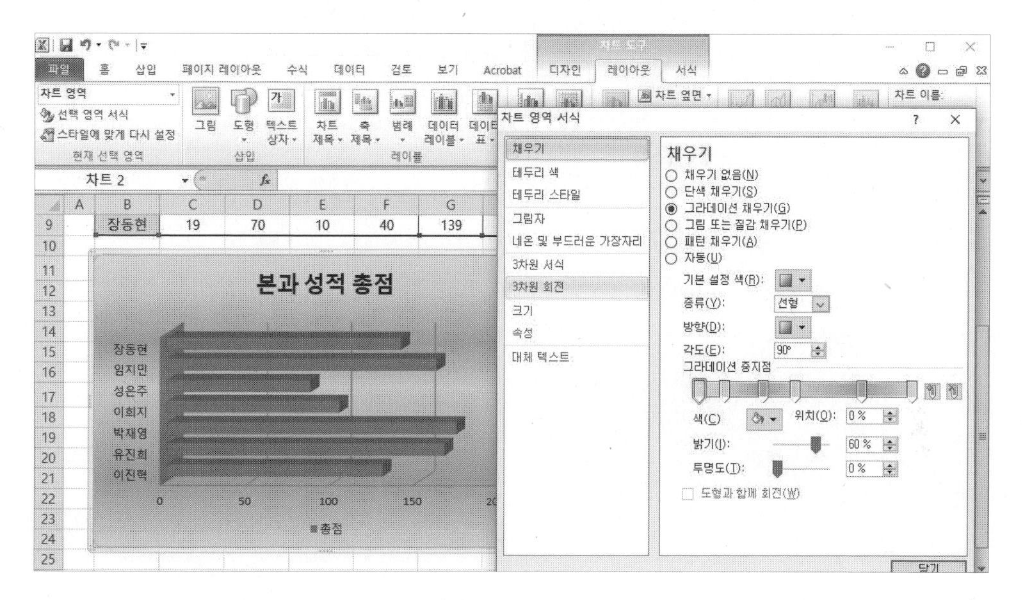

06 차트 막대를 빠르게 더블 클릭하면 [데이터 요소 서식] 대화 상자가 나타납니다. [데이터 요소 서식] 대화 상자는 각각의 차트 막대에 다양한 서식을 줄 수 있습니다. 이때 전체 막대가 선택되면 [데이터 계열 서식] 대화 상자가 나타나고 차트 막대 전체에 같은 서식을 지정할 수 있습니다.

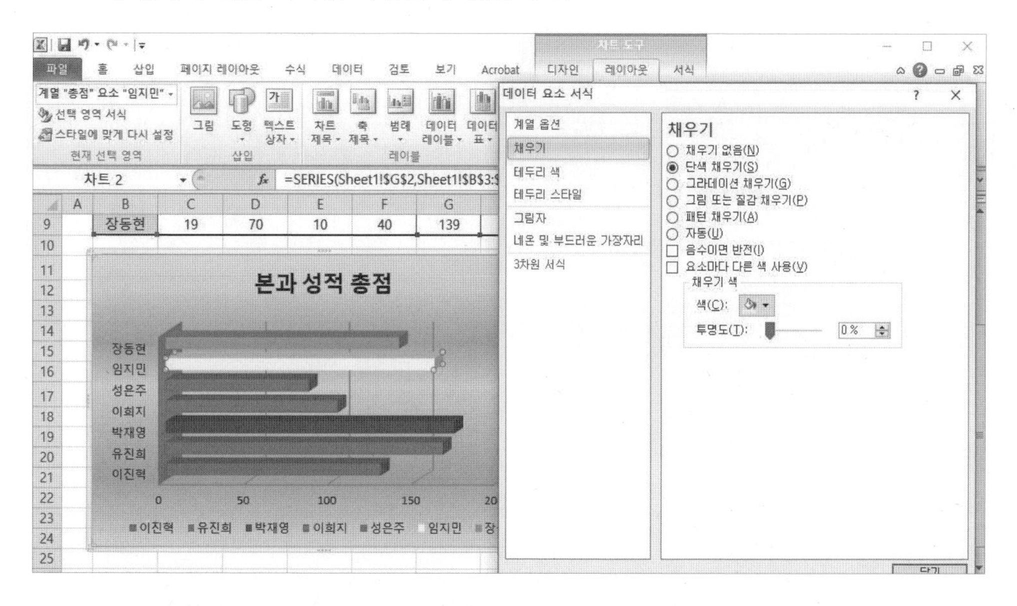

07 차트의 X축을 더블 클릭하면 [축 서식] 대화상자가 나타나고 축에 다양한 서식을 지정할 수 있습니다.

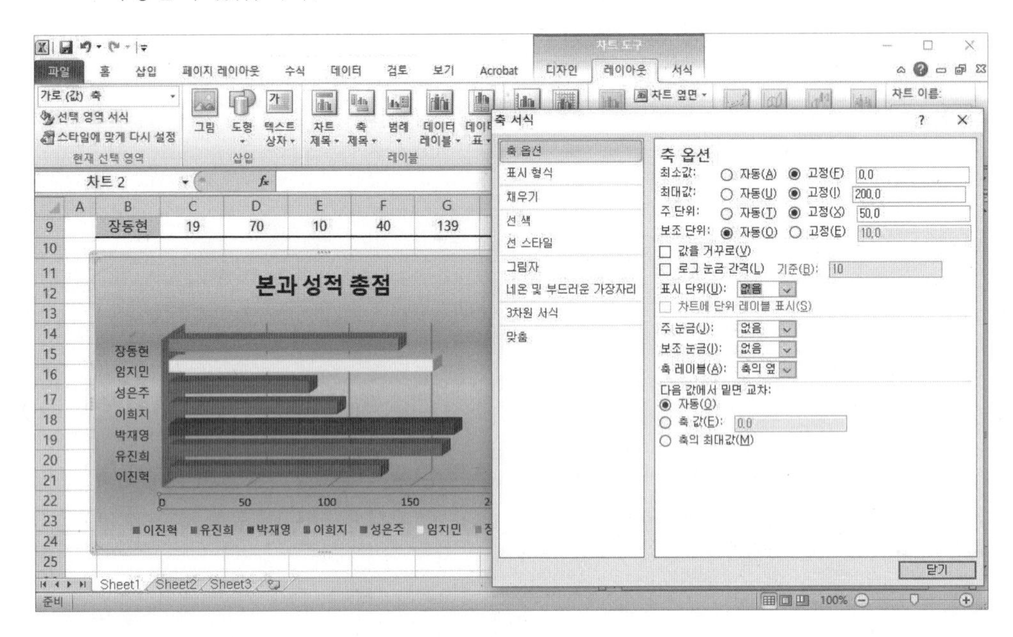

08 차트 영역을 더블 클릭하면 [차트 영역 서식] 대화 상자가 나타나고 차트 영역에 다양한 서식을 지정할 수 있습니다.

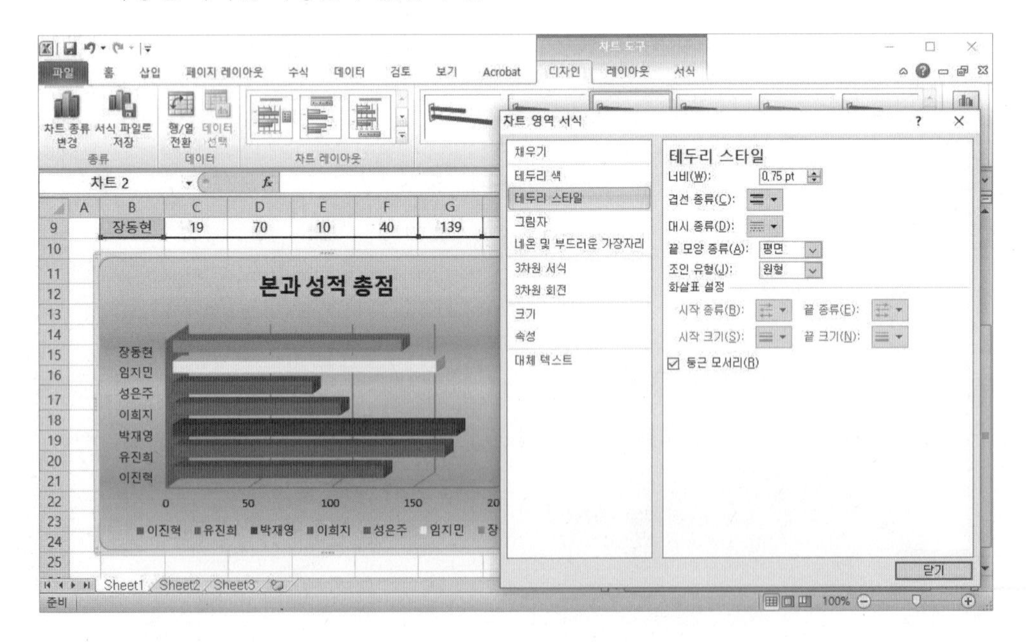

1.3 다양한 차트

01 [차트 도구]의 [디자인] 탭 – [종류] 그룹 – [차트 종류 변경]을 클릭해 차트의 형식을 다양하게 변경할 수 있습니다.

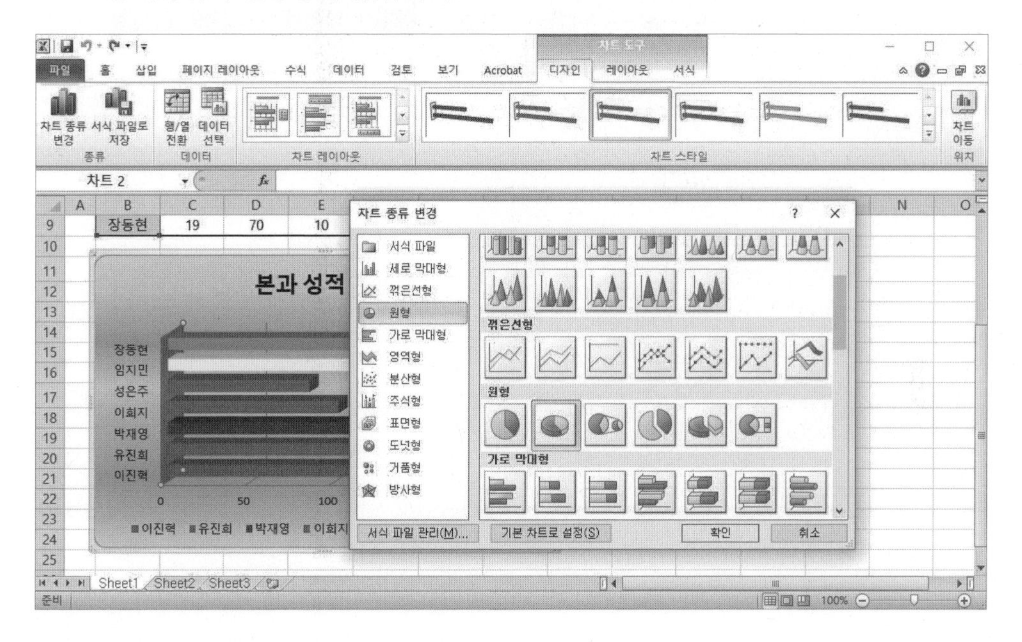

02 차트를 선택하고 마우스 오른쪽 단추를 클릭한 후 단추 메뉴에서 [데이터 레이블 추가]를 선택하면 데이터 값을 보여줄 수 있습니다.

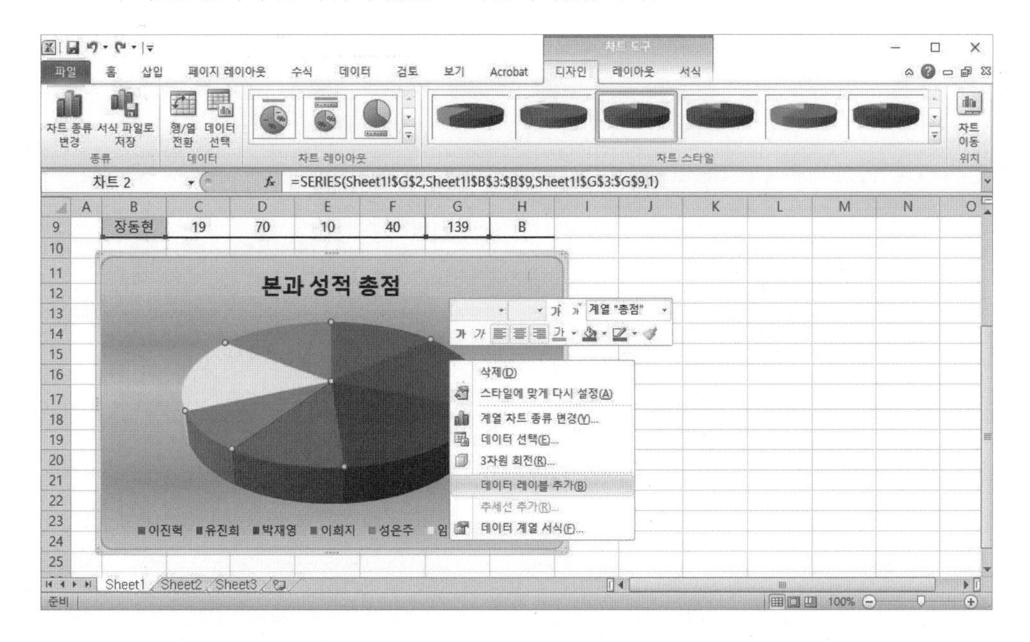

03 간단한 모양을 변경하고자 할 때에는 원하는 차트를 천천히 두 번 클릭한 후 바깥쪽으로 드래그하여 분리할 수 있습니다.

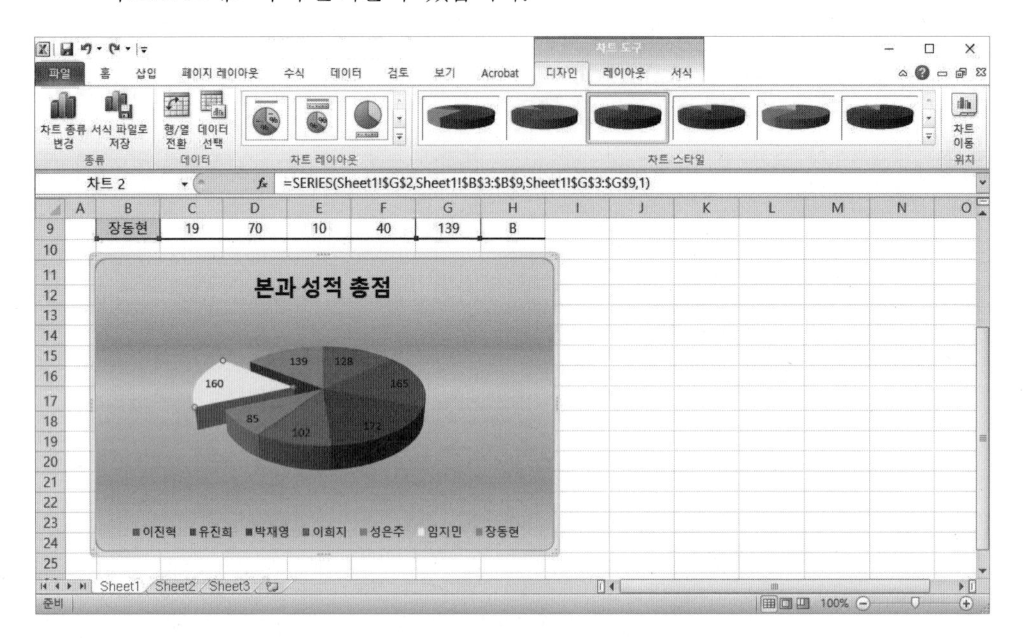

04 3차원 원형 차트가 완성되면 다시 차트를 선택하고 [차트 도구]의 [디자인] 탭 – [종류] 그룹 – [차트 종류 변경]을 클릭해 [꺾은 선형] 차트 형식으로도 변경할 수 있습니다.

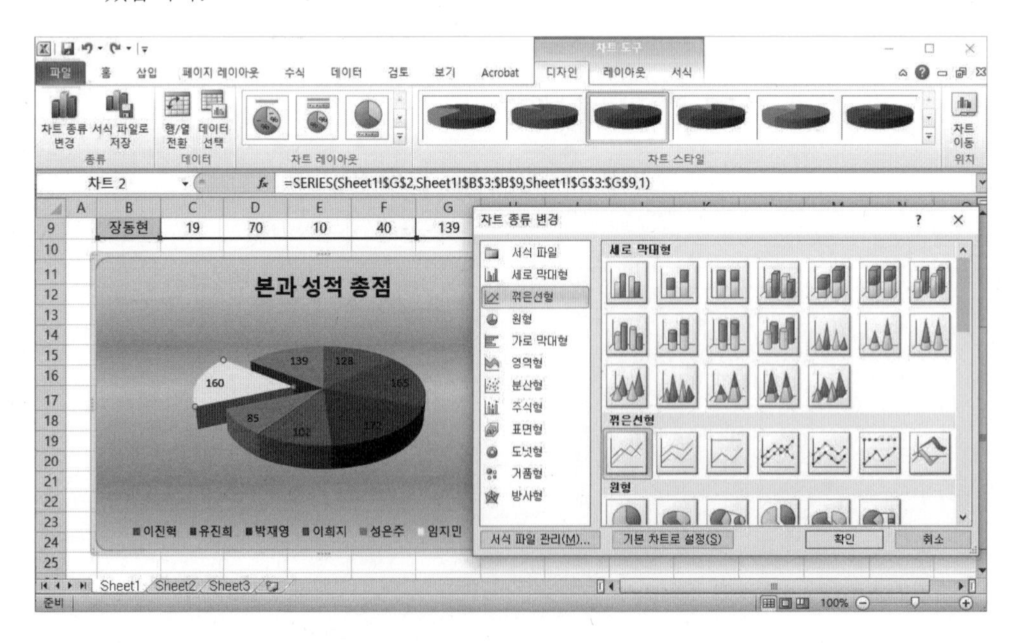

05 꺾은 선형 차트에 다른 데이터를 추가하기 위해 차트를 선택하고 [차트 도구]의 [디자인] 탭 – [데이터] 그룹 – [데이터 선택]을 클릭합니다.

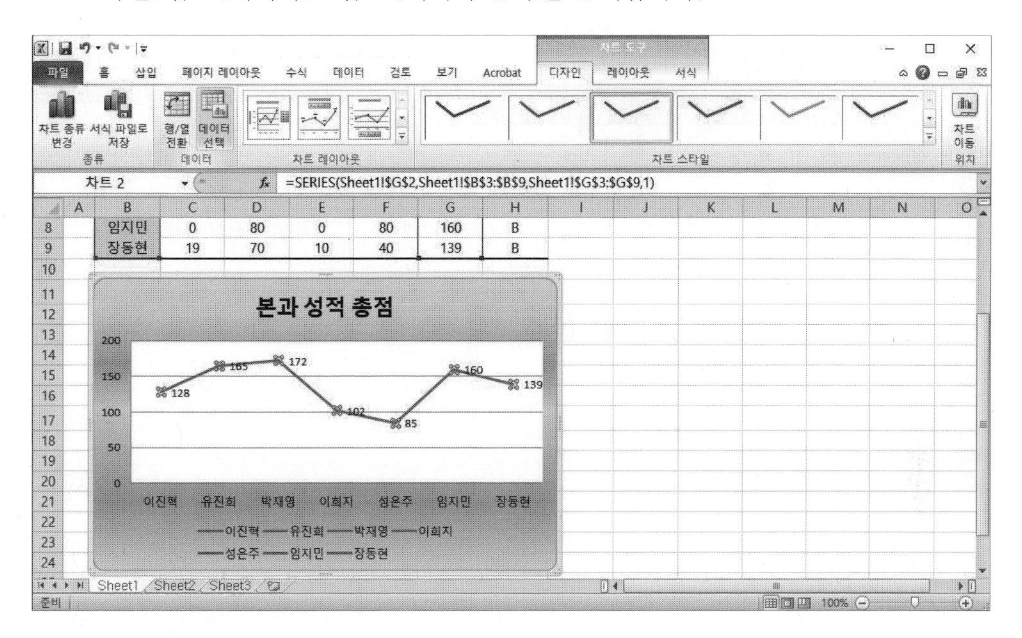

06 [데이터 원본 선택] 대화상자가 나타나면 [범례 항목(계열)]의 [추가]를 클릭합니다.

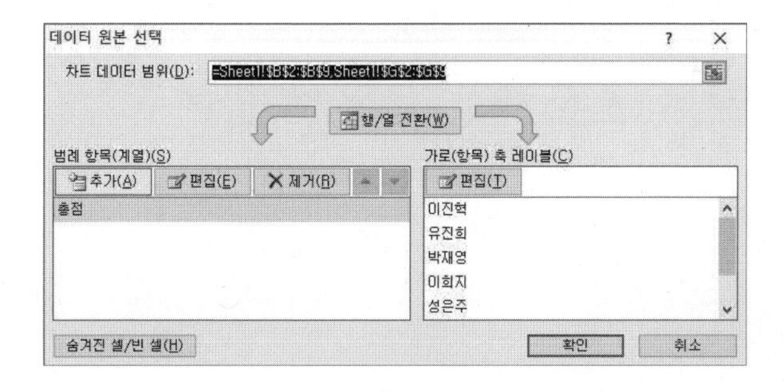

07 [계열 편집] 대화상자의 [계열 이름]에 원하는 데이터 제목을 넣어주고 [계열 값]에 추가하고자하는 데이터 부분을 마우스 드래그하여 범위로 지정한 후 [확인]을 클릭합니다. 다시 [데이터 원본 선택] 대화상자를 [확인]하여 닫아주면, 차트에 데이터를 추가할 수 있습니다.

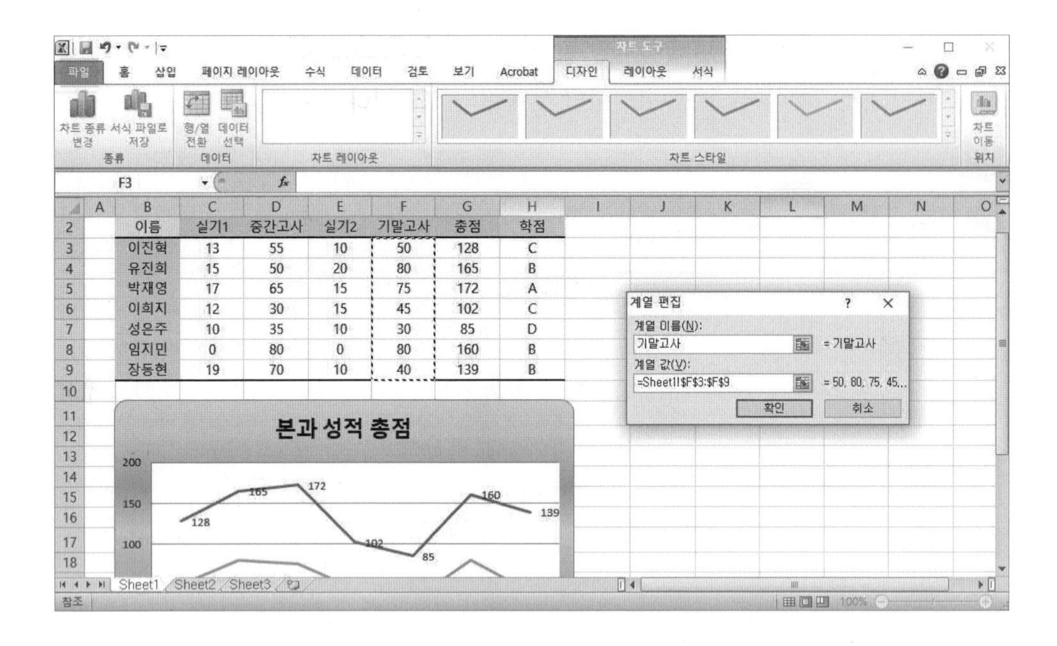

08 추가된 차트 선이 나타나면 선택하고 [차트 도구]의 [레이아웃] 탭 – [분석] 그룹 – [선]을 클릭하여 [최고/최저값 연결선]을 선택하여 분석을 돕는 서식을 지정할 수 있습니다.

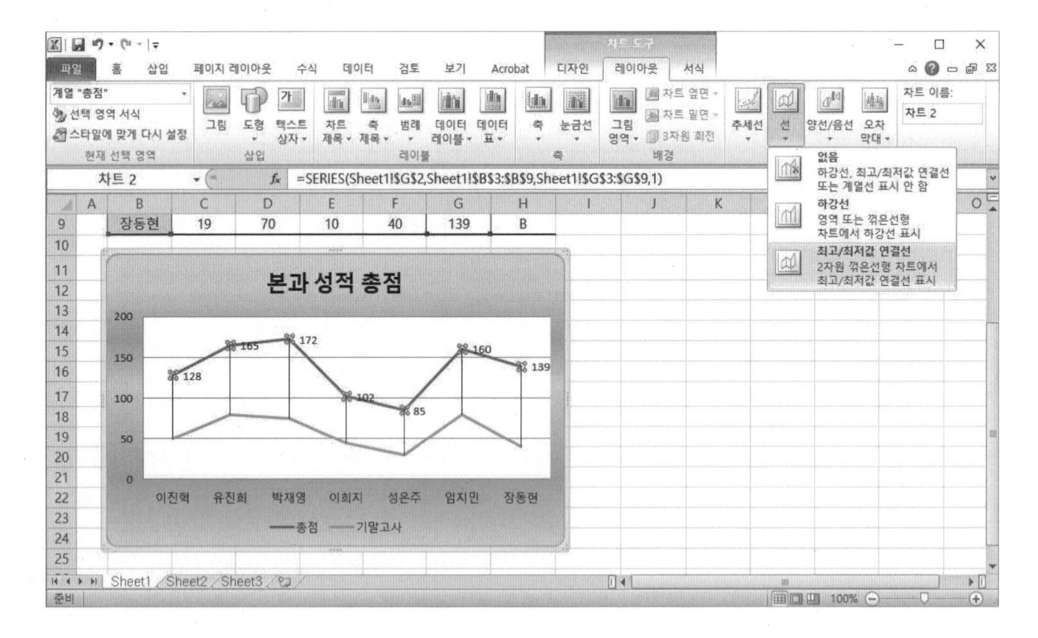

09 차트 안의 그림 영역을 더블 클릭하여 [그림 영역 서식] 대화 상자에서 배경 그림 서식을 지정할 수 있습니다.

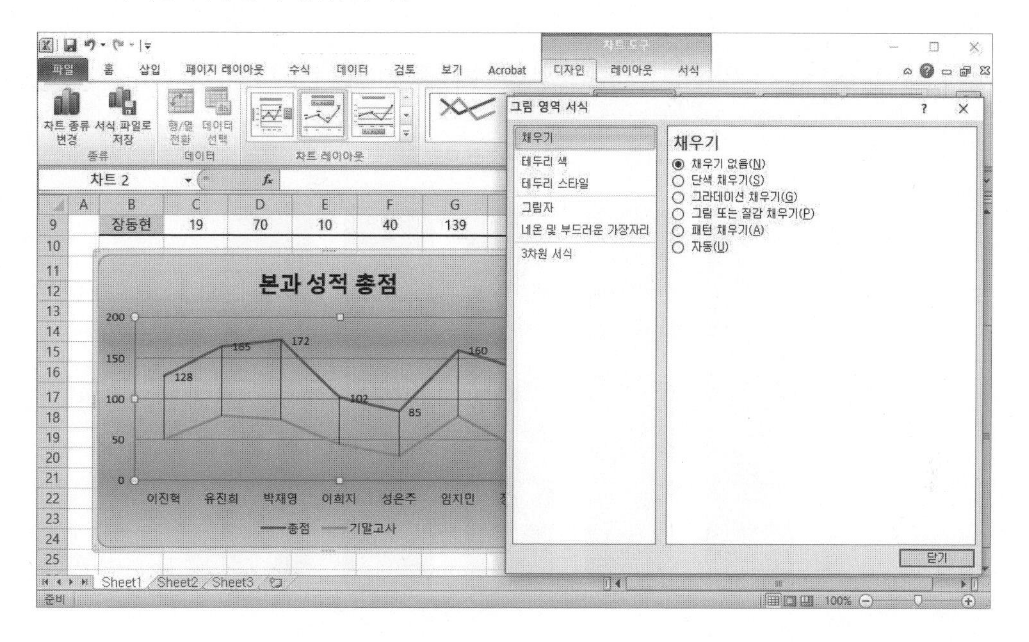

연습문제

1. CH9-1-ex1.xlsx 파일을 열고 다음 조건으로 차트를 만들어 봅니다.

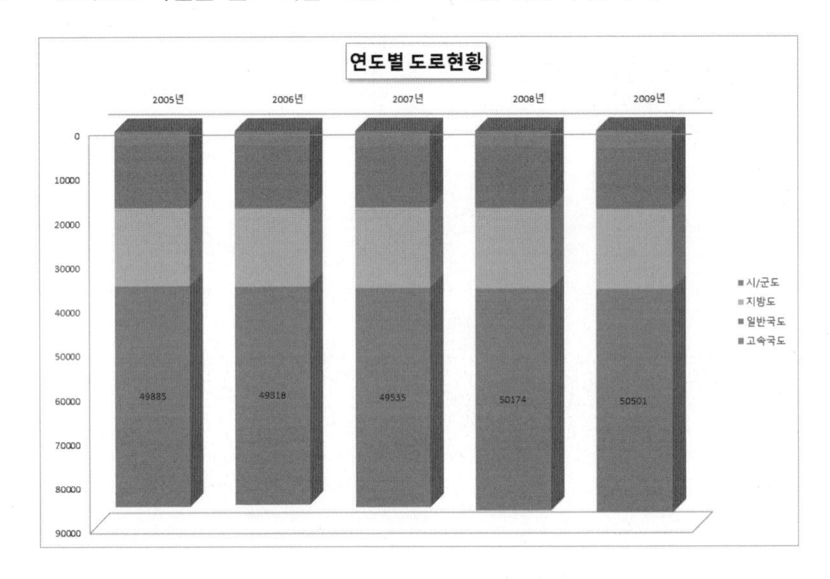

1) 차트 종류는 '3차원 누적 세로 막대형', 차트 스타일은 '스타일 2'로 지정

2) 작성한 차트 이동 위치는 '새 시트(S)'에 삽입

3) 차트 제목은 [차트 도구]-[디자인] 메뉴 [차트 레이아웃] 그룹의 '레이아웃 1'로 '연도별 도로현황'으로 입력하고, 테두리 색은 '실선', 그림자는 미리 설정의 '바깥쪽, 오프셋 대각선 오른쪽 아래'를 지정

4) 기본 세로 축 옵션의 '값을 거꾸로'로 지정하고, 기본 가로 눈금선은 '없음'으로 지정

5) 데이터 계열 서식의 계열 옵션-간격 너비를 60%로 지정

6) 3차원 회전의 회전은 X 10°, Y 10°로 지정

7) '시/군도' 계열의 데이터 레이블 값이 나타나도록 지정

8) [차트형태]와 같이 범례가 나타나도록 지정

연습문제

2. CH9-1-ex2.xlsx 파일을 열고 다음 조건으로 차트를 만들어 봅니다.

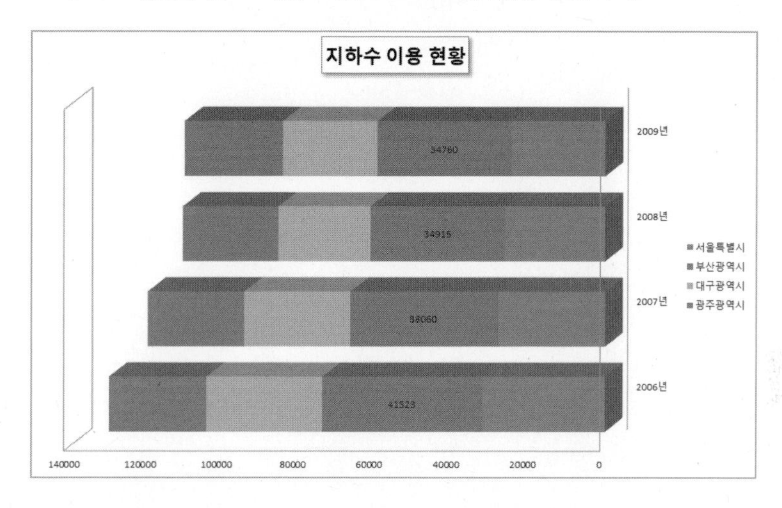

1) 차트 종류는 '3차원 누적 가로 막대형', 차트 스타일은 '스타일 2'로 지정

2) 차트 제목은 [차트 도구]-[디자인]메뉴 [차트 레이아웃] 그룹의 '레이아웃 1'로 '지하수 이용 현황'으로 입력하고, 테두리 색은 '실선', 그림자는 미리 설정의 '바깥쪽, 오프셋 대각선 오른쪽 아래'를 지정

3) 기본 가로 축 옵션의 '값을 거꾸로'로 지정하고, 기본 세로 눈금선은 '없음'으로 지정

4) 3차원 회전 차트 배율의 깊이(%)는 '50'으로 지정

5) 3차원 회전의 회전은 X 10°, Y 10°로 지정

6) '부산광역시' 계열의 데이터 레이블 값이 나타나도록 지정

CHAPTER **10**

데이터 분석과 관리

SECTION 1 데이터 정렬과 필터

1.1 데이터 정렬과 정렬기준 삭제

01 CH10-1-1.xlsx 파일을 불러옵니다.

02 이름을 내림차순으로 정렬하고 학과는 오름차순으로 정렬하기 위해 데이터를 범위 지정한 후 [데이터] 탭 – [정렬 및 필터] 그룹 – [정렬]을 클릭합니다.

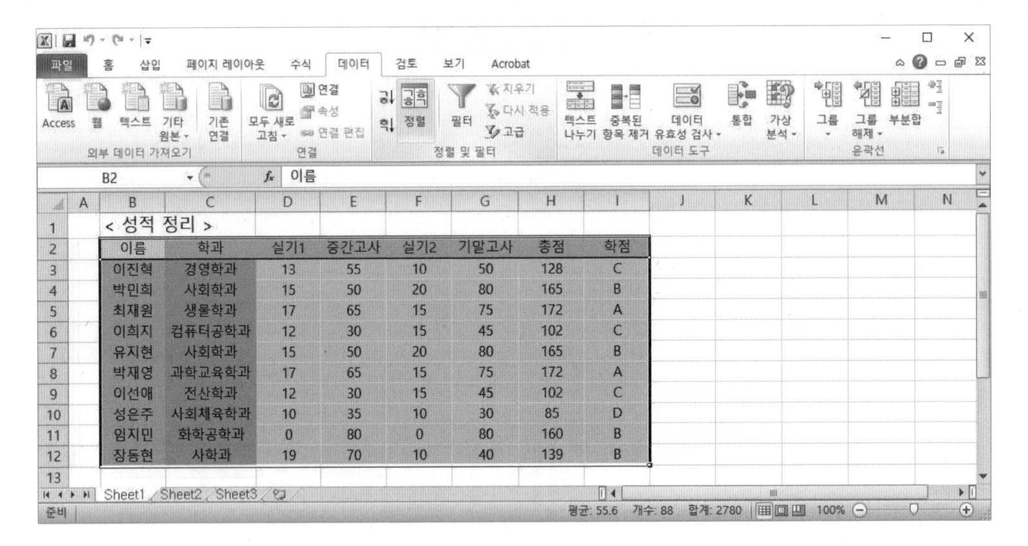

< 성적 정리 >							
이름	학과	실기1	중간고사	실기2	기말고사	총점	학점
이진혁	경영학과	13	55	10	50	128	C
박민희	사회학과	15	50	20	80	165	B
최재원	생물학과	17	65	15	75	172	A
이희지	컴퓨터공학과	12	30	15	45	102	C
유지현	사회학과	15	50	20	80	165	B
박재영	과학교육학과	17	65	15	75	172	A
이선애	전산학과	12	30	15	45	102	C
성은주	사회체육학과	10	35	10	30	85	D
임지민	화학공학과	0	80	0	80	160	B
장동현	사학과	19	70	10	40	139	B

03 [정렬] 대화상자에서 원하는 정렬방법을 지정할 수 있습니다. [정렬 기준] 필드를 [이름]으로 선택하고 [정렬]에서 [내림차순]을 선택합니다. [기준 추가]를 클릭하여 [정렬 기준] 필드를 [학과]로 선택하고 [정렬]에서 [오름차순]을 선택하고 [확인]을 클릭합니다.

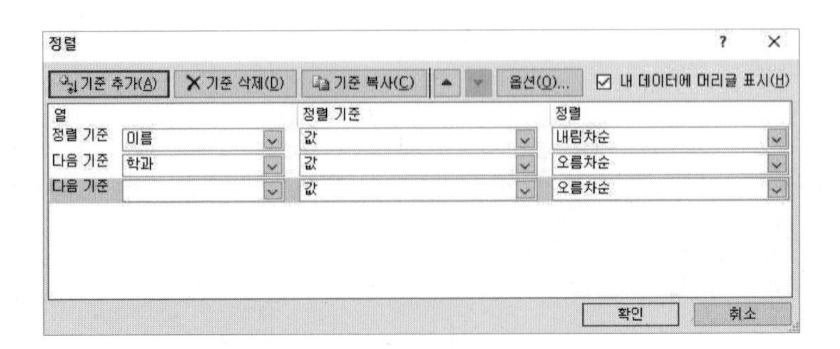

04 데이터를 기준에 맞게 정렬하면 원하는 데이터를 한 눈에 볼 수 있습니다. 정렬한 상태에서 처음의 데이터로 돌아가려면 정렬했던 기준을 삭제하면 됩니다. 데이터를 범위 지정한 후 [데이터] 탭 – [정렬 및 필터] 그룹 – [정렬]을 클릭합니다.

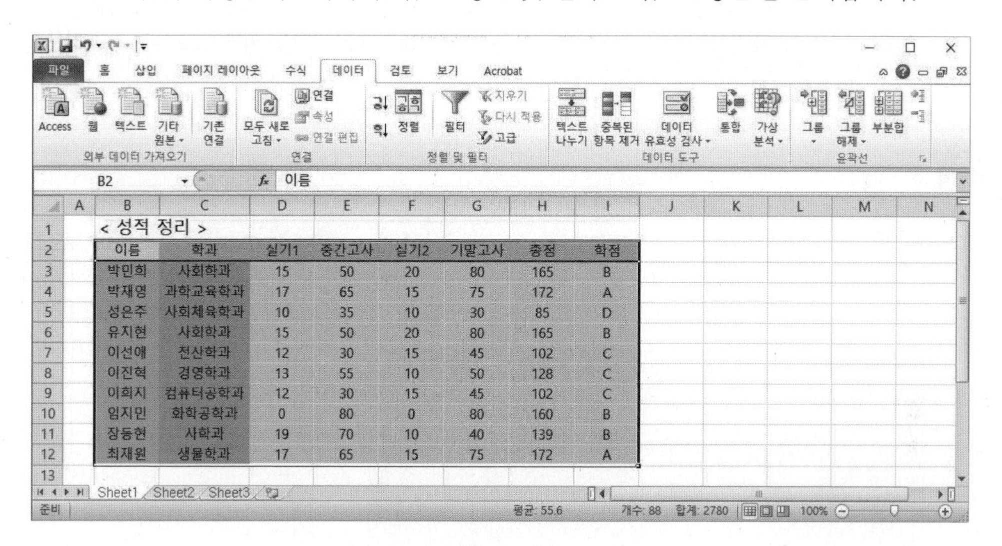

05 [정렬] 대화 상자의 기준 중 삭제를 원하는 필드를 선택하고 [기준 삭제] – [확인]을 클릭하면 정렬 기준을 삭제 할 수 있습니다.

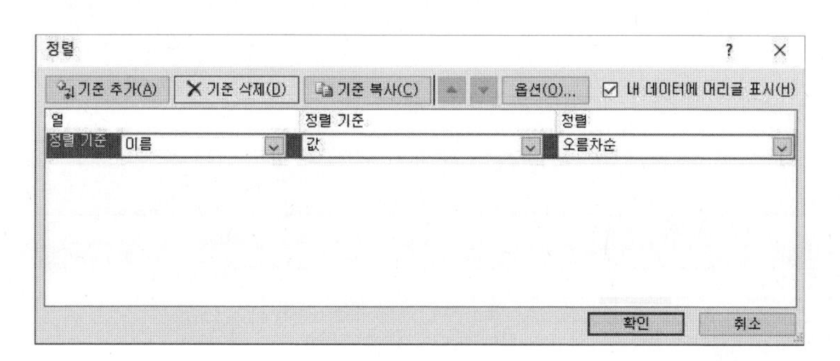

1.2 데이터 필터

01 CH10-1-2.xlsx 파일을 불러옵니다.

02 필터링 할 데이터를 범위 지정한 후 [데이터] 탭 – [정렬 및 필터] 그룹 – [필터]를 클릭합니다.

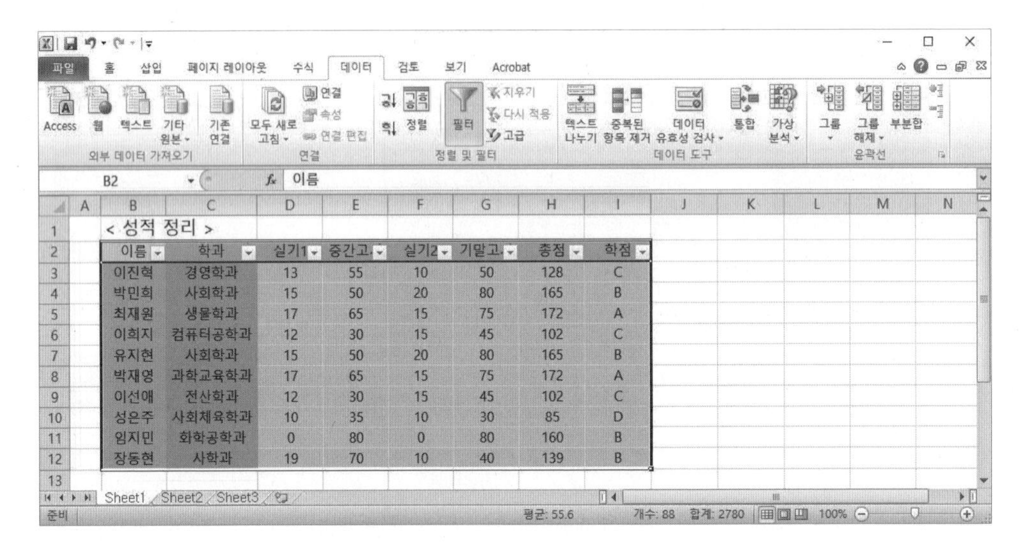

03 자동 필터 단추를 클릭하여 학점이 A와 B인 데이터를 추출할 수 있도록 지정합니다.

04 필터링을 지정한 자동 필터 단추를 다시 클릭하고 [모두]를 선택하고 [확인]을 누르면 처음 상태의 모든 데이터가 표시됩니다.

< 성적 정리 >

	이름	학과	실기1	중간고사	실기2	기말고사	총점	학점
4	박민희	사회학과	15	50	20	80	165	B
5	최재원	생물학과	17	65	15	75	172	A
7	유지현	사회학과	15	50	20	80	165	B
8	박재영	과학교육학과	17	65	15	75	172	A
11	임지민	화학공학과	0	80	0	80	160	B
12	장동현	사학과	19	70	10	40	139	B

준비 10개 중 6개의 레코드가 있습니다.

1.3 고급필터 OR 조건

01 CH10-1-3.xlsx 파일을 불러옵니다.

02 OR 조건은 입력된 조건 중 하나만 만족하면 참이 되는 조건입니다.

지원자 학력

번호	성별	지역	학력
1	남	서울	고졸
2	남	경기	중졸
3	여	강원	고졸
4	여	충청	초졸
5	남	경상	중졸
6	여	전라	고졸
7	여	경기	초졸
7	남	서울	대졸
8	여	강원	중졸
9	남	충청	고졸

성별	학력
남	
	고졸

03 셀 포인터가 표 범위 안에서 위치한 상태에서 [데이터] 탭 – [정렬 및 필터] 그룹 – [고급]을 클릭합니다.

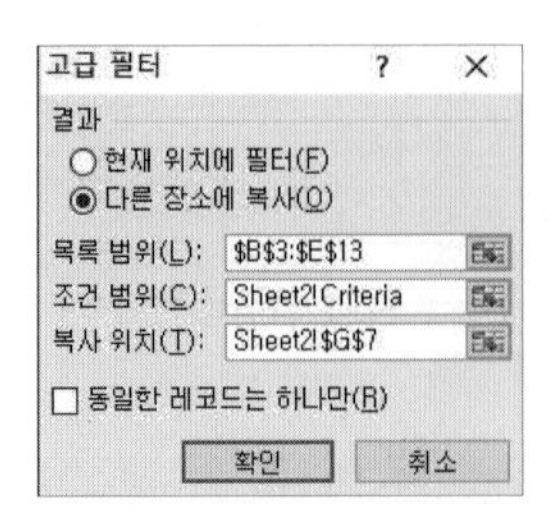

04 [고급 필터] 대화 상자가 나타나면 [현재 위치에 필터]를 선택하고 [목록 범위], [조건 범위], [복사 위치]를 직접 드래그하거나 클릭하여 확인합니다.

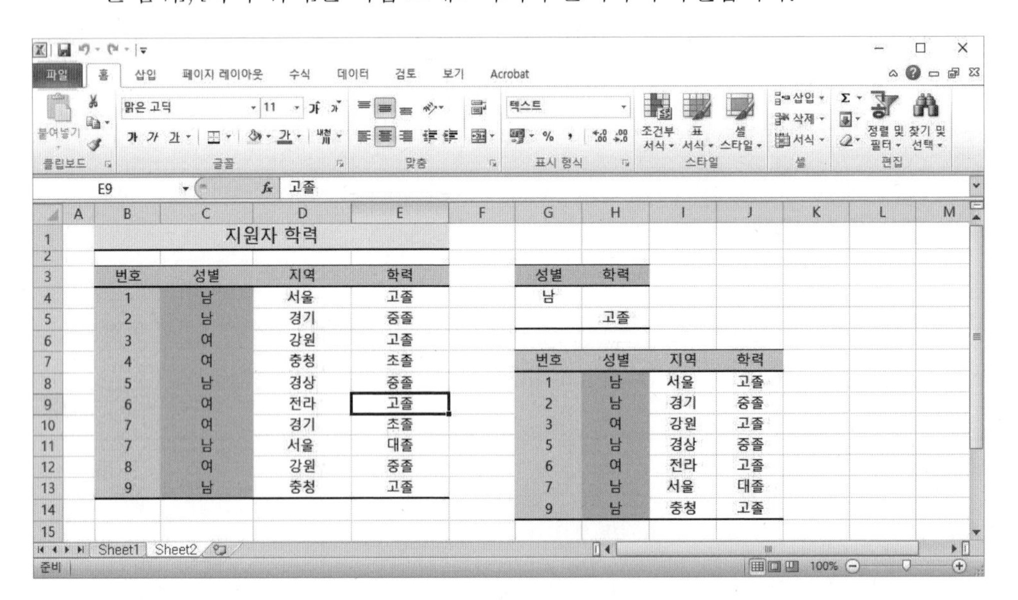

05 고급 필터 OR 조건으로 필터링 된 데이터를 확인합니다.

1.4 고급필터 AND 조건

01 CH10-1-4.xlsx 파일을 불러옵니다.

02 AND 조건은 입력된 조건 중 모두 만족해야만 참이 되는 조건입니다.

지원자 학력

번호	성별	지역	학력
1	남	서울	고졸
2	남	경기	중졸
3	여	강원	고졸
4	여	충청	초졸
5	남	경상	중졸
6	여	전라	고졸
7	여	경기	초졸
7	남	서울	대졸
8	여	강원	중졸
9	남	충청	고졸

성별	학력
남	고졸

03 셀 포인터가 표 범위 안에서 위치한 상태에서 [데이터] 탭 – [정렬 및 필터] 그룹 – [고급]을 클릭합니다.

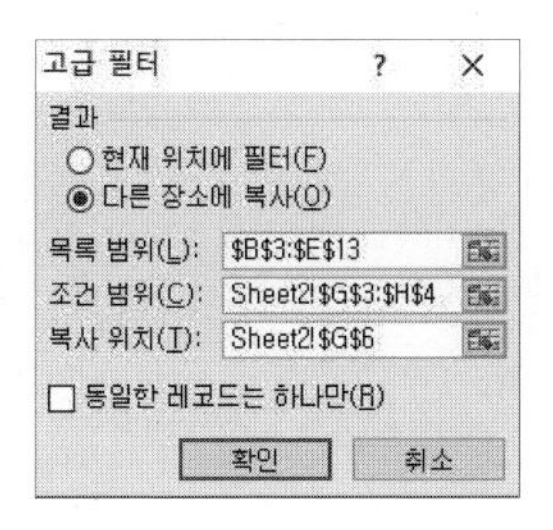

04 [고급 필터] 대화 상자가 나타나면 [현재 위치에 필터]를 선택하고 [목록 범위], [조건 범위], [복사 위치]를 직접 드래그하거나 클릭하여 확인합니다.

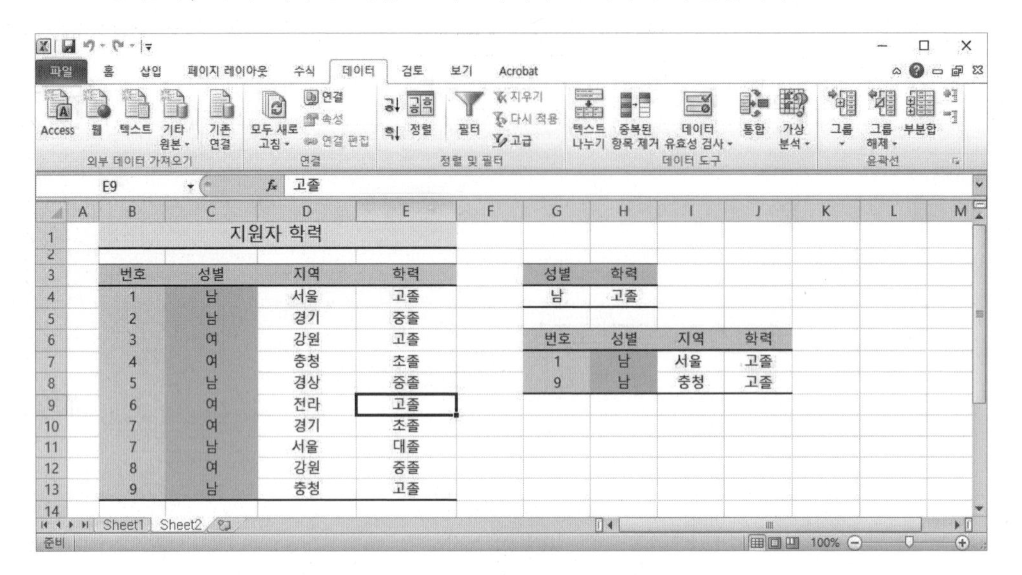

05 고급 필터 AND 조건으로 필터링 된 데이터를 확인합니다.

연습문제

1. CH10-1-ex1.xlsx 파일을 불러와 연도를 기준으로 내림차순 정렬해 봅니다.

	A	B	C	D
1	지 역	연 도	시도	군도
2	강 원 도	2009년	2,766	3,002
3	충청북도	2009년	1,521	2,421
4	충청남도	2009년	1,811	2,420
5	전라북도	2009년	1,992	2,227
6	전라남도	2009년	2,309	3,384
7	경상북도	2009년	2,767	3,807
8	경상남도	2009년	4,850	3,434
9	제 주 도	2009년	1,565	888
10	강 원 도	2008년	2,720	3,004
11	충청북도	2008년	1,596	2,420
12	충청남도	2008년	1,751	2,406
13	전라북도	2008년	1,992	2,223
14	전라남도	2008년	2,216	3,376
15	경상북도	2008년	2,708	3,804
16	경상남도	2008년	4,820	3,435
17	제 주 도	2008년	1,566	888

2. CH10-1-ex2.xlsx 파일을 불러와 항목을 기준으로 내림차순 정렬해 봅니다.

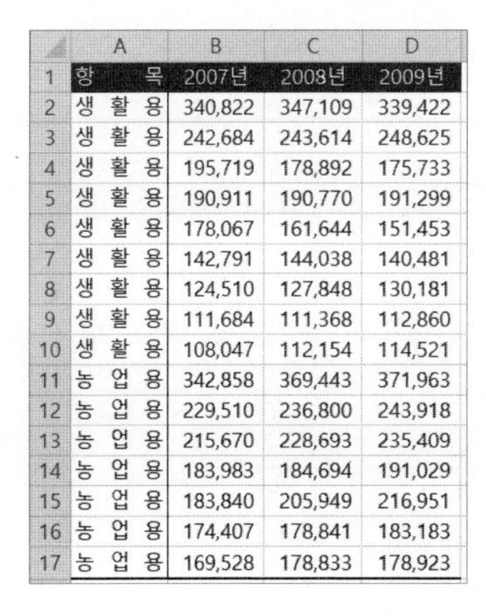

	A	B	C	D
1	항 목	2007년	2008년	2009년
2	생 활 용	340,822	347,109	339,422
3	생 활 용	242,684	243,614	248,625
4	생 활 용	195,719	178,892	175,733
5	생 활 용	190,911	190,770	191,299
6	생 활 용	178,067	161,644	151,453
7	생 활 용	142,791	144,038	140,481
8	생 활 용	124,510	127,848	130,181
9	생 활 용	111,684	111,368	112,860
10	생 활 용	108,047	112,154	114,521
11	농 업 용	342,858	369,443	371,963
12	농 업 용	229,510	236,800	243,918
13	농 업 용	215,670	228,693	235,409
14	농 업 용	183,983	184,694	191,029
15	농 업 용	183,840	205,949	216,951
16	농 업 용	174,407	178,841	183,183
17	농 업 용	169,528	178,833	178,923

3. CH10-1-ex3.xlsx 파일을 불러와 자동 필터를 이용하여 '2018년'의 값이 하위 30%인 자료를 추출해 봅니다.

	A	B	C	D	E
1	지역	2015년	2016년	2017년	2018년
2	서울특별시	32052	28195	26191	24602
3	부산광역시	41523	38060	34915	34760
4	대구광역시	30469	27844	24101	24678
6	광주광역시	25470	25359	25083	25795

SECTION 2 데이터 도구

2.1 텍스트 나누기와 중복된 항목 삭제하기

01 CH10-2-1.xlsx 파일을 불러옵니다.

02 주민번호 데이터에서 생년월일의 데이터만 사용하기 위해 텍스트 나누기를 합니다. 데이터를 범위 지정하고 [데이터] 탭 – [데이터 도구] 그룹 – [텍스트 나누기]를 클릭합니다.

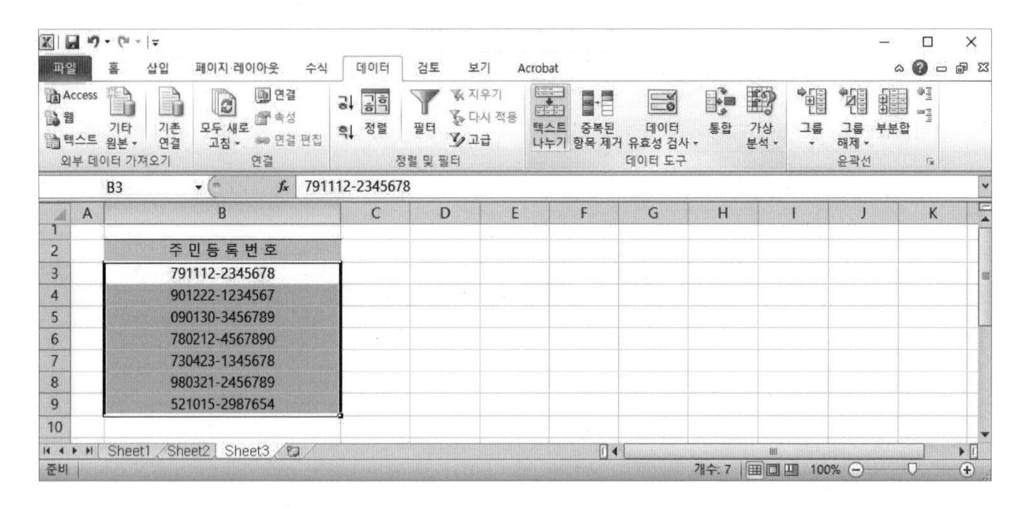

03 [텍스트 마법사] 대화상자에서 [원본 데이터 형식]의 [구분 기호로 분리됨]을 선택하고 다음을 클릭합니다.

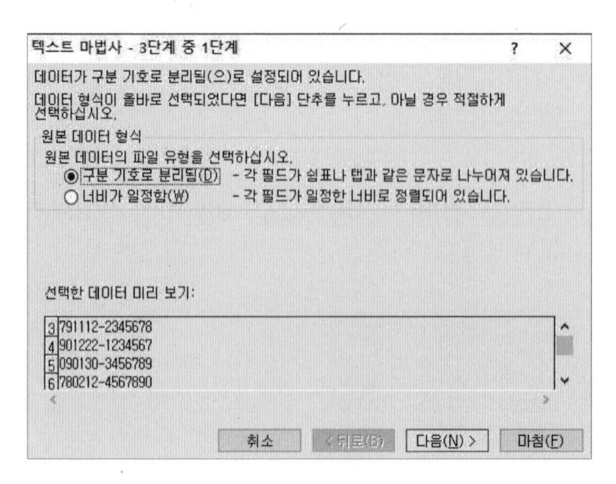

04 [텍스트 마법사] 대화 상자에서 [구분 기호]의 [기타]를 선택하고 원하는 구분기호를 입력한 뒤 [다음]을 클릭합니다.

텍스트 마법사 - 3단계 중 2단계
데이터의 구분 기호를 설정합니다. 미리 보기 상자에서 적용된 텍스트를 볼 수 있습니다.
구분 기호
☑ 탭(T)
☐ 세미콜론(M)
☐ 쉼표(C)
☐ 공백(S)
☑ 기타(O): -
☐ 연속된 구분 기호를 하나로 처리(R)
텍스트 한정자(Q): "
데이터 미리 보기(P)
791112 2345678
901222 1234567
090130 3456789
780212 4567890
취소 < 뒤로(B) 다음(N) > 마침(F)

05 [텍스트 마법사] 대화 상자에서 [열 데이터 서식]의 [날짜]를 선택하고 [마침]을 클릭해 추출될 데이터에 서식을 지정할 수 있습니다.

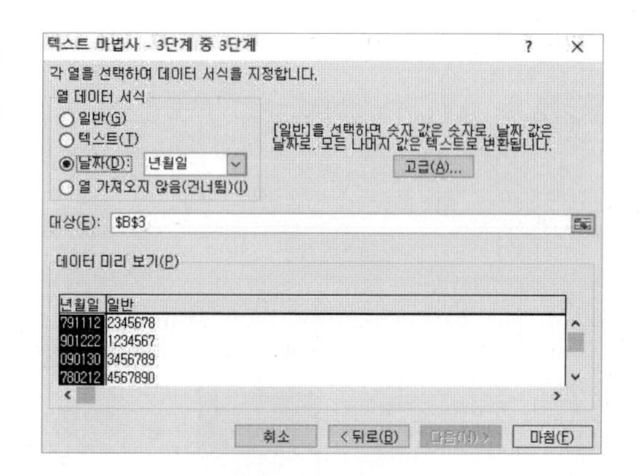

06 주민번호 뒷자리는 필요치 않으므로 바로가기 메뉴의 삭제나 Delete 키를 눌러 삭제합니다.

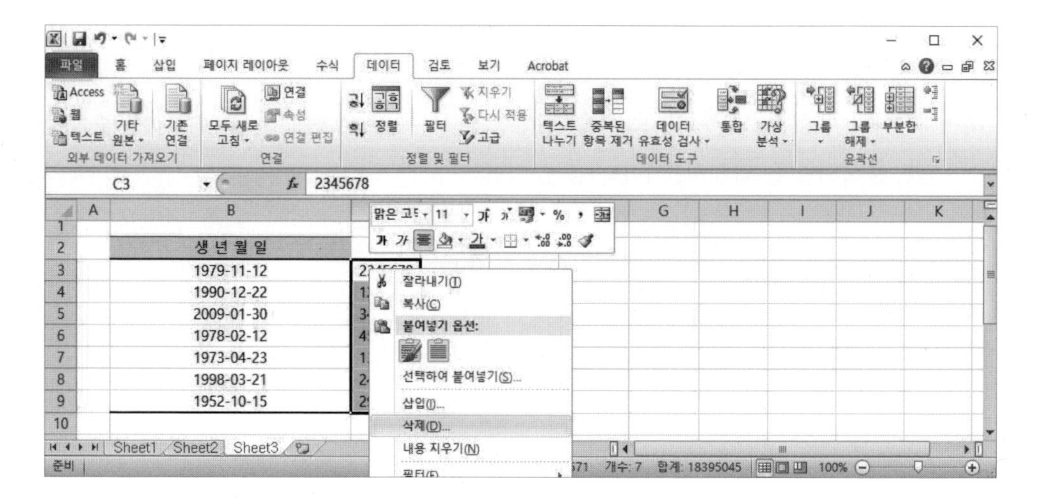

2.2 데이터 유효성 검사

01 CH10-2-2.xlsx 파일을 불러옵니다.

02 특정 셀에 데이터 유효성 검사를 적용하면 유효한 값 외의 데이터를 입력 할 수 없도록 제한하고 잘못된 데이터를 찾아내 수정할 수 있습니다.

03 출결사항의 데이터를 출석완료, 출석미달로 제한하기 위해 범위를 지정하고 [데이터] 탭 – [데이터 도구] 그룹 – [데이터 유효성 검사]를 클릭하여 [데이터 유효성 검사]를 선택합니다.

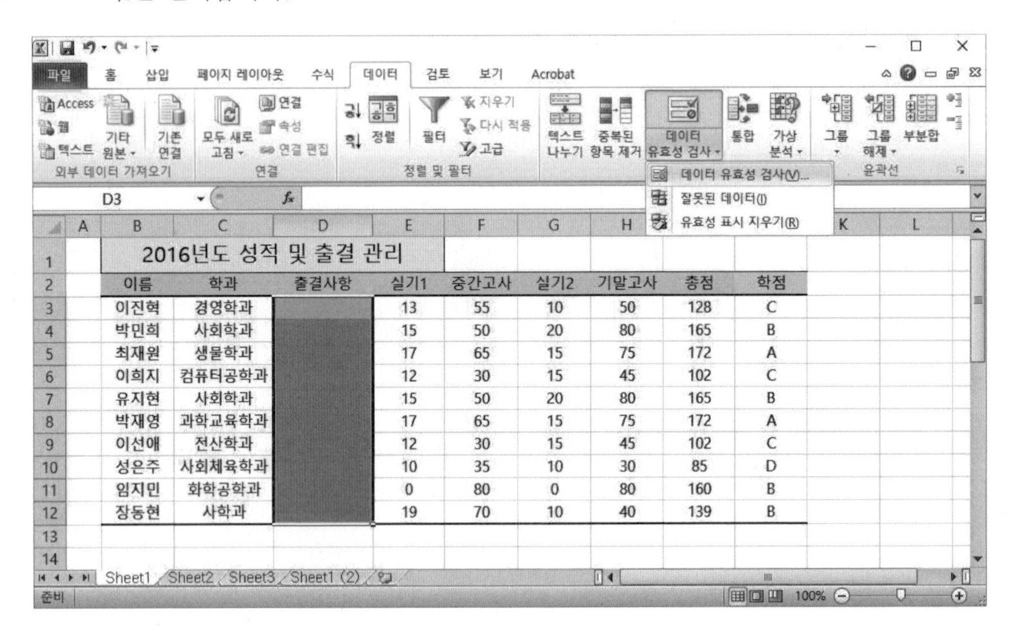

04 [데이터 유효성] 대화 상자의 [제한 대상]을 [목록]으로 선택하고 [원본]에 '출석완료, 출석미달'을 입력하고 [확인]을 클릭합니다.

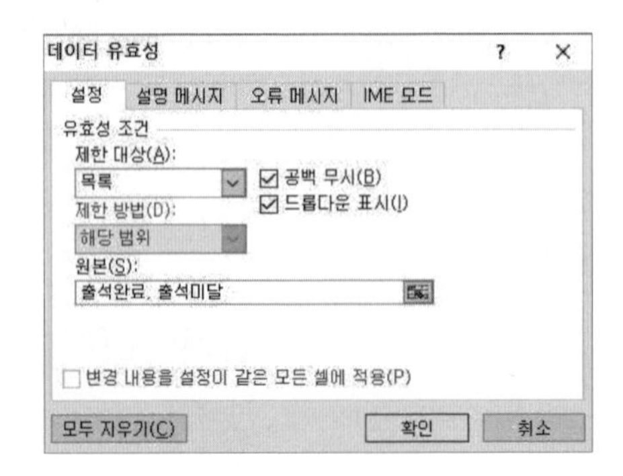

05 범위로 지정한 셀들에 목록 단추가 표시되고 지정한 데이터 중 하나만 선택하여 입력할 수 있습니다.

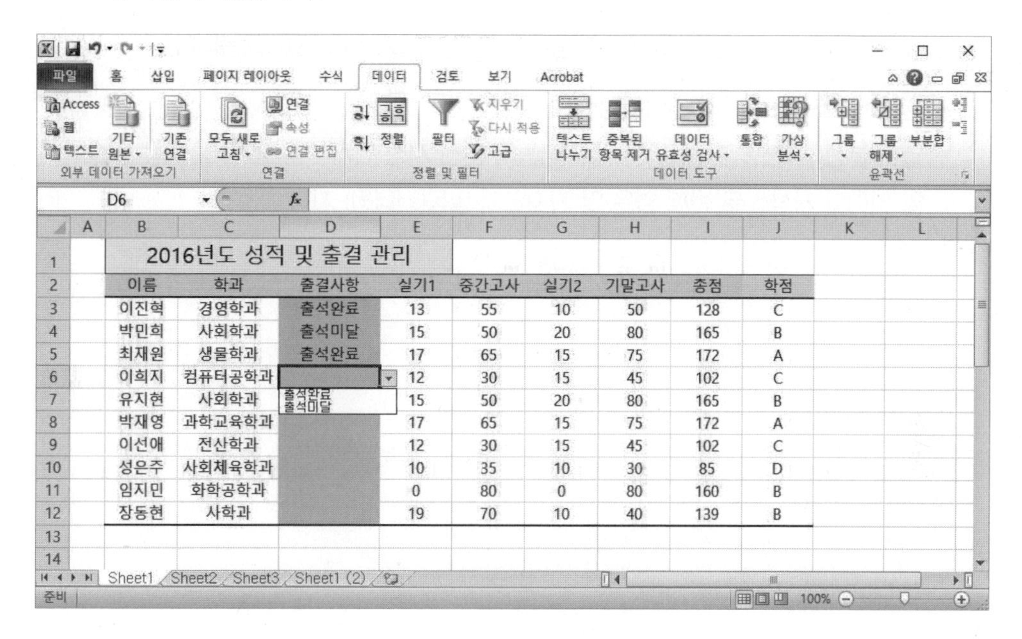

연습문제

1. CH10-2-ex1.xlsx 파일을 불러와 다음 조건으로 텍스트 나누기를 해봅니다.

   - 원본 데이터 형식 : 너비가 일정함
   - 열 구분선 : 4개를 지정하여 5열로 나눔(구분선 지정 위치 : 4, 10, 16, 24)
   - 열 데이터 서식 : 두 번째 열은 열 가져오지 않음(건너뜀) 지정

	A	B	C	D
1	지역	연도	고속국도	일반국도
2	서울	2008년	23	172
3	서울	2009년	25	172
4	부산	2008년	33	111
5	부산	2009년	52	100
6	대구	2008년	117	108
7	대구	2009년	97	108
8	인천	2008년	78	77
9	인천	2009년	99	77
10	광주	2008년	30	90
11	광주	2009년	26	87
12	대전	2008년	70	84
13	대전	2009년	76	84
14	울산	2008년	63	175
15	울산	2009년	63	175
16	경기	2008년	493	1627
17	경기	2009년	593	1584

2. CH10-2-ex2.xlsx 파일을 불러와 다음 조건으로 텍스트 나누기를 해봅니다.

   - 원본 데이터 형식 : 너비가 일정함
   - 열 구분선 : 3개를 지정하여 4열로 나눔(구분선 지정 위치 : 4, 8, 15)
   - 열 데이터 서식 : 두 번째 열은 열 가져오지 않음(건너뜀) 지정

	A	B	C
1	지역	2008년	2009년
2	서울	261905	246019
3	부산	349149	347599
4	대구	241012	246780
5	인천	462289	451931
6	광주	250833	257954
7	대전	395606	395251
8	울산	503367	483829
9	경기	5672289	5558135
10	강원	2122731	2089365
11	충북	3921253	3969635
12	충남	5052488	5182251
13	전북	3528261	3606278
14	전남	5261198	5241204
15	경북	4215401	4312353
16	경남	3653220	3607247
17	제주	1952702	2071836

SECTION 3 데이터 관리

3.1 부분합

01 CH10-3-1.xlsx 파일을 불러옵니다.

02 부분합은 많은 양의 데이터를 쉽게 분류하고 파악할 수 있도록 하는 데이터 분석 도구로 함수를 이용한 자동 윤곽이 설정 됩니다.

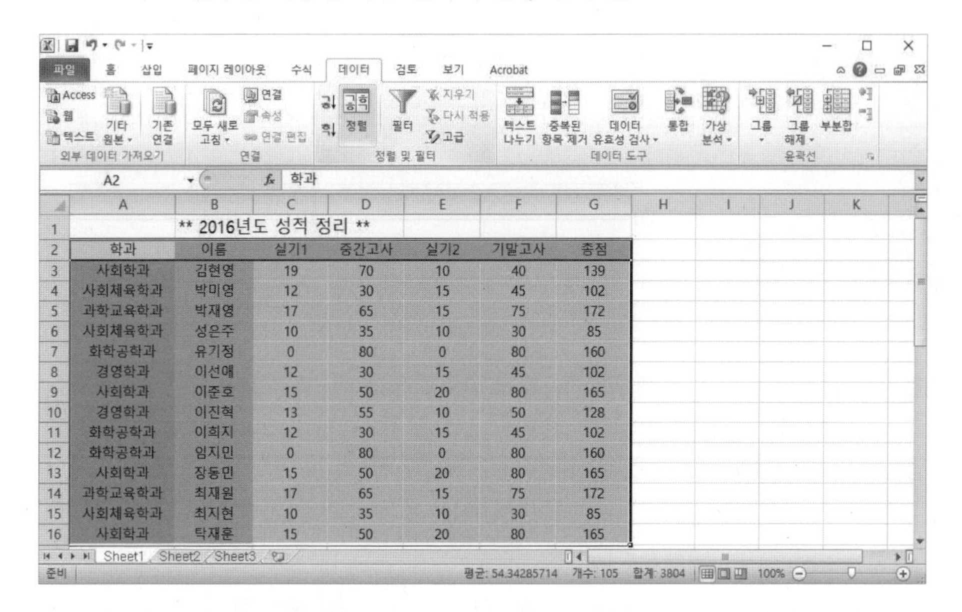

학과	이름	실기1	중간고사	실기2	기말고사	총점
사회학과	김현영	19	70	10	40	139
사회체육학과	박미영	12	30	15	45	102
과학교육학과	박재영	17	65	15	75	172
사회체육학과	성은주	10	35	10	30	85
화학공학과	유기정	0	80	0	80	160
경영학과	이선애	12	30	15	45	102
사회학과	이준호	15	50	20	80	165
경영학과	이진혁	13	55	10	50	128
화학공학과	이희지	12	30	15	45	102
화학공학과	임지민	0	80	0	80	160
사회학과	장동민	15	50	20	80	165
과학교육학과	최재원	17	65	15	75	172
사회체육학과	최지현	10	35	10	30	85
사회학과	탁재훈	15	50	20	80	165

03 부분합을 하기 전에는 반드시 데이터 목록 전체를 셀 범위로 지정하고 [데이터] 탭 – [정렬 및 필터] 그룹 – [정렬]을 클릭해 데이터를 정렬해야 합니다.

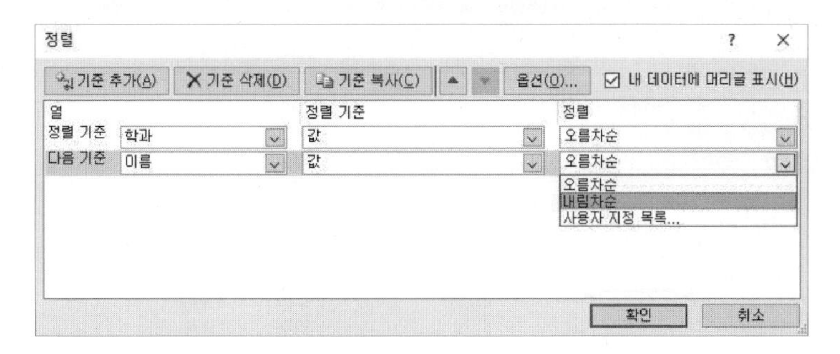

04 [정렬 기준] 대화 상자가 나타나면 정렬을 원하는 [열]과 [정렬 기준]을 선택한 후 [확인]을 클릭합니다.

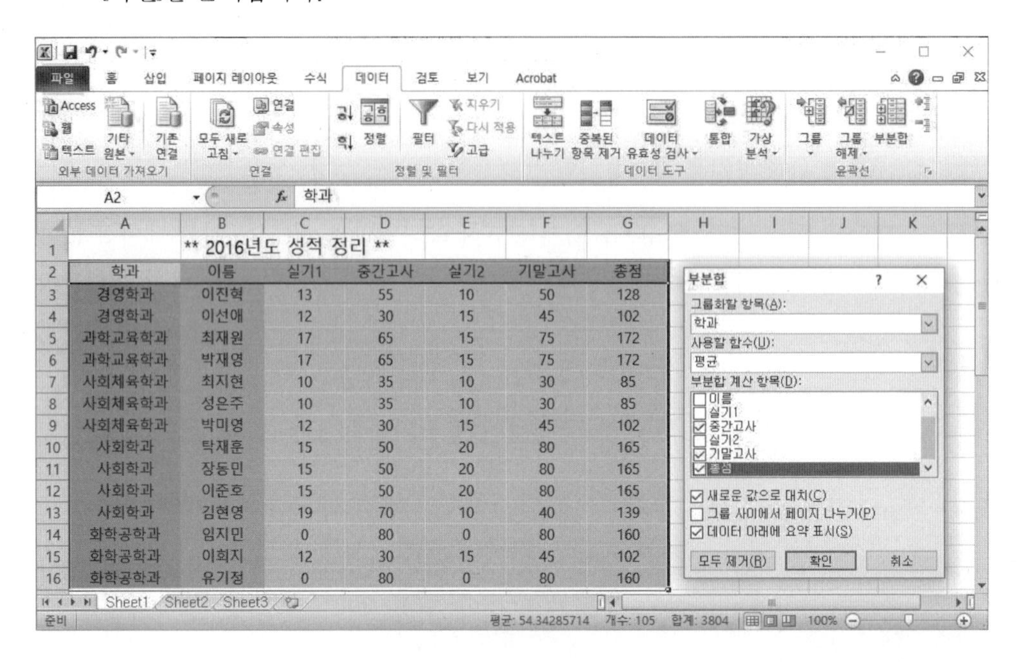

	A	B	C	D	E	F	G
1		** 2016년도 성적 정리 **					
2	학과	이름	실기1	중간고사	실기2	기말고사	총점
3	경영학과	이진혁	13	55	10	50	128
4	경영학과	이선애	12	30	15	45	102
5	과학교육학과	최재원	17	65	15	75	172
6	과학교육학과	박재영	17	65	15	75	172
7	사회체육학과	최지현	10	35	10	30	85
8	사회체육학과	성은주	10	35	10	30	85
9	사회체육학과	박미영	12	30	15	45	102
10	사회학과	탁재훈	15	50	20	80	165
11	사회학과	장동민	15	50	20	80	165
12	사회학과	이준호	15	50	20	80	165
13	사회학과	김현영	19	70	10	40	139
14	화학공학과	임지민	0	80	0	80	160
15	화학공학과	이희지	12	30	15	45	102
16	화학공학과	유기정	0	80	0	80	160

05 범위가 지정되어 있거나 셀 포인터가 데이터 목록에 위치한 상태에서 [데이터] 탭 – [윤곽선] 그룹 – [부분합]을 클릭합니다. [부분합] 대화 상자에서 [그룹화 할 항목], [사용할 함수], [부분합 계산 항목]을 지정할 수 있습니다

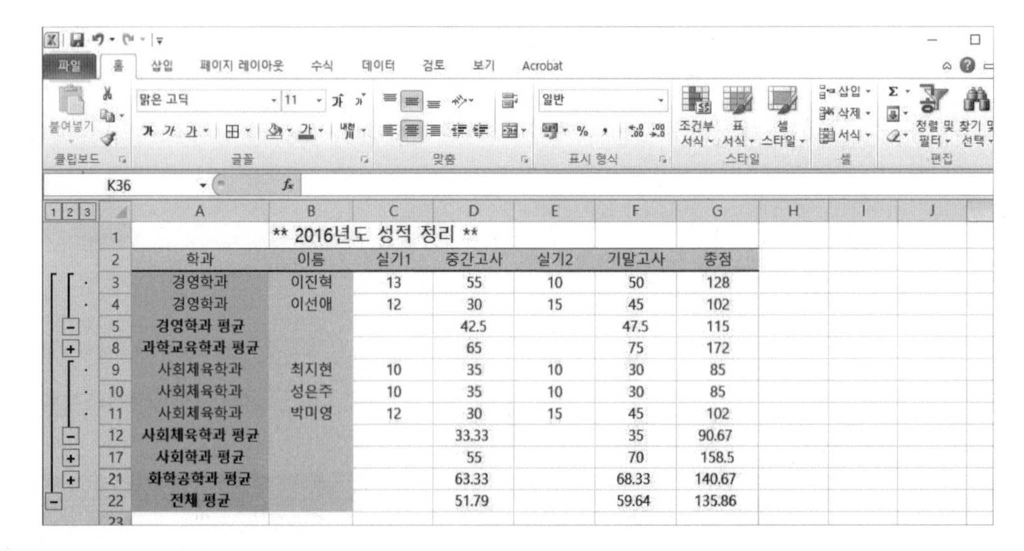

	A	B	C	D	E	F	G
1		** 2016년도 성적 정리 **					
2	학과	이름	실기1	중간고사	실기2	기말고사	총점
3	경영학과	이진혁	13	55	10	50	128
4	경영학과	이선애	12	30	15	45	102
5	경영학과 평균			42.5		47.5	115
8	과학교육학과 평균			65		75	172
9	사회체육학과	최지현	10	35	10	30	85
10	사회체육학과	성은주	10	35	10	30	85
11	사회체육학과	박미영	12	30	15	45	102
12	사회체육학과 평균			33.33		35	90.67
17	사회학과 평균			55		70	158.5
21	화학공학과 평균			63.33		68.33	140.67
22	전체 평균			51.79		59.64	135.86

06 부분합 결과값을 확인합니다. 왼쪽의 아이콘(+/ –)을 클릭해 요약 내용을 표시하거나 숨길 수 있습니다.

3.2 피벗 테이블

01 CH10-3-2.xlsx 파일을 불러옵니다.

02 데이터 분석 도구인 피벗 테이블은 행/열의 위치를 변경하여 다양한 형태로 표시하고 분석 요약이 가능합니다.

03 데이터 목록 내에 셀 포인터를 위치시킨 후 [삽입] 탭 – [표] 그룹 – [피벗 테이블]을 클릭하여 [피벗 테이블]을 선택합니다. [피벗 테이블 만들기] 대화상자에서 [확인]을 클릭합니다.

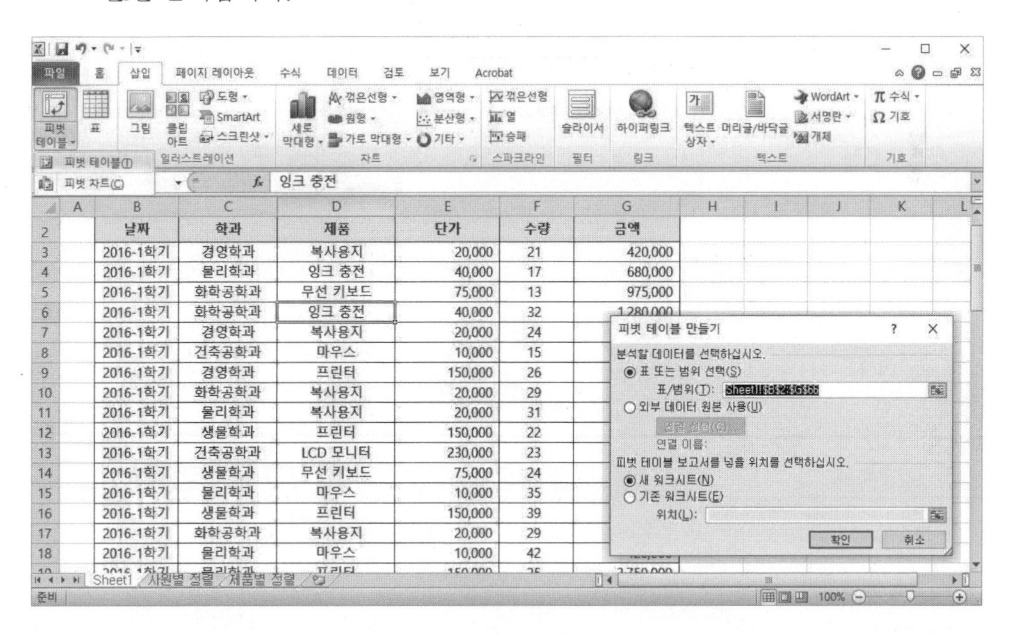

04 필드 레이아웃을 지정하려면 [피벗 테이블 필드 목록] 창에서 원하는 항목을 선택하고 [열 레이블]과 [행 레이블]로 드래그하면 피벗 테이블 영역이 나타납니다.

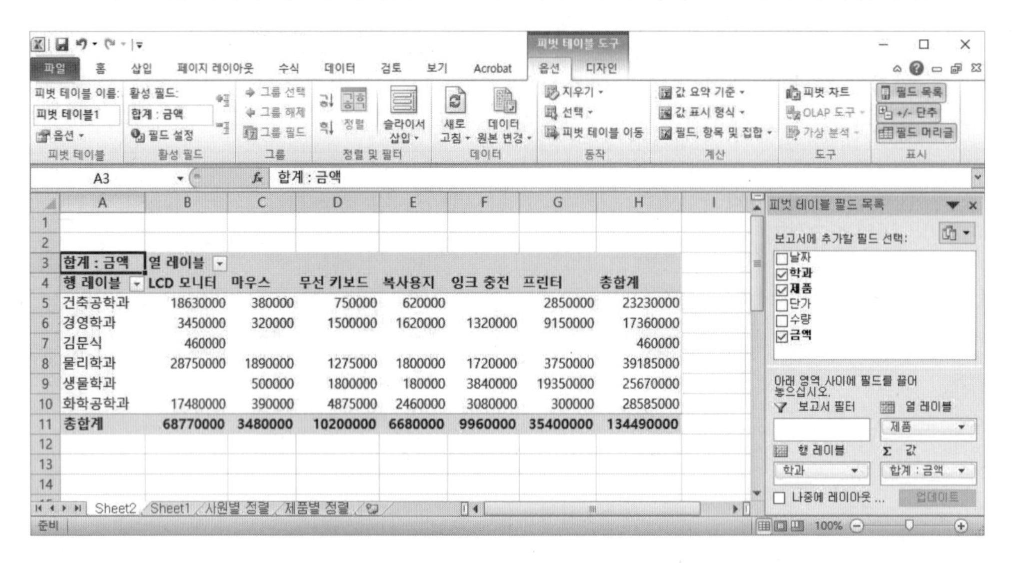

05 피벗 테이블 영역에 나타난 필터 단추를 클릭하여 [모두 선택]을 선택 해제하고 원하는 데이터만 선택해 필터링 할 수 있습니다.

06 [값] 영역의 금액이 합계로 되어 있는 것을 변경하기 위해 [합계 : 금액]을 클릭하여 단축 메뉴의 [값 필드 설정을 클릭합니다. [값 필드 설정] 대화 상자에서 계산 유형을 선택하여 변경 할 수 있습니다.

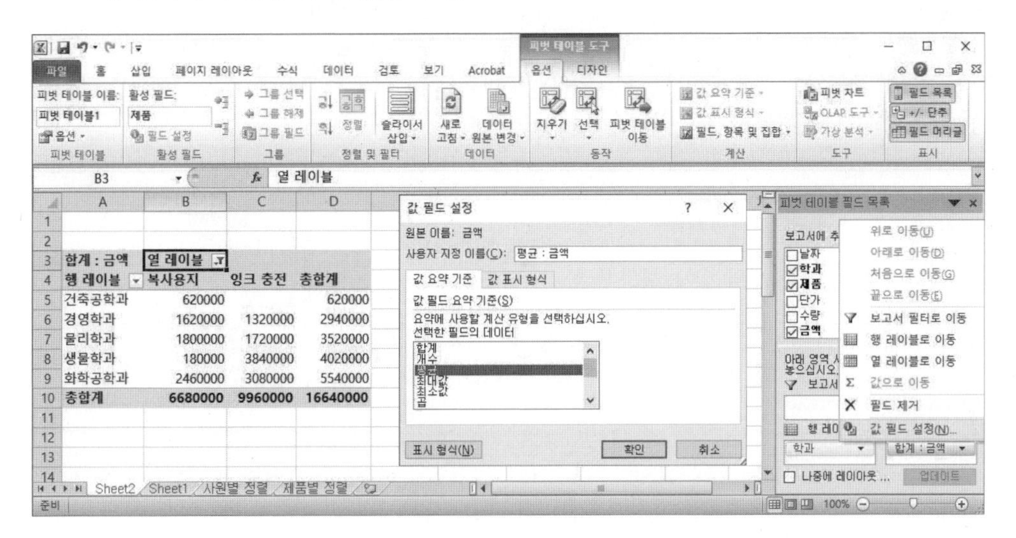

3.3 피벗 차트 만들기

01 CH10-3-3.xlsx 파일을 불러옵니다.

02 데이터 목록 내에 셀 포인터를 위치한 상태에서 [삽입] 탭 – [표] 그룹 – [피벗 차트]를 클릭하고, [피벗 차트 만들기] 대화 상자에서 [확인]을 클릭합니다.

월	상품명	수량	단가	판매가
05월	스피커	40	3,000	120,000
05월	USB	40	4,000	160,000
05월	USB	40	5,000	200,000
05월	USB	40	5,000	200,000
05월	USB	40	5,000	200,000
05월	USB	40	5,000	200,000
05월	USB	40	5,000	200,000
05월	스피커	55	4,000	220,000
05월	키보드	40	6,000	240,000
05월	USB	40	7,000	280,000
05월	USB	50	6,000	300,000
05월	공CD	40	8,000	320,000
05월	공CD	40	8,000	320,000
05월	공CD	40	8,000	320,000

피벗 테이블 및 피벗 차트 만들기
분석할 데이터를 선택하십시오.
표 또는 범위 선택(S)
표/범위(T): 피벗차트!$A$1:$E$283
외부 데이터 원본 사용(U)
피벗 테이블 및 피벗 차트 위치 선택
새 워크시트(N)
기존 워크시트(E)
확인 취소

03 필드 레이아웃을 지정하려면 [피벗 테이블 필드 목록]에서 원하는 항목을 선택하여 드래그하면 피벗 테이블 영역이 나타나면서 차트도 함께 나타납니다.

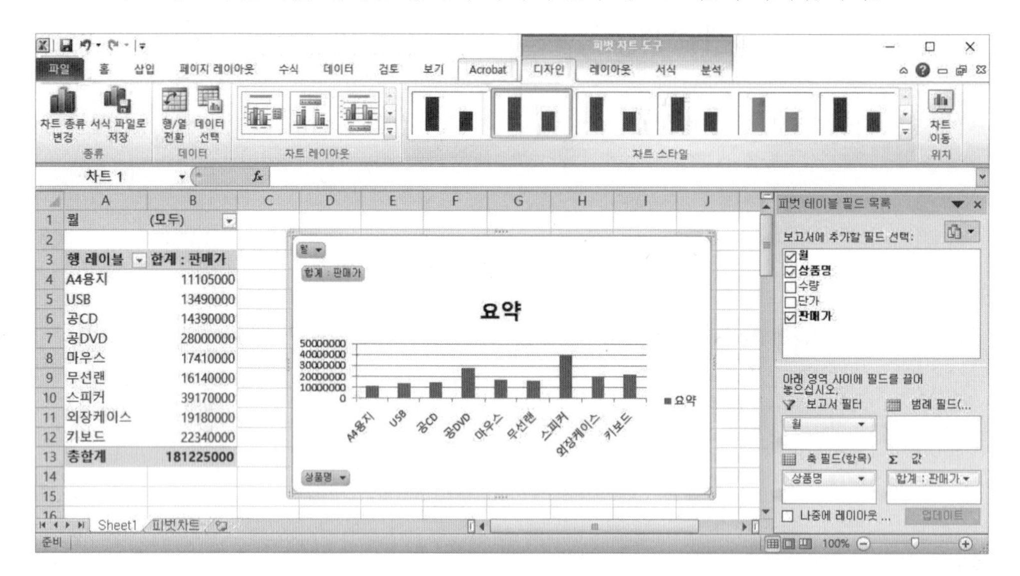

04 차트 종류를 변경하려면 차트를 클릭하고 [피벗 차트 도구]의 [디자인] 탭 – [종류] 그룹 – [차트 종류 변경]을 클릭합니다. [차트 종류 변경] 대화 상자에서 다양한 차트 형태로 변경 할 수 있습니다.

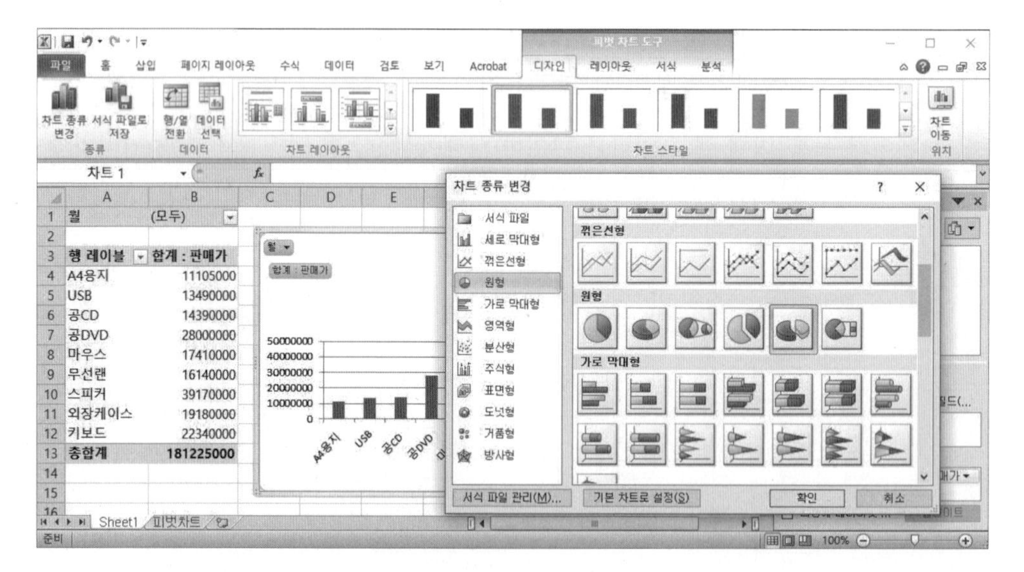

05 변경된 차트 영역을 더블 클릭하여 [차트 영역 서식] 대화 상자가 나타나면 차트 영역에 다양한 서식을 지정해 줄 수 있습니다.

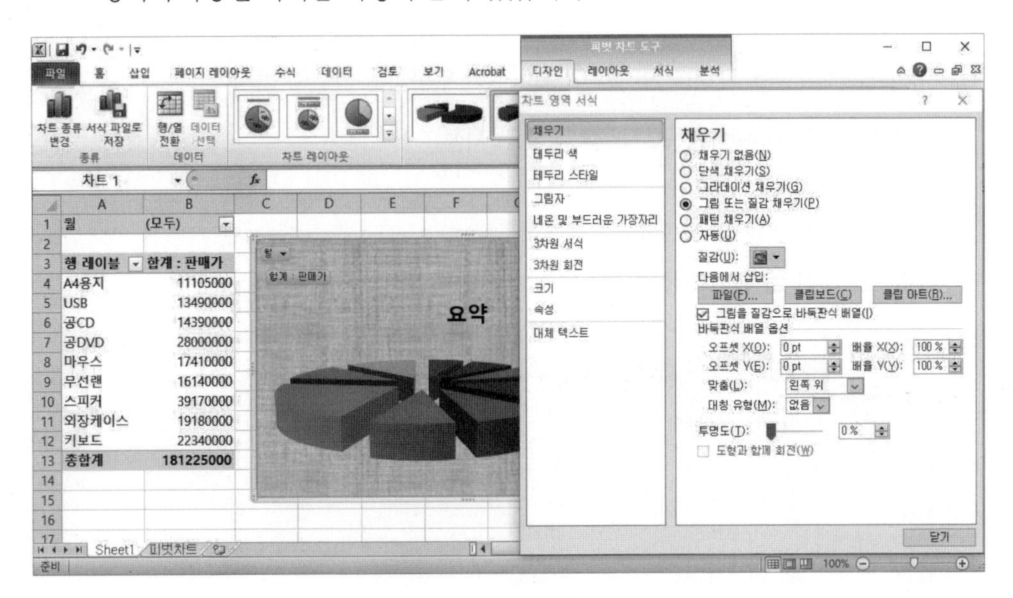

 연습문제

1. CH10-3-ex1.xlsx 파일을 불러와 다음과 같이 부분합을 만들어 봅시다.

- 정렬 : 정렬 기준은 '항목', '내림차순'으로 지정
- 그룹화할 항목 : 항목
- 사용할 함수 : 평균
- 부분합 계산 항목 : 2015년, 2016년, 2017년

	A	B	C	D
1	항 목	2015년	2016년	2017년
2	생 활 용	340,822	347,109	339,422
3	생 활 용	242,684	243,614	248,625
4	생 활 용	195,719	178,892	175,733
5	생 활 용	190,911	190,770	191,299
6	생 활 용	178,067	161,644	151,453
7	생 활 용	142,791	144,038	140,481
8	생 활 용	124,510	127,848	130,181
9	생 활 용	111,684	111,368	112,860
10	생 활 용	108,047	112,154	114,521
11	**생활용 평균**	181,693	179,715	178,286
12	농 업 용	342,858	369,443	371,963
13	농 업 용	229,510	236,800	243,918
14	농 업 용	215,670	228,693	235,409
15	농 업 용	183,983	184,694	191,029
16	농 업 용	183,840	205,949	216,951
17	농 업 용	174,407	178,841	183,183
18	농 업 용	169,528	178,833	178,923
19	**농업용 평균**	214,257	226,179	231,625
20	**전체 평균**	195,939	200,043	201,622

연습문제

2. CH10-3-ex2.xlsx 파일을 불러와 피벗 테이블을 작성하시오.

– 피벗 테이블 보고서 작성 위치 : 새 워크시트

– 피벗 테이블 레이아웃

행 레이블 : 항목, Σ 값

Σ 값 : 2008년, 2009년 (함수:평균)

– 시트명은 '피벗'으로 입력

	A	B
1		
2		
3	**행 레이블**	
4	군도	
5	평균 : 2008년	3074.166667
6	평균 : 2009년	3078
7	시도	
8	평균 : 2008년	3859.4
9	평균 : 2009년	3986.4
10	지방도	
11	평균 : 2008년	2706
12	평균 : 2009년	2695.333333
13	특별/광역시도	
14	평균 : 2008년	5294
15	평균 : 2009년	5307
16	**전체 평균 : 2008년**	**3528**
17	**전체 평균 : 2009년**	**3568.75**